イラスト
子どもの食と栄養

森脇 千夏　緒方 美津子　是松 聖悟
徳野 裕子　西岡 征子　宮﨑 貴美子　著
宮原 恵子　室井 由起子　脇本　麗

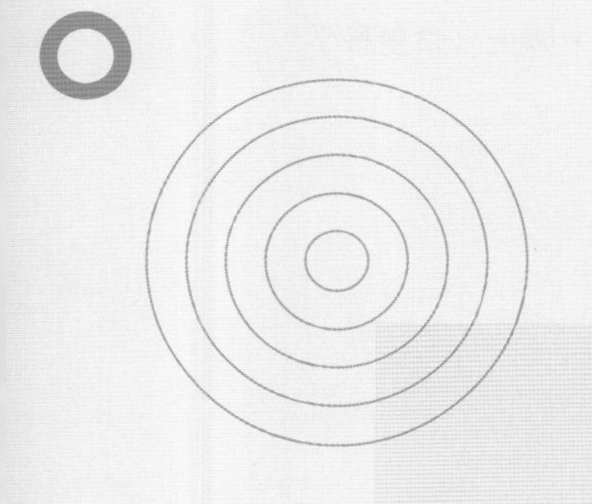

東京教学社

著者紹介

森脇　千夏	中村学園大学短期大学部 教授・博士（医学）
緒方　美津子	佐賀市立春日北小学校 栄養教諭・修士（人間環境学）
是松　聖悟	埼玉医科大学総合医療センター 教授・博士（医学）
徳野　裕子	十文字学園女子大学人間生活学部 准教授・博士（学術）
西岡　征子	西九州大学短期大学部 教授・学士（教養）
宮﨑　貴美子	香蘭女子短期大学 教授・博士（学術）
宮原　恵子	長崎国際大学健康管理学部 講師・修士（栄養科学）
室井　由起子	九州栄養福祉大学食物栄養学部 講師・修士（教育学）
脇本　麗	中村学園大学短期大学部 講師・博士（栄養科学）

イラスト：中山成子
表紙デザイン：Othello

まえがき

近年，胎児期から２歳までの「最初の 1,000 日間」の栄養状態が子どもの発育・発達さらには成人後の慢性疾患リスクや将来の経済的可能性に長期的な影響を及ぼすことが報告されています．母親の食生活が妊娠期・乳幼児期の栄養に影響を及ぼすことから，幼少期からの健全な食習慣形成を支援するのみならず，母親の食生活の課題を理解し支援することも極めて重要です．2015 年に実施された乳幼児栄養調査でも，幼児期の心身の発育・発達や基本的な生活習慣などの課題が明らかになり，幼児期における適切な栄養摂取や食生活の支援と保護者への支援の充実を図る必要があることが確認されています．

しかし，この保護者への支援を誰が行うのでしょうか．保護者の妊娠前から子育て中の不安・心配は多く，特に毎日の食に関する困りごとが子育ての不安要素の一因ともなっています．母親の就労や核家族化がすすむ現代においては，保育所や幼稚園などの施設は身近な「相談の場・相手」として施設に関わる保護者のみならず地域の子育て家庭への支援に至るまで重要度が増しています．このように保育の専門家としての保育者の役割は，子どものみならず，子どもを養育する保護者に対する支援も求められているのです．保育者は，保育に関わる確実な基礎的知識・技術に支えられた応用力やコミュニケーション能力を備え，保護者と子どもの課題に対して多方面からアプローチできる幅広い能力を備える必要があります．

幼稚園教育要領（2017 年），「保育所保育指針」改定（2018 年）において，食育の推進は，乳幼児期の食事を，心身の発育・発達や豊かな人間性の形成などに不可欠なものととらえ，「保育の一環」としてさまざまな取り組みが行われています．「食育」の実施に当たっては，家庭や地域社会と連携を図り，保護者の協力のもと，多職種と協働し全職員がその有する専門性を活かしながら多角的に栄養・食生活支援を行うことが求められています．

筆者らは保育所・幼稚園，小学校において医師や栄養士・管理栄養士はもとより保育士や幼稚園教諭，学級担任の先生方と連携し研究活動を行ってきました．本書は，我々が多職種で連携し共に意見交換を行い試行錯誤して行ってきた子どもや保護者への支援の実践的・実際的な内容をもとにまとめました．また，よりこれらが実践的に学べるように筆者らが授業で活用している演習資料を，特典としてご採用者さまに提供いたします．知識として理解はできても実際に食育計画や保護者への支援について学ぶためには，演習を繰り返すことが重要であると考えます．

本書は，「子どもの食と栄養」を学ぶ保育者のみなさんはもちろん，子どもに関わる多くの皆さまに活用頂くことを願います．多職種が連携し互いに協働し，子どもの「最初の 1,000 日間」や将来の健康を守ることができれば幸いです．

末筆ながら，本書の作成にあたりご協力頂いた関係機関の皆さま，中村学園大学短期大学部 坂本尚磨先生，多大な協力をいただいた東京教学社の皆さまに心より御礼申し上げます．

2021 年 3 月　　著者一同

離乳食　月齢別 固さ・形状〔目安〕

	初　期 （ごっくん期：5～6か月）	中　期 （もぐもぐ期：7～8か月）	後　期 （かみかみ期：9～11か月）	完了期 （ぱくぱく期：12～18か月）
固さの目安	なめらかに すりつぶした状態 ポタージュ状	舌で つぶせる固さ 豆腐くらい	歯ぐきで つぶせる固さ バナナくらい	歯ぐきで 噛める固さ 肉団子くらい
	まずはスプーン 1杯から始める	50～80g	全がゆ 90～軟飯 80g	軟飯 90～ごはん 80g
ごはん				
	野菜・果物	20～30g （使用する野菜のいずれか）	30～40g （使用する野菜のいずれか）	40～50g （使用する野菜のいずれか）
〔例〕ほうれん草	←　ほうれん草葉先　→			
〔例〕にんじん				
〔例〕かぼちゃ				

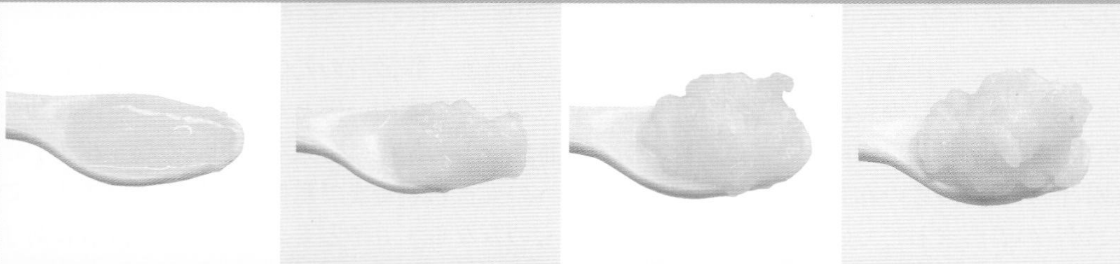

※にんじんは圧力鍋で指でつぶせる程度にやわらかく煮てあります.

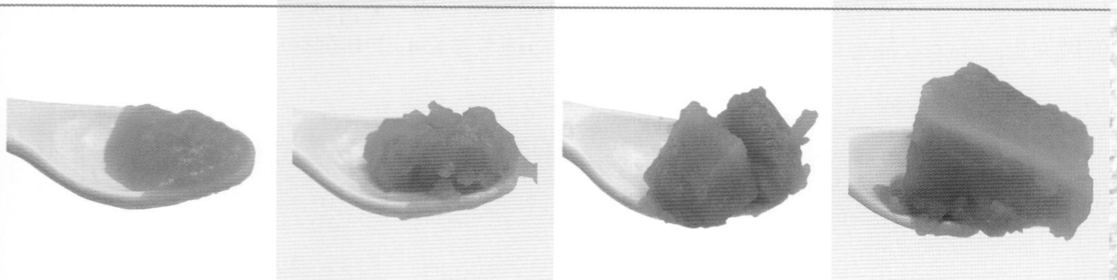

	初期（ごっくん期：5～6か月）	中期（もぐもぐ期：7～8か月）	後期（かみかみ期：9～11か月）	完了期（ぱくぱく期：12～18か月）
	なめらかにすりつぶした状態 ポタージュ状	舌でつぶせる固さ 豆腐くらい	歯ぐきでつぶせる固さ バナナくらい	歯ぐきで噛める固さ 肉団子くらい
魚または肉または卵または豆腐または乳製品		肉・魚なら10～15g （使用するたんぱく源のいずれか）	肉・魚なら15g （使用するたんぱく源のいずれか）	肉・魚なら15～20g （使用するたんぱく源のいずれか） ＊卵・豆腐・乳製品の量は「離乳食の進め方の目安」を参照．
（例：白身魚）	 茹でてすり鉢ですりつぶす．昆布だしを加えてピューレにする．	 茹でてすり鉢で繊維を切るようにつぶす～包丁でみじん切りにする．	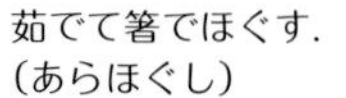 茹でて箸でほぐす．（あらほぐし）	 茹でて箸でほぐす．（1cm大）～切り身．
（例：鶏ささみ）	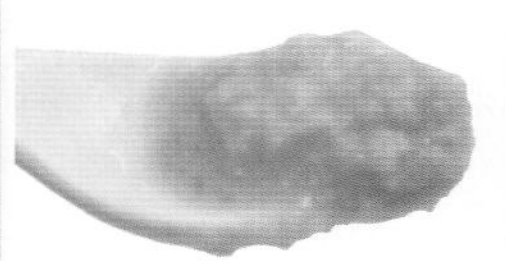 茹でてすり鉢ですりつぶす．少量に昆布だしを加えてピューレにする．	 茹でてすり鉢で繊維を切るようにつぶす，ささみひき肉を用いてもよいが，口の中に残りやすいので他の食材と混ぜて使うようにする．	 歯ぐきでつぶせる程度に小さく丸めてもよい．固さの調整のために，豆腐と合わせてまとめるとやわらかく仕上がる（写真）．	 歯ぐきで噛める程度の固さ，前歯で一口量をかじりとるなど食べる機能の発達に合わせて調整するとよい（脂肪が比較的多い鶏ひき肉も使用可）．

肉や魚は水溶き片栗粉などでとろみをつけると食べやすい！

忙しくてなかなか作ることができない！！
そんなご家族には…
冷凍保存が便利です☆

製氷器などのケースに離乳食を入れ冷凍すると，小分けに出来るのでお勧めです☆

冷凍保存の注意点！

- きちんと火を通して冷凍する
- 使用する時は必ず加熱する
- １週間以内に使い切る
- 日付と品名を記入する
- 再冷凍は細菌が増えるためやめること
- 離乳食コーナーを作り，大人の分と区別する
- レンジで温める時には，途中で一度出し，かき混ぜて全体に火が通るようにする

保育園給食における離乳食の進め方〔目安〕

月齢		5〜6か月頃		7〜8か月頃	9〜11か月頃	12〜18か月頃
目安量	離乳食(回)	1	2	2	3	3
	母乳	欲しがるだけ与える				徐々に牛乳に切り替えていく
	育児用ミルク	1日1000ml 1回200ml		1日700〜900ml 1回140〜180ml	1日500〜700ml 1回100〜140ml	
与え方(参考例)	1回目(家庭)				＋離乳食	離乳食
	2回目(保育園)				＋朝おやつ	朝おやつ
	3回目(保育園)	＋離乳食	＋離乳食	＋離乳食	＋離乳食	離乳食
	4回目(保育園)				＋3時おやつ	3時おやつ
	5回目(家庭)		＋離乳食	＋離乳食	＋離乳食	離乳食
	6回目(家庭)					
食べ方の特徴		口を閉じて飲み込む		もぐもぐして飲み込む	かみかみして飲み込む	前歯で噛みとる
調理形態		なめらかにすりつぶしたポタージュ状		舌でつぶせる固さ豆腐くらい	歯ぐきでつぶせる固さバナナくらい	歯ぐきで噛める固さ肉団子くらい
1回あたりの目安量 主食	米	・つぶしがゆから始める 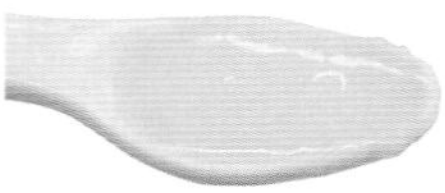		全がゆ50〜80g 	全がゆ90〜軟飯80g 	軟飯90〜ごはん80g
副菜	野菜・果物	・すりつぶした野菜を試してみる 		20〜30g 	30〜40g 	40〜50g 
主菜	魚または	・慣れてきたら，つぶした豆腐・白身魚・卵黄などを試してみる		10〜15g 白身〜赤身	15g 赤身〜青魚	15〜20g 〜青魚
				(血合いの部分を積極的にとるとよい(鉄分補給))		
	肉または	・基本は味をつけずにだし汁で煮るようにする		10〜15g ささ身から始める	15g	15〜20g
	豆腐または			30〜40g	45g	50〜55g
	卵(個)または	・だしは野菜だしや昆布だしから始め，かつお→いりこ→鶏ガラと進めるとよい (※鶏ガラを使う場合，余分な脂はとる)		卵黄1〜全卵1/3	全卵1/2	全卵1/2〜2/3
				★卵は必ずアレルゲンの少ない卵黄の固ゆでから始める．卵は加熱によってアレルギー反応が起こりにくくなる．		
	乳製品のいずれか	いずれかを使用		50〜70g	80g	100g
食べ方の目安		★子どもの様子を見ながら1さじずつから始める		★1日2回食で食事のリズムをつけていく ★食材の種類を増やしていく	★1日3回食に進める ★みんなで食べる楽しさを知る ★9か月から体内の鉄が不足ぎみになるため，離乳の進行が遅い時は，フォローアップミルクに切り替える	★1日3回の食事のリズムから生活のリズムを整える ★手づかみ食べをし，自分で食べる楽しさを知る

口の動きと移行のポイント

離乳食開始前（4～5か月頃）

離乳の上手な進め方	動きの特徴	口唇	舌	あご
なんでも口に入れたい 指しゃぶりは大切		  半開き，上唇とも ほとんど動かない	 舌は前後運動が中心	上下に動く

離乳開始のポイント
・首が座っている
・なんでも口に入れようとする
（哺乳反射の減弱）

離乳食初期（ごっくん期：5～6か月頃）

離乳の上手な進め方	動きの特徴	口唇	舌	あご
 下唇にさじで合図し， 上唇で取り込ませる		口唇を閉じて飲む  上唇の形を変えずに 下唇が内側に入れる	 前後の動き （食べ物を 飲み込む位 置まで送 る）	上下に動く

初期から中期移行のポイント
・食べ物を口からこぼさずに取り込める
・ごっくんができる

離乳食中期（もぐもぐ期：7～8か月頃）

離乳の上手な進め方	動きの特徴	口唇	舌	あご・歯
 舌でつぶせる固さの食材 を上唇で取り込ませる		左右同時に伸縮  上下の唇がしっかり 閉じて薄く見える	 舌は上下の動きを繰り返す （食べ物を押しつぶす）	  上あごと舌で押しつぶす 前歯の萌出

中期から後期移行のポイント
・舌で押しつぶせる口の動きができている
・形のあるもの（やわらかい角切り野菜など）
が食べられている

離乳食後期（かみかみ期：9～11か月頃）

離乳の上手な進め方	動きの特徴	口唇	舌	あご・歯
 歯ぐきでつぶせる固さの 食材を使い，一口量のか じり取りの練習をする		片側に交互に伸縮    上下の唇がねじれながら協 調，咀嚼側の口の角が縮む	 舌の左右の動き 食べ物を歯ぐきに移動	上下・左右に動かして 歯ぐきで食べ物をつぶす 前歯の萌出

後期から完了期移行のポイント
・食べる意欲がみられる
・手づかみ食べをしようとする
・前歯でのかじり取りができている
・歯ぐきでつぶす動きが十分にできている

離乳食完了期（ぱくぱく期：12～18か月）

離乳の上手な進め方	動きの特徴	
   口へ詰め込みすぎたり， 食べこぼしをしながら覚 える		 ・手づかみ食べからどのような姿勢で，どのくらい， 一口量の食材を入れたら良いか学習する ・自分で食具を使った時の食べる動きを学習をする ・前歯８本，第一乳臼歯が生え始める ※奥歯が生えそろうのは２歳６か月～３歳６か月

保育園・幼稚園の行事食

1月 お雑煮風

正月

材料

白玉粉	20g		切りみつば	3g
水	18g		だし汁	120g
豚もも肉	10g	A	塩	0.3g
白菜	30g	A	薄口しょうゆ	1g
にんじん	10g			

1月 七草がゆ

材料

金芽米	30g	にんじん	5g
水	45g	大根葉	5g
鶏もも肉	10g	大根	10g
かまぼこ	5g	せり	5g
小松菜	5g	だし汁	150g
白菜	10g	食塩	0.3g

1月 ぜんざい

材料

茹で小豆	40g	白玉粉	25g
砂糖	10g	水	15g
水	90g		
塩	0.2g		

2月 恵方巻き

材料

金芽米	50g	焼き海苔	1g
水	40g	全卵	25g
砂糖	2g	砂糖	1g
穀物酢	7g	調合油	1g
食塩	0.1g	きゅうり	18g
いりごま	3g	かにかまぼこ	20g
ゆかり	2g	スライスチーズ	20g

鬼ケーキ

2月 節分

材料					
	ホットケーキミックス	15g		【飾り】	
	全卵	13g	B	ホイップクリーム	8g
	砂糖	10g	B	砂糖	1g
A	ヨーグルト	9g	B	レーズン	2g
A	マーガリン	6.5g	B	チョコレート	5g
A	レモン果汁	2g	B	とんがりコーン	5g

おはぎ（ぼた餅）

3月 9月 彼岸

材料				
	金芽米	25g	つぶあん	30g
	もち米	25g	きな粉	5g
	塩	0.1g	砂糖	5g
			塩	0.1g

花ちらし寿司

3月 4月

桃の節句・花見

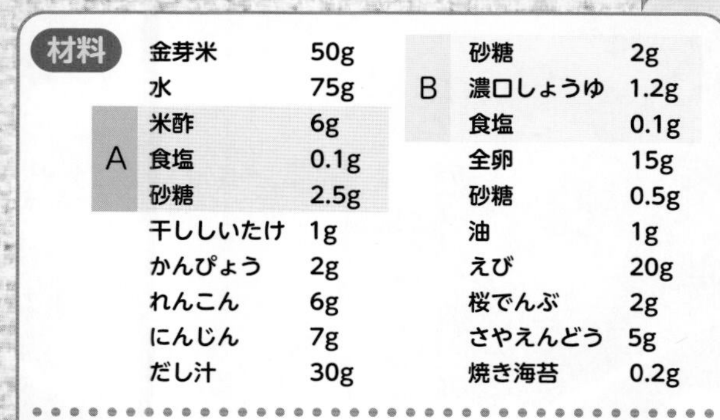

材料					
	金芽米	50g	B	砂糖	2g
	水	75g	B	濃口しょうゆ	1.2g
A	米酢	6g	B	食塩	0.1g
A	食塩	0.1g		全卵	15g
A	砂糖	2.5g		砂糖	0.5g
	干ししいたけ	1g		油	1g
	かんぴょう	2g		えび	20g
	れんこん	6g		桜でんぶ	2g
	にんじん	7g		さやえんどう	5g
	だし汁	30g		焼き海苔	0.2g

こいのぼりケーキ

5月

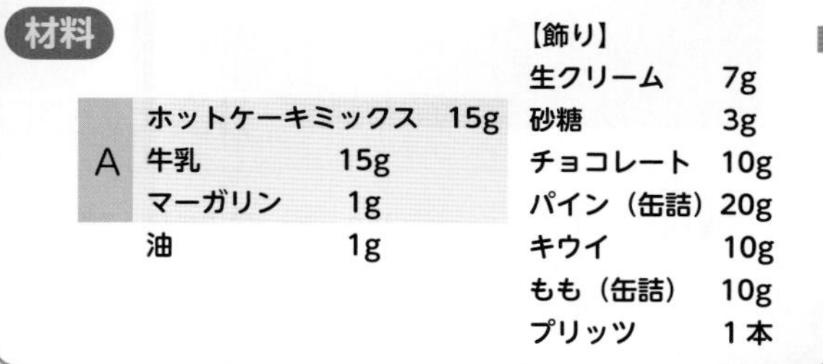

材料			【飾り】	
			生クリーム	7g
A	ホットケーキミックス	15g	砂糖	3g
A	牛乳	15g	チョコレート	10g
A	マーガリン	1g	パイン（缶詰）	20g
	油	1g	キウイ	10g
			もも（缶詰）	10g
			プリッツ	1本

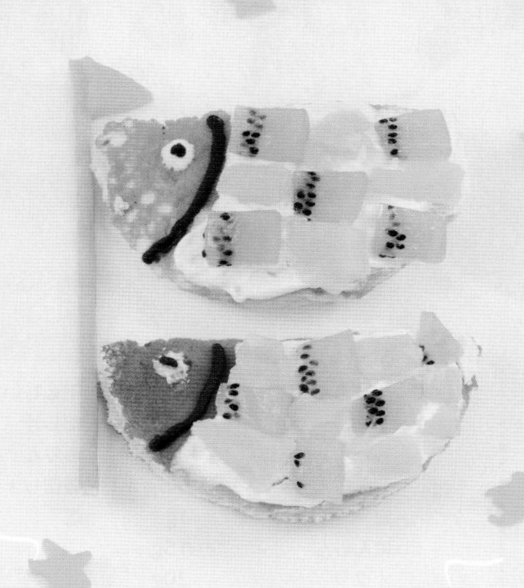

端午の節句

5月 柏餅

端午の節句

材料

上新粉	20g	湯	
白玉粉	2g	つぶあん	20g
砂糖	2g	柏の葉	1枚

6月 かたつむりケーキ

材料

		【飾り】	
ホットケーキミックス	6.5g	生クリーム	7g
全卵	25g	砂糖	1g
砂糖	4g	キウイ	7g
生クリーム	15g	もも（缶詰）	5g
砂糖	2g	プリッツ	1本

7月 七夕そうめん

七夕

材料

	そうめん（乾）	60g		干ししいたけ	2g
	全卵	20g		だし汁	120g
A	砂糖	0.5g	B	みりん	2g
A	薄口しょうゆ	0.5g	B	濃口しょうゆ	5g
	油	1g	B	塩	0.1g
	にんじん	15g			
	オクラ	20g			

11月 赤飯

神迎えの朔日

材料

米	35g	茹で小豆	20g
もち米	15g	塩	0.2g
小豆煮汁と水	70g		

10月 かぼちゃのモンブラン

ハロウィン・冬至

材料

	生クリーム	10g
	砂糖	2.5g
	かぼちゃ	50g
A	ホットケーキミックス	18g
A	砂糖	4.5g
A	豆乳	12g
A	マーガリン	7g

12月 フルーツケーキ

材料

スポンジケーキ	50g
いちご	10g
みかん（缶詰）	10g
キウイ	8g
生クリーム	30g

12月 クリスマスパーティーの食事

クリスマス

材料

クリスマスチキン

	鶏もも肉	50 g
A	にんにく	0.5g
A	しょうが	0.5g
A	濃口しょうゆ	2g
A	オイスターソース	2g
A	トマトケチャップ	2g
A	はちみつ	2g
A	赤ワイン	2g
	【飾り】	
	黄パプリカ	5g
	赤パプリカ	5g

ウインナー

ウインナー	20 g

フライドポテト

じゃがいも	40 g
揚げ油	適量
塩	0.1g
青のり	0.1g

ブロッコリーと
リンゴのサラダ

りんご	25g
ブロッコリー	35g
マヨネーズ	5g

ミネストローネ

ベーコン	4g
玉ねぎ	20g
キャベツ	15g
にんじん	5g
鶏がらスープ	150g
マッシュルーム（缶詰）	5g
ホールトマト（缶詰）	30g
塩	0.3g
こしょう	0.01g
パセリ	2g

カレーピラフ

	金芽米	43g
	押麦	4g
	鶏もも肉	12g
	玉ねぎ	15g
	にんじん	10g
	無塩バター	0.6g
	塩	0.1g
	こしょう	0.01g
	スイートコーン（缶詰）	5g
A	酒	1.8g
A	濃口しょうゆ	0.6g
A	固形コンソメ	0.5g
A	カレー粉	0.1g
	【飾り】	
	グリンピース（冷凍）	0.5

離乳期の食事

初　期
（ごっくん期：5～6か月）
トマトとにんじんペースト
・トマト（果肉）　5g
・にんじん　5g
つぶしがゆとほうれん草
・つぶしがゆ　30g
・ほうれん草　5g
豆乳コーンスープ
・豆乳　30g
・とうもろこしペースト　5g

中　期
（もぐもぐ期：7～8か月）
りんごのコンポート
・りんご　20g　・レモン汁　2g
けんちんうどん
・うどん（ゆで）　20g　・かぶ　10g
・にんじん　5g　・だし汁　50g
豆腐と鶏ミンチのやわらか煮
・絹豆腐　10g　・鶏ミンチ 10g
・ブロッコリー 5g　・だし汁　30g
・片栗粉 1g

離乳期の食事

後　期
（かみかみ期：9〜11 か月）
バナナヨーグルトかけ
・バナナ　10g
・ヨーグルト　5g
にんじんとさつまいもの
やわらか煮
・にんじん　10g
・さつまいも　10g
鯛と大根の
クリームシチュー
・鯛　15g
・大根　30g
・青菜　5g
・牛乳　20g
・塩　0.1g
スティック食パン
・食パン　20g

完了期
（ぱくぱく期：12〜18 か月）
ハンバーグ
・合挽ミンチ　20g
・パン粉　2g
・油　0.5g
・じゃがいも　10g
・たまねぎ　10g
・卵　2g
・ブロッコリー　10g
Hello
・いちご　15g
はんぺんかきたま汁
・はんぺん 5g
・だし汁　50g
・塩　0.2g
・トマト（果肉）5g
・卵　10g
・パセリ　0.5g
おにぎり
・米飯　90g

幼児期の食事

巻末資料６に，献立と作り方の記載があります．

朝食例

昼食例（和食）

幼児期の食事

昼食例（食べる機能や栄養成分に配慮した献立）

野菜を使った簡単おやつ

食物アレルギーのある子どもの食事例

学童期の食事

夕食例（スポーツをする子どもの献立）

目 次

第4章 食の衛生と安全

第5章 ライフステージ別の栄養と食生活

第6章■食育の基本と内容

第7章■家庭や児童福祉施設における食事と栄養

第 8 章■特別な配慮を要する子どもの食と栄養

第 9 章■食物アレルギーの基本的知識

第1章
子どもの健康と食生活の意義

この章で学んでほしいこと！

子どもが心身ともに健康な生活を営むためには，日々の食生活が重要な役割を果たします．しかし，最近では偏った食生活による子どもの肥満の増加や朝食の欠食など，子どもの食生活における問題点が明らかとなっています．本章では，子どもを取り巻く食生活の現状を把握し，子どもにとって望ましい食生活の意義について学びます．

この章で学ぶこと

- 子どもにとって食べることの意義
- 健康のとらえ方
- 子どもの食生活の現状と課題
- さまざまな食支援

この章での到達目標

- 子どもにとっての食べることの意義が理解できた
- 健康の定義を理解できた
- 子どもの食生活の現状を把握し，課題に対する対策について考えることができた
- なぜ「子どもの食と栄養」を学ぶのか理解できた

MEMO

最近の子どもの食に関する研究

世帯の経済状態と子どもの食生活との関連に関する研究において，東日本の 19 小学校に在籍する小学 5 年生 1,447 名を対象に調査した結果，世帯収入が貧困基準以下の世帯の子どもは，それ以外の世帯の子どもに比べて朝食の欠食者が多く，野菜や外食の摂取頻度が低く，魚や肉の加工品，インスタント麺の摂取頻度が高いことがわかった．このことから，世帯の経済状態が子どもの食品や外食の摂取状況に関連することが示された．子どもの健康的な発育のためには野菜や朝食の摂取など，バランスの良い食事が大切である．

しかし，2015（平成 27）年に厚生労働省が発表した「子どもの貧困率」は 13.9%となっており，17 歳以下の子どもの約 7 人に 1 人が経済的に困難な状況にある．世帯の経済状態と子どもの食生活状況についてさらに多方面から詳細に分析し，世帯収入と子どもの食生活格差についての実態把握と早急な対策が必要である．

（硲野 佐也香ら「世帯の経済状態と子どもの食生活との関連に関する研究」栄養学雑誌　Vol.75 No.1，2017 より）

1.1　子どもの心身の健康と食生活

1 健康の定義

乳幼児期の食生活は，人の一生のなかでも健康を築く根幹となるものであり，子どもの健全な心身の発育にとって極めて重要であるといえる．WHO（世界保健機構）憲章では，健康について以下のように定義している．

「健康とは，肉体的，精神的及び社会的に完全に良好な状態であり，単に疾病又は病弱の存在しないことではない.」（日本語訳：厚生労働省）

すなわち，健康であるということは肉体的に望ましい栄養状態にあるだけでなく，心身ともに健全であることに加え，社会的にも健全でなければならないことを示している．したがって，理想的な健康とは，肉体的，精神的，社会的健康のバランスの均衡がとれた状態であるといえる（図1-1）.

図1-1　健康の概念

2 子どもにとって食べることの意義

成長期は，胎生期，新生児期，乳児期，幼児期，学童期・思春期に分類され，受精，出生から18歳頃までとされている．成長期の最大の特徴は，常に成長・発達をしていることである．成長とは，身体が量的に増大することであり，発達は機能的に成熟することを示している．また，発育とは成長と発達の両者を合わせた広義の概念を示すものである．成長期には骨格，筋肉，臓器など身体を構成するさまざまな組織をつくる必要があるため，体重1kg当たりにすると成人よりも多くの栄養素量が必要となる．特に乳児期は人の一生において身体的，生理的，精神的な発育が最も盛んに行われる．

発育・発達に関しての詳細は，第2章「子どもの発育・発達と食生活」に記載する．

一時的に乳児は1年で体重が3倍，身長が1.5倍になるんだって... もし乳児期に栄養が不足したらどうなるのかしら？

1.2　子どもの食生活の現状と課題

現在，子どもの食生活の現状を把握する主な手段として，厚生労働省が行う**国民健康・栄養調査**と**乳幼児栄養調査**が用いられている．国民健康・栄養調査は，健康増進法に基づいて国民の身体状況や栄養素等摂取量，生活習慣の状況を明らかにし，国民の健康増進の推進を図るための基礎資料を得ることを目的として毎年実施されている．また，乳幼児栄養調査は，母乳育児の推進や乳幼児の食生活の改善のための基礎資料を得ることを目的として10年周期で行われており，最近では2015（平成27）年に調査が行われた（**表1-1**）．

ここでは，子どもを取り巻く食生活の現状と課題について，国民健康・栄養調査と乳幼児栄養調査の結果を踏まえて述べる．

表1-1　国民健康・栄養調査と乳幼児栄養調査

	国民健康・栄養調査	乳幼児栄養調査
対象者	満1歳以上	6歳未満の子ども
対象世帯・対象人数	約5,200世帯・約1万人	約4,400世帯・約5,500人
調査項目	身体状況 栄養摂取状況 生活習慣	母乳育児（授乳） 離乳食・幼児食の現状 子どもの生活習慣，健康状態など
調査実施周期	毎年実施	10年周期

（資料：厚生労働省「平成29年国民健康・栄養調査結果の概要」，「平成27年乳幼児栄養調査結果の概要」より作成）

1 子どもの食生活の現状と課題

(1) 朝食の欠食

2015（平成27）年に実施された乳幼児栄養調査で，約2,600人の子どもの朝食習慣を調べたところ，「必ず食べる」と回答した子どもの割合が93.3%，「週に2～3日食べないことがある」「週に4～5日食べないことがある」「ほとんど食べない」「全く食べない」など，食べる習慣がないと回答した子どもの割合が6.7%であった．また，保護者の朝食習慣を調べたところ，「必ず食べる」と回答した保護者の割合が81.2%，同様に食べる習慣がないと回答した保護者の割合が18.7%であり，朝食の欠食習慣がある子どもの割合の6.7%を上回っていた．

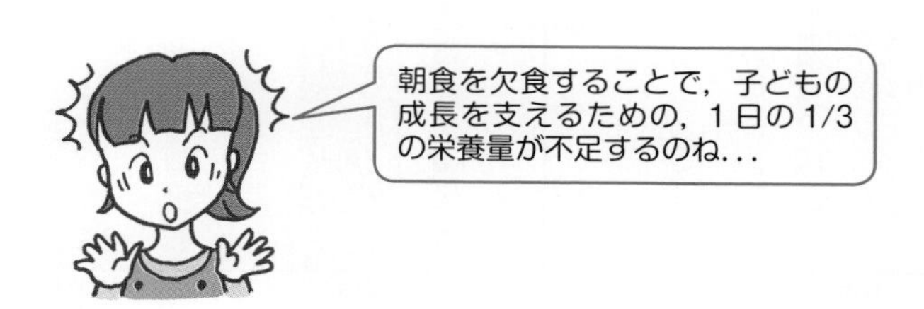

①子どもの朝食の欠食と，保護者の朝食習慣の関連

子どもの朝食習慣に保護者の朝食習慣が密接に関わっていることを示す調査結果がある．保護者の朝食習慣別の，子どもの朝食習慣の調査結果では，保護者に朝食習慣がある家庭の子どもは，「朝食を必ず食べる」と回答した割合が95.4%であったのに対し，保護者に朝食習慣がない家庭の子どもは，「必ず食べる」と回答した割合は平均して83.4%であった．一方，保護者に朝食習慣がある家庭の子どもが欠食する割合は4.3%であるのに対し，保護者に朝食習慣がない家庭の子どもが欠食する割合は16.3%であった（**図1-2**）．これはすなわち，保護者の朝食習慣が子どもの朝食習慣に大きく影響していることを意味しており，子どもの朝食の欠食を改善するためには，保護者の朝食に対する意識の改善が必要不可欠であるといえる（第7章7.1参照）．

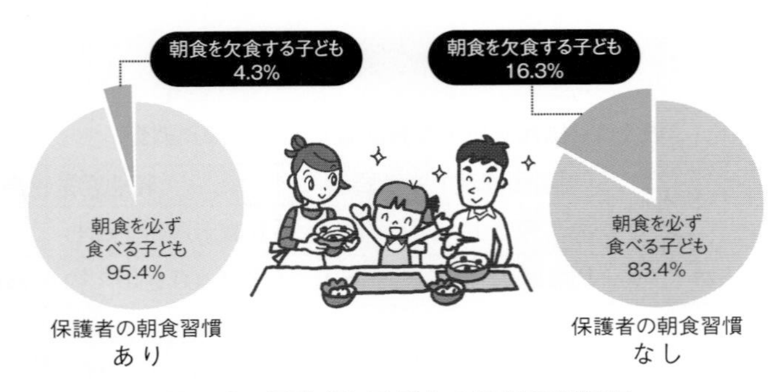

図1-2　保護者と子どもの朝食習慣調査

（資料：厚生労働省「平成27年乳幼児栄養調査結果の概要」より作成）

②朝食習慣と学力

さらに，朝食習慣と子どもの学力についての調査結果（**図1-3**）をみると，朝食を毎日とる児童・生徒ほど学力調査の得点が高い傾向にあることがわかっている．朝食の欠食は脳のエネルギー源であるぶどう糖が不足し，低血糖を引き起こすため，集中力や注意力の低下を引き起こす．また，朝食をとることは単に糖質の補給のみならず，生体のリズムを整えるという重要な役割も果たしているといわれている．

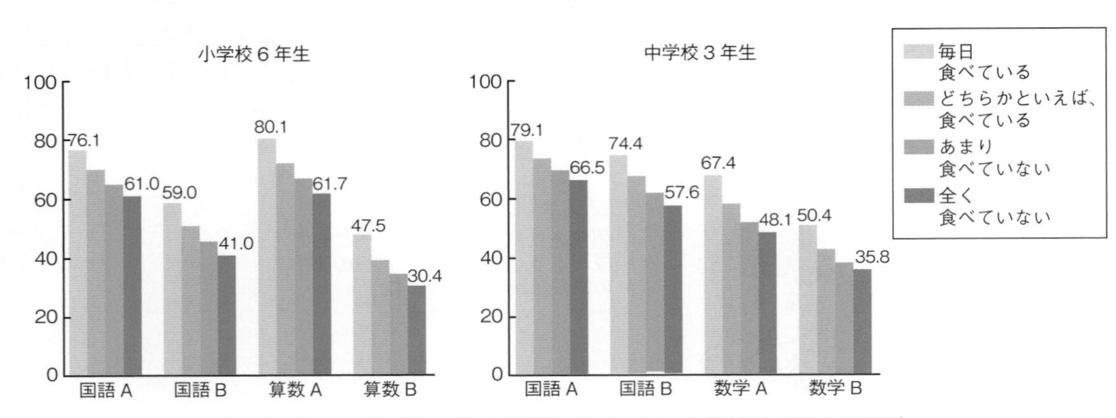

（Aは主として「知識」に関する問題　Bは主として「活用」に関する問題）

図1-3　朝食摂取と学力調査の平均正答率との関係

（資料：文部科学省「平成29年度全国学力・学習状況調査」より作成）

(2) 子どもの肥満，やせ

①子どもの肥満（過栄養）

1970 年代以降，食生活やライフスタイルの変化により子どもの肥満が急激に増加した．文部科学省が行った平成 30 年度学校保健統計調査（速報値）の結果によると，子どもの肥満は 2003（平成 15）年頃から概ね減少傾向にある（第 8 章 8.1 参照）．日本小児内分泌学会によると，子どもの肥満のほとんどは摂取エネルギーが消費エネルギーを上回っているために生じる単純性肥満（原発性肥満）であるとしている．つまり，子どもの肥満の原因は食事・おやつ・ジュースなどの過剰摂取，バランスの悪い食事内容，運動不足など日常活動の低下によって起こるものがほとんどであるといえる．

子どもの肥満がなぜいけないのか

肥満は，生活習慣病とよばれる糖尿病や高血圧，脂質異常症などの原因となり，動脈硬化を進行させ，将来的には心筋梗塞や脳血管疾患などの重篤な疾患のリスクを高める．

生活習慣病は子どもにおいても報告されており，動脈硬化は子どもの時から少しずつ進行していく．図 1-4 に示すように，子どもの肥満は成人肥満に移行しやすく，特に思春期肥満は体格が形成されてしまい，生活習慣も改善することが難しいため，7 割～8 割が成人肥満に移行するといわれている．成長期であっても肥満の改善は重要であり，できるだけ早期に生活習慣などを見直すことが望ましい．

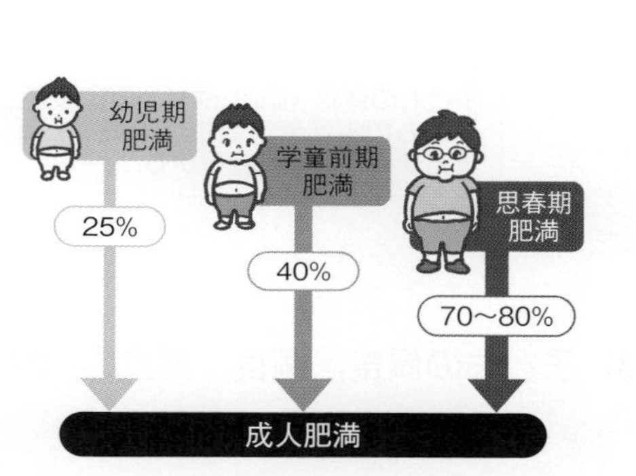

図 1-4　子ども期肥満と成人肥満の関係

（日本小児内分泌学会 HP より作成）

②子どものやせ（痩身）

平成 30 年度学校保健統計調査（速報値）の結果によると，子どものやせ（痩身傾向児）の割合は男子では 15 歳の 3.24%，女子では 12 歳の 4.18%が最も高かった（図 1-5）．

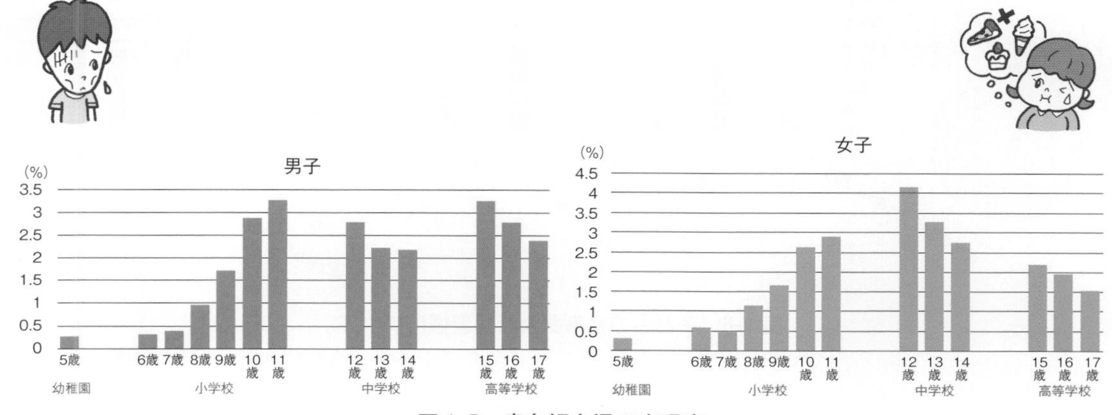

図 1-5　痩身傾向児の出現率

（資料：文部科学省「平成 30 年度学校保健統計調査」より作成）

前年度と比較すると痩身傾向児の出現率は減少傾向にあるが，子どものやせや低栄養も肥満と同様に改善すべき課題である．男女で比較すると女子のやせ傾向のほうが高く，この背景には「やせていること」を「美の象徴」ととらえる傾向や，ボディーイメージの歪みなどの問題が関わっていると考えられている．しかし，子どものやせは，栄養不足によるやせ，前述のようなやせ願望がある場合，学業や人間関係のストレスがある場合など原因は複雑である．

子どものやせがなぜいけないのか

子どものやせは摂食障害や骨量の減少，体重減少に伴う初潮の遅れや無月経の原因となる場合があり，将来的には不妊や骨粗鬆症，サルコペニア[*1]などのリスクが高くなる可能性がある．

＊１　サルコペニア
主に加齢により全身の筋肉量と筋力が自然低下し，身体能力が低下した状態と定義されており，「加齢性筋肉減弱現象」ともよばれている．

子どもの体格（肥満・やせ）の状態で，子どもの生活習慣や生活環境などを予測することができるかも...

(3) 子どもの偏食，個食，孤食の問題

①子どもの偏食

平成 27 年度乳幼児栄養調査結果で，2〜6 歳児の保護者に対する「現在子どもの食事で困っていることがあるか」という質問では，「困っていることがある」と答えた保護者が 82.2％であった．また，困っている具体的な事例としては「偏食する」が約 30％であった（**図 1-6**）.

子どもの偏食は，程度や期間，偏食しやすい食品などの個人差が大きく，偏食と正常との境界を決定することは難しいため，特に定義づけはされていない．これらは自我の発達によるものと考えられ，一過性のものが多いため，あまり神経質にならないように見守ることが重要である．

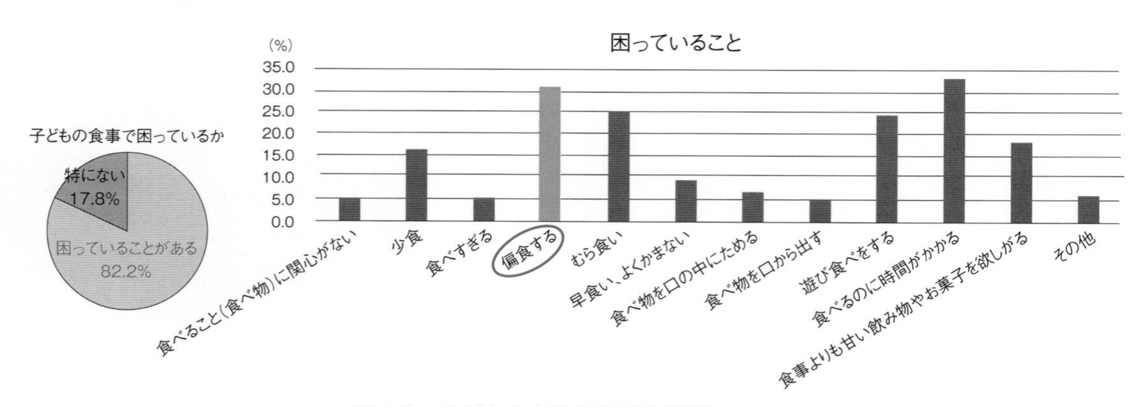

図 1-6　子どもの食事および食習慣について

（資料：厚生労働省「平成 27 年度乳幼児栄養調査結果の概要」より作成）

②子どもの個食，孤食

子どもだけで食べる，あるいは1人で食べることを**孤食**とよび，近年では特に朝食において孤食になりやすい傾向がある．また，家族と一緒に食べる場合でも，それぞれが別のものを食べる**個食**についても問題となっている．個食は，同じものを食べてそのおいしさや気持ちを共有・共感する機会が減ることになるため，食を通じた健全な食習慣を確立するためにも改善する必要がある．

近年では，核家族化やライフスタイルの多様化が進み，家族が揃って団らんしながら食事をする機会が減っている．厚生労働省が行った平成29年度国民生活基礎調査の結果では，生活意識の調査において児童がいる世帯の58.7％は「生活が苦しい」と回答し，児童がいる世帯の母親の就業率が70.8％にものぼることを報告した．このように，両親の共働きの増加などにより生活リズムを家族で揃えることが難しい現状にある．

平成27年度の乳幼児栄養調査結果によると，子どもの共食状況についての結果では，「子どもだけで食べる」または「1人で食べる」割合の合計は，朝食では22.8％，夕食では2.2％となっている（図1-7）．

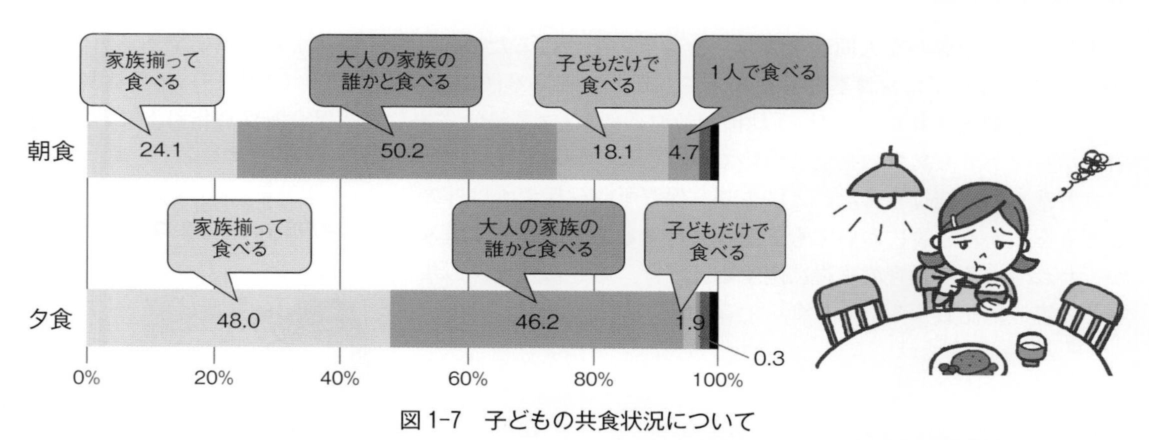

図1-7 子どもの共食状況について

（資料：厚生労働省「平成27年度乳幼児栄養調査結果の概要」より作成）

2 子どもの健やかな発育に対するさまざまな食支援

「人生100年時代」といわれる現代において，わが国は世界一の長寿社会を迎えている．平成28年度国民生活基礎調査の推計では，健康寿命（日常生活に制限のない期間の平均）は男性72.14歳，女性74.79歳と公表されている．この長い一生をより健やかに生きるためには，食生活の基礎の確立が必須である．子どもの時期から健全な食習慣を身につけることは，食を通じて情緒，社会性を発達させ，将来的に生活習慣病を予防することにもつながっていく．わが国では子どもの健やかな発育を支援するために，さまざまな取り組みが行われている．

(1) 健やか親子 21

健やか親子 21 は，母子の健康水準を向上させるためのさまざまな取り組みをみんなで推進する国民運動計画である．現状の課題を踏まえ，2015（平成 27）年度から 2024（令和 6）年度まで，新たな計画（第 2 次）が始まっている．少子化社会において，国民の健康づくり運動「**健康日本 21**（第 5 章 5.5 参照)」の一環として取り組まれている．

(2) 児童福祉施設における食生活支援

保育所を含む児童福祉施設において，子どもの健やかな発育と発達を支援するための「児童福祉施設における食事の提供ガイド」が 2010（平成 22）年に厚生労働省により策定され，食事・食生活支援において，個々の子どもに対して多職種による連携が必要であると示されている．詳細は，第 7 章「家庭や児童福祉施設における食事と栄養」に記載する．

(3) 食育の推進

子どもたちが豊かな人間性を育み，生きる力をつけるために「食」が何よりも重要であるとして，2005（平成 17）年に**食育基本法**が制定された．食育基本法に基づき，2006（平成 18）年に**食育推進基本計画**が策定された．また，「幼稚園教育要領」（文部科学省告示)，「保育所保育指針」（厚生労働省告示）などでも食育の推進について規定されている．

食育基本法が施行されたことにより，保育所や，保育所以外の子どもを預かる施設においても，食育に対する積極的な取り組みが行われている．食育の推進に関する詳細は，第 6 章「食育の基本と内容」に記載する．

私たち保育者も食育への取り組みが求められているのね！

Q　なぜ「子どもの食と栄養」を学ぶのか理解できましたか？

子どもの成長には栄養（食事）が欠かせません．大人に比べて食べることの意義が大きいといえます．ところが，子どもの食生活の現状は，朝食の欠食や肥満・やせ，偏食や孤食など問題は多岐にわたります．私たちは日頃の食支援を通じて，子どもの成長をどのようにサポートしていけばよいのでしょうか．

第 2 章から栄養の基本と支援の方法について学んでいきましょう．

第2章
子どもの発育・発達と食生活

この章で学んでほしいこと！

子どもが適切に発育・発達するためには，それを支えるための栄養摂取が質・量ともに重要です．

保育者は，子どもの発達について理解し，1人ひとりの発達過程に応じた保育をしなければなりません．この章では，子どもの発育・発達，消化器官・排泄機能の発達，食べる機能の発達についての基本的知識について学ぶとともに，子どもにとっての食や栄養の重要性について考えます．

この章で学ぶこと

- 発育・発達の基本的知識
- 子どもの消化器官・排泄機能の発達の基本的知識
- 食べる機能の発達に関する基本的知識
- 測定による発育・栄養状態の評価

この章での到達目標

- 発育・発達と食（栄養）の関わりが深いことが理解できた
- 子どもの消化機能や排泄機能が未熟であることが理解できた
- 食べる機能も少しずつ訓練していく必要があることが理解できた
- 発育・栄養状態の評価方法について理解できた

MEMO

こんな場面も…

子どもの発育には個人差があり，特に乳幼児期の発育は，出生体重や栄養法など子どもの状態によって変化する．身体発育は，数字で表されるため，標準値や他児との比較，増加程度を意識し，子どもの身体発育や栄養状態に自信を持てない保護者も多くみられる．

保育者は，乳幼児の正常な発育経過や身体発育の適切な評価方法の知識を持つことにより，子ども1人ひとりの状況に応じた支援を行うことが可能となる．

ほかの子よりも体格が小さい気が…
発育が心配．

食が進まず食べるのに時間がかかる…

2.1　発育・発達の基本的知識

1 発育とは何か

成長とは，細胞数の増加に伴い，細胞サイズや細胞間物質の増大により，身長や体重などの身体の大きさの伸びを表す．発達とは機能的な変化で，遺伝的要因が大きい生物学的発達（運動機能など）と環境的要因が大きい行動学的発達（言語能力など）に分けられる．教育の分野では，生物学的発達を成熟，行動学的発達を学習とよぶことが多い．発育とは，成長と発達を合わせた概念として用いられる．

2 発育過程の区分と発育の原則

発育は次のように区分することができる．また発育には以下のような原則がある．

発育過程の区分	
胎芽期	受精～約２か月
胎児期	胎生期２か月～出生まで
新生児期	0～1 か月未満
乳児期	0～1 歳未満
幼児期	1～6 歳未満
学童期	6～12 歳未満
思春期	12～17 歳未満

※発育にとっては決定的に大切な時期がある．臨界期とは，諸機能の獲得・成熟を決定づける時期のことである．人間の主な臓器・組織は妊娠初期につくられるので，奇形の発生を予防するためには妊娠初期の母体の健康（食生活など）が大切である．

発育の５原則

①【第１原則】　順序性
発育には，遺伝的に規定されている順序がある．例えば，運動機能は首すわり→おすわり→つかまり立ち→歩行へと進む．

②【第２原則】　速度の多様性
臓器の発育スピードは，年齢ごとに異なる．

③【第３原則】　臨界期※の存在
発育の初期には，最適期が存在する．

④【第４原則】　方向性
発育には方向性がある．頭部から足へ，体の中心から末端へ，粗大から微細運動へと進む．

⑤【第５原則】　相互性
発育は，遺伝子の形質を土台に環境要因の影響を相互にうける（表 2-1）．

発育過程ごとに発育の原則，特に臨界期があるんじゃないかしら？例えば，胎児期のビタミンA 過剰摂取や葉酸の不足は奇形の原因ともいわれてるし……

3 発育に影響を及ぼす要因

発育に影響を及ぼす内的要因として遺伝，外的要因として栄養・睡眠・運動の３大要素のほかに薬剤，感染，精神的な環境，経済水準などがあげられる．

発育は身体の各部に均一に起こるのではなく，その速度も一定ではない．一般的に体重や身長は，乳児期に急速に伸び，幼稚園～小学校低学年ではゆっくりになり，思春期に急速に伸びて成人に達する．**スキャモンの臓器別発育曲線**（図 2-1）に見られるように，脳や脊髄，視覚器などの中枢神経などの神経系は，乳幼児期の成長速度が最も速い．次に病原体などから体を守るリンパ器官や扁桃などが学童期に向けて発育する．臨界期のみならず，それぞれの発育過程において栄養は，体づくりの源となり大きな役割を果たす．特に胎児期から３歳頃までの乳幼児の発育は，栄養状態に大きく影響される．

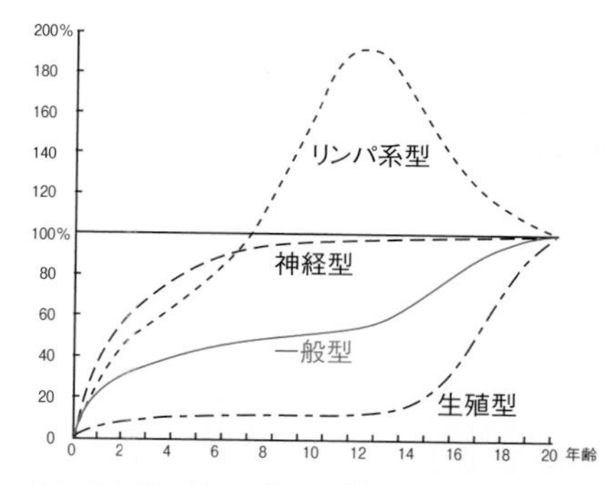

リンパ系型：リンパ節，扁桃など
神　経　型：脳，脊髄，視覚器などの中枢神経系
一　般　型：身長，体重，呼吸器，心臓・血管，骨，筋肉，
　　　　　　血液，消化器，脾臓，腎臓など（頭囲は除く）
生　殖　型：精巣，卵巣，子宮など

＊臓器別発育曲線は，20 歳時点の発育を 100%とした場合，年齢での発育の程度を 4 パターンに分類し百分率で示す．

図 2-1　スキャモンの臓器別発育曲線（Scammon，1930）

表 2-1　発育に影響を与える要因

遺伝要因	環境要因
人種	栄養状態，睡眠，運動
性別	妊娠中の母親の年齢や生活習慣，低栄養
遺伝子疾患	精神的影響，慢性疾患，感染
染色体異常	社会環境（気候，社会情勢，衛生状態）
内分泌疾患など	家庭環境（経済状態，養育状況）

4 子どもの身体発育状況

身長，体重，頭囲，胸囲の発達

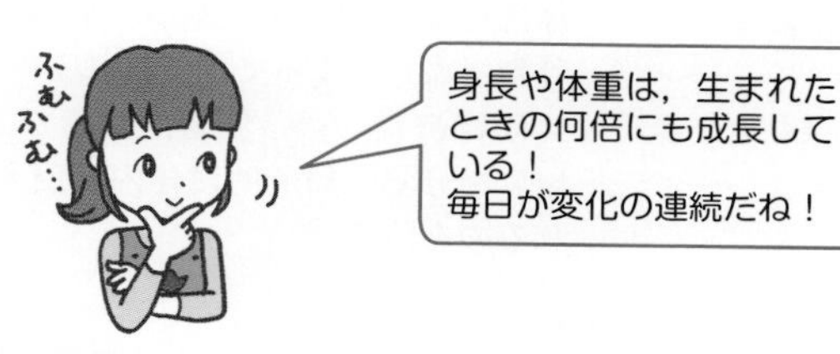

身体発育の特徴を表 2-2 に示した．

表 2-2　身体発育の特徴

	出生時	3～4 か月	1 歳	4 歳	12 歳
身長	約 50cm	約 62cm	約 1.5 倍	約 2 倍	約 3 倍
体重	約 3kg	約 2 倍	約 3 倍	約 5 倍	約 13 倍
頭囲	約 33cm	約 40cm	約 45cm	（3 歳）約 50cm	—
胸囲	約 32cm	約 41cm	約 45cm	頭囲より胸囲が大きくなる	

身体発育状況について，厚生労働省は乳幼児身体発育調査（2010（平成 22）年）を 10 年ごとに実施している．また，学童期の身体発育状況については，文部科学省が毎年，学校保健統計調査を実施している．

身長のプロポーションの変化

身長の伸び方には個人差が存在する．しかし，身長のプロポーションの変化は，頭が大きい新生児から，次第に下半身が発達し，頭と体のバランスがとれていく（図 2-2）．

成長に伴う身体の各部分は，同じ割合で発達するものではない．頭部は最も早く，身長と頭部の比率は新生児では 4：1 であるが，年齢とともに身長が伸びてバランスが整っていく．身長と頭部の比率は 6 歳児で 6：1，25 歳では 8：1 となる．

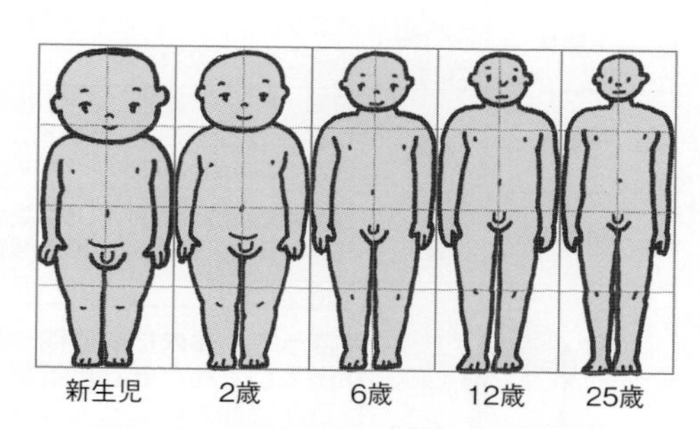

図 2-2　身長のプロポーションの変化

脳神経・免疫機構の発達

①脳神経

脳重量：新生児350～400g　→　3歳　1,000g　→　4～6歳1,200～1,500g（成人の95％）

脳の神経細胞は，乳幼児期で著しく発育する．3，4歳くらいまでに神経細胞間のネットワーク形成や刺激伝達の制御機構が発達し，脳重量は4～6歳で成人の95％となる．

さまざまな刺激を受けて神経細胞間に神経突起が伸ばされ，神経回路網が形成されていくと脳重量は増加する．脳重量の増加に伴い，幼児期では言語，知能，情緒，社会性などが著しく発達し，2～3歳頃には自我が芽生え始める．

幼児期にほとんどの脳組織（量）や神経ネットワークができるってこと！？　たいへん！

②免疫機能

免疫には，受動免疫と能動免疫，消化管の免疫学的防御機構がある．

受動免疫　⇒　胎盤を介して移行した母親の免疫グロブリンIgG．
母乳中の分泌型免疫グロブリンIgA（母子免疫）．

能動免疫　⇒　体内の免疫臓器系（胸腺，脾臓，リンパ節，腸管リンパ組織，骨髄組織）によってつくられる免疫グロブリンIgGを合成．

消化管の免疫学的防御機構　⇒　腸管，気道などの粘膜より免疫グロブリンIgAを分泌．局所的に体内に侵入した異物が腸管壁内へ転送されるのを防ぐ．

免疫グロブリン（Ig）とは
血液や体液中にあって，抗体としての機能と構造を持つたんぱく質の総称．IgD，IgA，IgM，IgE，IgGの5クラスに分かれている（表2-3）．

乳児期には受動免疫が感染症予防に重要な役割を持つ．生後3か月頃，この免疫グロブリンIgGが減少し，生理的免疫不全状態になりやすい．母乳の免疫グロブリンIgAがこれを補助する．その後，能動免疫の合成も徐々に増加し，10歳頃にようやく成人レベルとなる（図2-3）．

表2-3　免疫グロブリンの種類と特徴

種類	構造	特徴
IgD	単量体	生産量が少なく，働きは不明
IgA	単量体（血清型） 二量体（分泌型）	（分泌型） ・母乳中の主な免疫物質である
IgM	五量体	・免疫グロブリン中，最も分子量が大きい ・感染の初期に発現する
IgE	単量体	・肥満（マスト）細胞に結合し抗原を捕捉すると，ヒスタミン・セロトニンを放出させ，即時（I）型アレルギーを起こす
IgG	単量型	・血中免疫グロブリン中，最も数が多い ・母体から胎盤を通って胎児に移行する

免疫って，体内に病原菌や異物が侵入しても，それに抵抗して打ちかつ能力のことでしょ！
10歳までは抵抗力が弱いんだ！

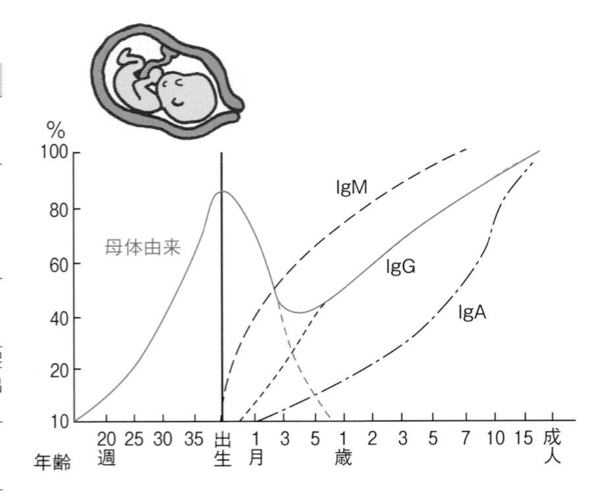

図2-3　免疫グロブリン値の年齢による変化（成人値を100とする相対値）

（資料：矢田純一「医系免疫学改訂10版」中央医学社,2007）

精神・運動機能の発達

①**精神機能**

脳神経系の成熟に伴い，情緒，言語，知能，社会性などの精神も発達する．

②**運動機能**

運動機能の発達は，脳神経系の発達を基盤とし，1歳頃までには主に粗大運動が発達し，同時に微細運動も発達する（図 2-4, 図 2-5, 表 2-4）．

粗大運動 ⇒ 体の重心移動に関わる大きな運動：首のすわり，寝返りなど
微細運動 ⇒ 手先の細かい協調運動：手で小さい物をつまむ，手で物を持つなど

図 2-4 運動発達の順序（Shirley，1961）

表 2-4 精神・運動機能の発達

年齢	粗大運動	微細運動	言葉	社会・生活
2か月	追視			あやすと笑う
3か月 4か月	首がすわる	両手を合わせる	発声	音がする方を見る
5か月 6か月	寝返り	手全体で物を握る		母親がわかる 人見知り
7か月	ひとりすわり		喃語	
8か月	助けられて立つ			後追いする
9か月 10か月	つかまり立ち はいはい	親指と他の指で物をつかむ		バイバイをする
11か月 1歳	伝い歩き ひとり立ち	指先で物をつまむ	1語文	コップで飲む
1歳半	ひとり歩き	殴り書き		スプーンを使う
2歳	走る		2語文	靴を履く
3歳	三輪車	○を書く	自分の名前	排尿自立 ボタンをはめる
4歳	でんぐり返し	□を書く	10まで数える	排便自立 はしを使う
5歳	スキップ	△を書く	文字が読める	靴紐を結ぶ

※発育・発達の目安（個人差あり）．

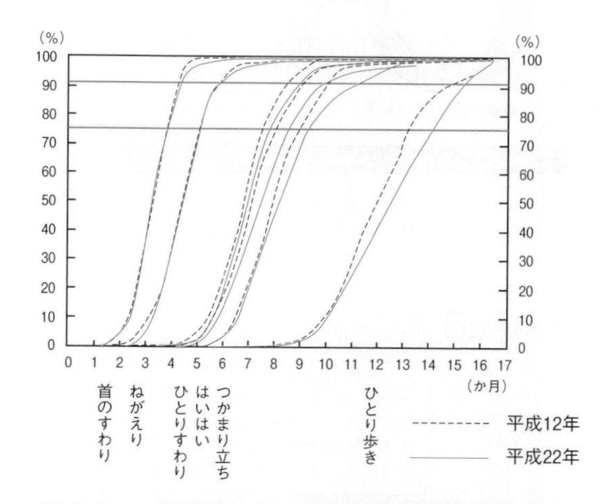

図 2-5 一般調査による乳幼児の運動機能通過率

（資料：厚生労働省「平成22年乳幼児身体発育調査報告書」）

身体の成長に伴って，精神や身体機能も発達してくるんだね！

骨の発育

骨の発育は，身体発育の成熟度を示す指標となる．成長とともに長さ，太さ，骨密度（硬さ）が増加する．**カルシウム**や**リン**などが骨に蓄積することで骨の量的・質的変化が生じ，さまざまな運動ができるようになる．

子どもの骨には，**骨端線**（こったんせん）とよばれる軟骨があり，**骨芽細胞**という骨の素となる細胞がある．この細胞が脳下垂体から分泌される**成長ホルモン**の働きにより骨が作られる．骨端線は成長ホルモンの分泌が増えるほど働きが活発になる．成長ホルモンは成長作用と，たんぱく質合成を促進する作用があり，体の成長，修復，疲労回復に重要なホルモンである．成長ホルモンは，深い睡眠によって分泌される．

例えば，手根骨（手首にある短骨）は，出生時にはみられず「年齢＋0〜1個」で最終的には８個となり，手指の骨と筋肉をつなぐことで手指のさまざまな動きを可能とする．骨の成長に伴い，骨数は減少する（**図 2-6**）．

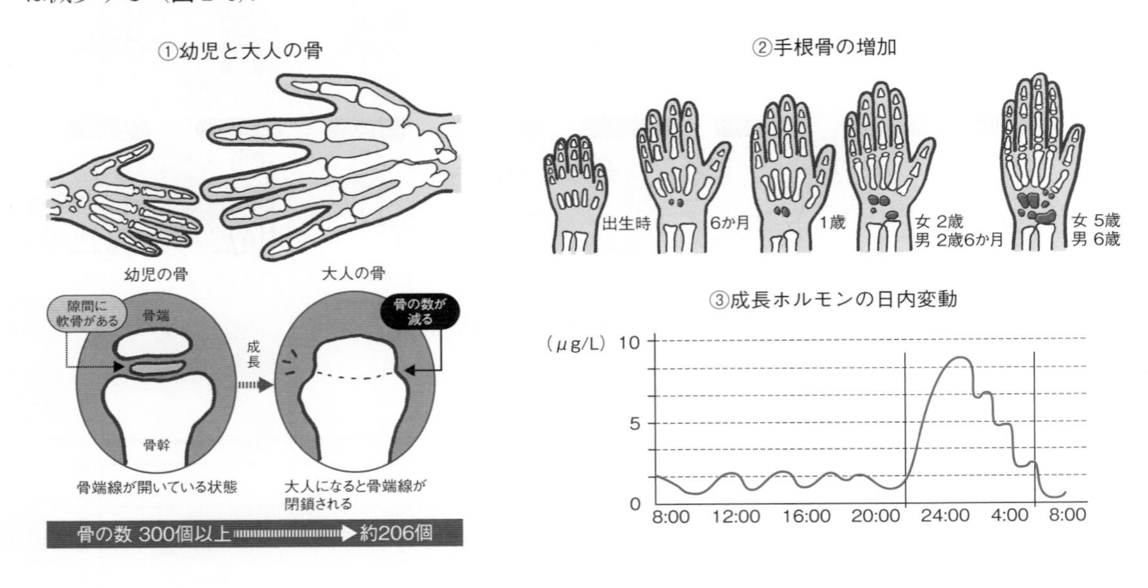

図 2-6　子どもの骨の発育と成長ホルモン

MEMO

子どものくる病や骨折が増加している！

くる病とは，骨がもろくなることに伴う骨の変形や成長障害を引き起こす病気のことで，栄養状態が悪い時代には多くみられた．特にビタミンDが不足する場合が多い．骨の合成に必要な栄養素の不足や日光に当たらない生活との関連が指摘されている．ビタミンDは，日光浴をすると体内で合成される．子どもの頃から骨の合成に必要な栄養素の摂取と日光浴を心がけ，骨を丈夫にする生活習慣を身につけたい．

歯の発達

乳歯はまず，下顎の前歯（乳中切歯）が生後5〜6か月から生え始め，1歳半頃には上下の歯が4本ずつ（乳中切歯と乳側切歯），計8本が生えそろう．次に第一乳臼歯が生え，その次に乳犬歯が生え，個人差はあるが，3歳前後で20本全ての乳歯が生えそろう．子どもの食事づくりでは，歯が生えそろうのを確認しながら，食形態を調整していく必要がある．

乳歯と永久歯の交換は6歳頃から始まり，12〜13歳頃までかかる（**図2-7**）．従って学童期は，乳歯と永久歯が混在する時期である．永久歯の大臼歯は6歳頃から生え始めるので，第一大臼歯は**6歳臼歯**といわれている（**図2-8**）．

3歳前後で20本全て生えそろう

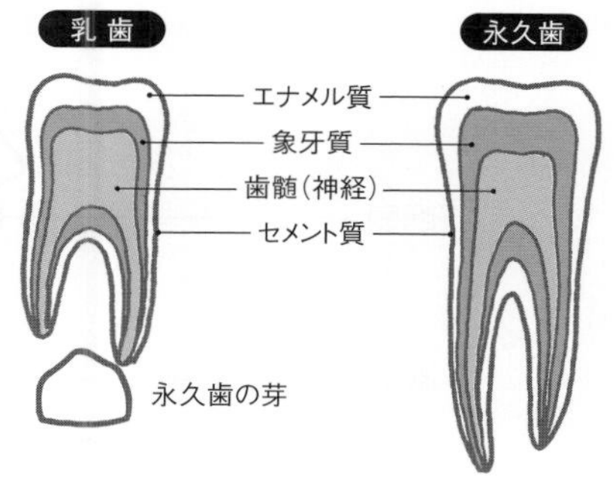

※噛むことで乳歯の下の永久歯の芽が，乳歯の成分を吸収し大きくなって6歳頃から徐々に生えかわる．

図2-7　乳歯と永久歯のしくみ

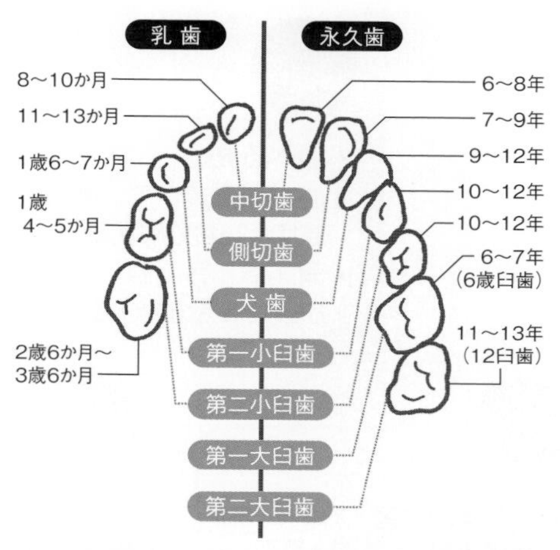

注　第三大臼歯（親知らず）を入れると32本．
ただし第三大臼歯は生えないことがある．

図2-8　歯の萌出時期

MEMO

前歯は発音にも深く関わり，前歯がないと音がもれてうまく発音できない．食べる時は「噛み切る」役割がある．小臼歯は噛み合わせを安定させ，食べ物を「細かく噛みつぶす」役割がある．大臼歯はさらに強力な「噛みつぶす力」がある．子どもの歯の有無によって食事の形態に配慮するとともに，将来の健康のためにも歯を大事にする習慣を身につけさせることが大事である．

Q　子どもの発育・発達と食（栄養）の関わりが深いことを知ることができましたか？

栄養・睡眠・適度な運動などの発育環境を整える

例えば植物は，発育環境によって，背の高さ・大きさや丈夫さ，葉の付き方，実のなり方，おいしさなどに違いがみられます．小さい苗は，発育環境が整わないと，枯れてしまいます．

乳幼児期も含む成長期は，食（栄養）などの発育環境と，子どもの発育・発達の関わりが特に深いといえます．

2.2　子どもの消化器官・排泄機能の発達の基本的知識

1 消化器官の発達

消化とは，食べ物に含まれている種々の栄養を体内に吸収できるものまで分解することである．口から肛門まで続く一本の管を**消化管**といい，これに付属している器官（唾液腺，肝臓，胆囊（たんのう），膵臓（すいぞう））をまとめて**消化器**とよぶ．

図 2-9 に消化器系の発達と働きについて示した．

口　腔

- 食べる機能
- 食べ物を砕いて，唾液と混ぜ合わせ分解する．
- 耳下腺・舌下腺・顎下腺から唾液を分泌する．

肝　臓

- 栄養素の貯蔵
- 解毒作用
- 胆汁生成

※生後，機能は未熟で，8 歳頃ようやく成熟する．

胆　囊

肝臓からの胆液を濃縮して胆汁を生成する．胆汁は，十二指腸に分泌される．

十二指腸：胃からの食べ物に膵液・胆汁が分泌され，栄養素に分解する．
小　　腸：十二指腸からの食べ物より，それぞれの栄養素と水分を吸収する．
小腸の長さ：新生児…身長の 7 倍
幼　児…身長の 6 倍
成　人…6.5 m ～ 7.5 m

尿

乳児は腎臓の濃縮機能が未熟のため，分解されたたんぱく質からできる尿素や過剰な電解質を排泄するために多量の水が必要となる．

《1 日の尿の量と回数》

生後 1～2 日…30～60 mL
新生児…100～300 mL（13 回）
乳　児…300～500 mL（14～20 回）
幼　児…500～950 mL（7～10 回）

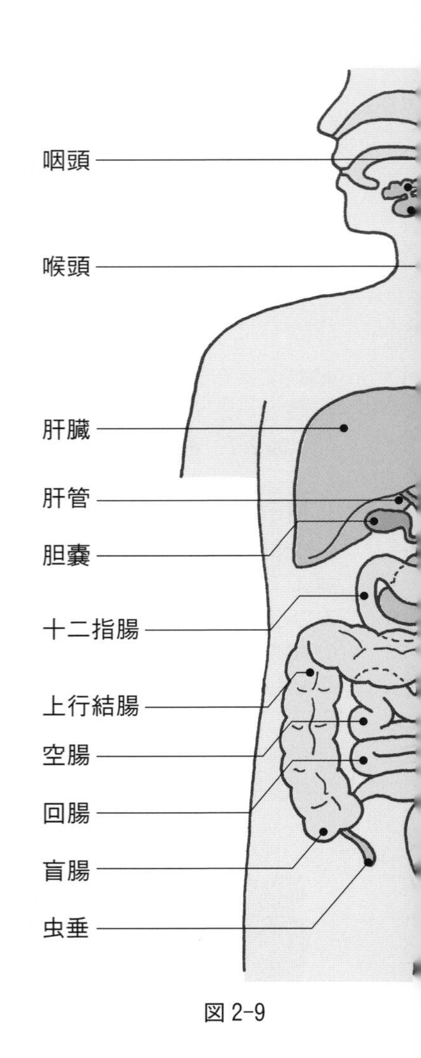

図 2-9

唾液の分泌量
生後 6 か月頃に急増
生後 1 年…50～150 mL/日
学童期…500 mL/ 日
成　人…1,000～1,500 mL/日

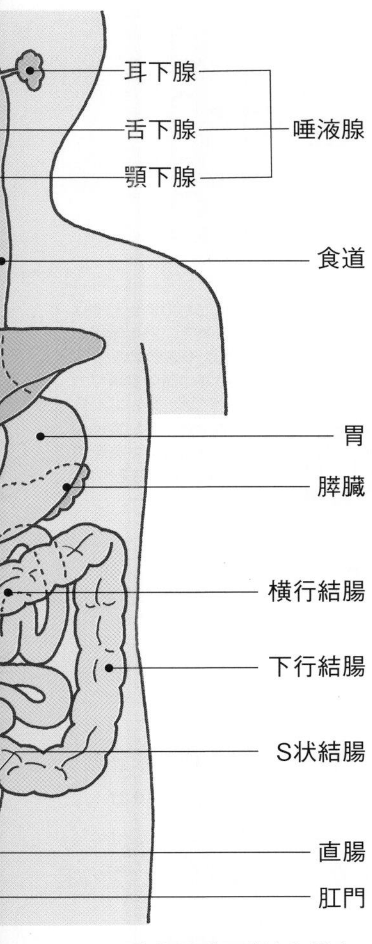

消化器系の発達と働き

食　道

- 口から胃までの食べ物の通路
- 食塊を嚥下すると下部の食道括約筋が緩み，食道の最上から筋肉が順に収縮（蠕動（ぜんどう）運動）して胃に運ぶ．
- 食道の長さは出生時，約 10 cm で，成長とともに伸びる．

子どもの体幹と食道の長さ比
乳児…1：0.53
2～4 歳児…1：0.48
（成人は約 25 cm になる）

胃

胃液を分泌し，食べ物を消化する．

胃の容量
新生児…平均 34 mL
生後 1 か月…90 mL
1 歳…295 mL
2 歳…500 mL
成人…1,200～1,400 mL

胃液の分泌量
新生児…1.1～1.2 mL/kg/時間
2～12 歳…1.82 mL/kg/時間
成人…約 1.5 L/日

生後 3 か月頃まで，噴門部の働きが未発達のため内容物が逆流しやすく，溢乳（いつにゅう）を起こしやすい

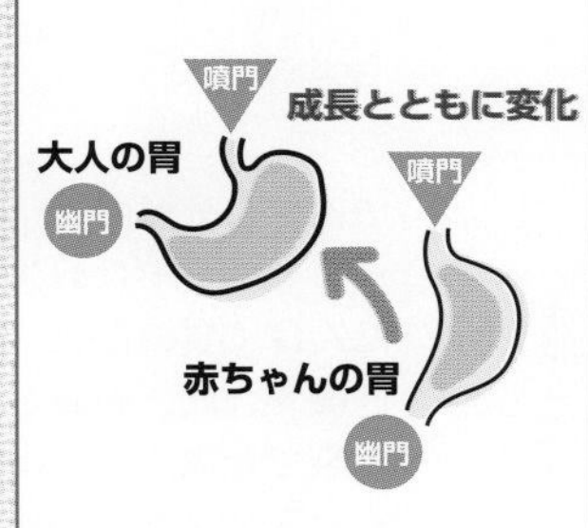

膵　臓

膵液をつくり，十二指腸に分泌する．

排便：胃，小腸で消化・吸収された食べ物が，大腸で水分が吸収されて「ふん便」となる．通常は 24 時間で肛門に達する．
胃結腸反射：胃に食べ物が入ると腸の動きが活発になり，便意をもよおす現象．新生児～乳幼児は脊髄レベルの反射による排便，1 歳を過ぎると大脳皮質レベルで便意を知覚する．幼児期になると自分の意思で排便をしたり抑制できるようになる．

消化には**機械的消化**と**化学的消化**がある．機械的消化は，食べ物を細かく砕き，これに消化液を混ぜ，次第に下方の消化管に蠕動運動で移動させることである．乳児になると蠕動運動の動きは成人とほぼ同じであるが，活動力はまだ成人の半分程度である．化学的消化は，消化酵素によって，食べ物の栄養素が小腸で吸収しやすい小さなものに分解されることである．双方が相まって食べ物の栄養素を体に取り込むことができる（**図 2-10**）．しかし，子どもの消化機能は未発達で，成長とともに成人の機能に近づく．

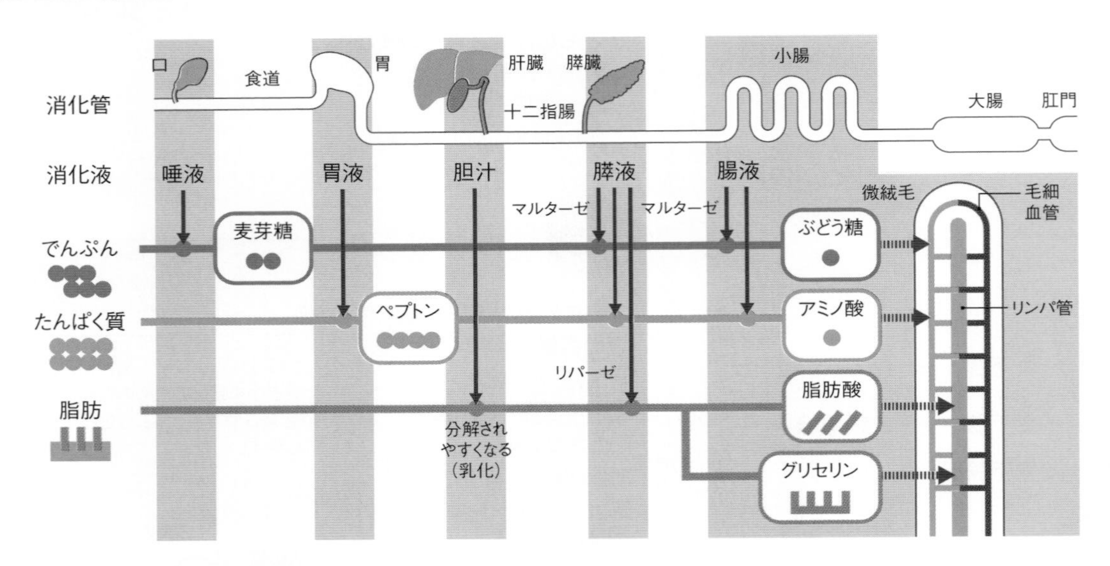

唾液	⇒	でんぷん分解酵素（アミラーゼ（プチアリン）） ※アミラーゼは新生児では少ない．生後3か月までは消化力が弱い．
胃液	⇒	たんぱく質の消化
胆汁	⇒	肝臓で合成，胆嚢から十二指腸に分泌　⇒　脂肪の消化
膵液	⇒	膵臓で合成，十二指腸に分泌　⇒　脂肪やたんぱく質の消化 ※たんぱく質分解酵素は1歳頃，脂肪分解酵素（リパーゼ）は2～3歳頃まで未熟．
腸液	⇒	空腸から分泌　⇒でんぷんやたんぱく質の消化

子どもの消化器官は未熟で，消化吸収の能力も未熟なの !!! 小さい時の食事については，たんぱく質や脂質の多い食品のとり過ぎには気をつけた方がよさそうね．

図 2-10　消化器系から分泌される消化酵素と栄養素

2 排泄機能の発達

排泄とは，人が生命活動をする時，不必要なものを体外に出すことである．

肺から取り入れた酸素は体内を循環し，二酸化炭素となり排泄される．体内に摂取された栄養素が代謝，分解されてできた最終的な物質や過剰物質は，腎臓から尿として排泄される．また，摂取した食べ物のうち消化しきれなかったもの（食物繊維など）は便として，水分，新陳代謝によってはがれた腸内細胞，大腸菌などの腸内細菌，胆汁などの体内分泌液などと混ざり合って排泄される．便の未消化物の組成は，摂取した食べ物により左右される（**図 2-11**）．

人の便を構成する成分は，食べ物の残滓は5%と少なく，大半は水分（60%）が占め，腸壁細胞の死骸（15%～20%），細菌類の死骸（10%～15%）が食べ物の残滓より多く含まれる（**図 2-12**）．

図 2-11　ブリストルスケールによる便と排泄時間

（資料：1997 年 Heaton 博士が提唱した，大便の形状と硬さで 7 段階に分類する指標をもとに作成）

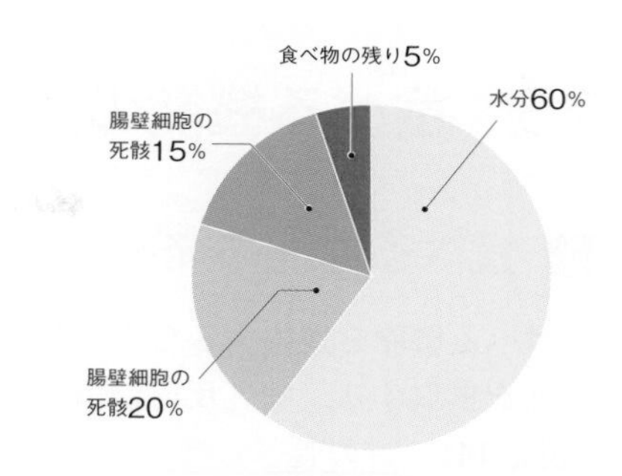

図 2-12　便を構成する成分

便の状態と食生活

新生児 ⇒ 胎便[※1]…生後 2 日ほど続く，黒緑色の粘性のある便 ⇒2〜3 日で移行便[＊2]に．

[※1] 子宮内で飲み込んだ羊水に含まれる皮膚細胞といった不要な成分胆汁，腸液，肝臓や膵臓から出た老廃物など，約 100g 排泄される．無菌・無臭．

[＊2] 胎便と普通便が混ざり合った便（黄色）

乳 児 ⇒ 普通便 ⇒ 母乳栄養児 …黄金色〜緑便[＊3]，水様性で粘性がある．ビフィズス菌が多く乳酸発酵により弱酸性臭である．

[＊3] 黄色は胆汁色素によるもの，緑色は腸内で胆汁色素が酸性になり変化したもの．空気にふれて酸化されても緑色になることがある．

人工栄養児 …クリーム色〜黄色，大腸菌が多く存在し，弱アルカリ性を呈し，腐敗臭がする．

離乳児 ⇒ 普通便 … 色，臭いが大人に近づく，離乳食によってさまざまな便が出る．消化されずににんじんなどがそのまま出ることがある．

幼 児 ⇒ 普通便 … 黄褐色（食物繊維が多い），茶褐色（肉類が多い）など食事によって便が変化する．便の色や臭いで腸内環境が反映するといわれている．

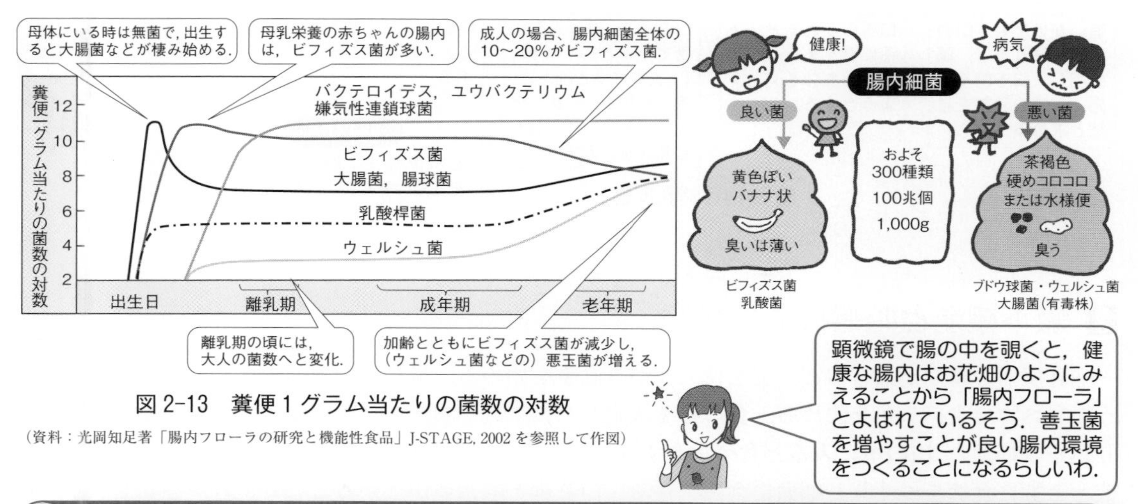

図 2-13　糞便 1 グラム当たりの菌数の対数

（資料：光岡知足著「腸内フローラの研究と機能性食品」J-STAGE, 2002 を参照して作図）

Q 子どもの消化機能や排泄機能が未熟であることが理解できましたか？

2.3　食べる機能の発達に関する基本的知識

1 食べる機能の発達

食べる機能を獲得するための準備は，胎児期から始まる．子どもは出生後からの**哺乳反射**により，乳汁を摂取する．哺乳反射が消えると，離乳食に移行し食べる機能を獲得するための練習が始まる（図 2-14）．この食べる機能（摂食・嚥下）の発達には臨界期（発育の最適期）が存在する．離乳期からの適切な学習により徐々に身につき，時期を過ぎると摂食異常や嚥下異常の原因となる．摂食・嚥下機能は精神・運動発達と深く関連して個人差が大きい．“食べる”行動は，口唇や舌，咽頭の筋肉，手の技巧性とともに発達し獲得される．

時期	内容
胎児期	**吸啜反射**，**嚥下反射**は，胎生 32 週以降に完成し，出生時には乳汁を吸う準備ができている．これらの哺乳行動は，羊水の飲み込み，指しゃぶりである．
新生児期	生後 1,2 か月頃までの乳児は哺乳反射により乳汁を摂取する．乳汁の飲み過ぎによる嘔吐がみられるが，2 か月以降は哺乳量を調整できる自立哺乳能力が発達する．
乳児期	哺乳反射は 3～4 か月頃から消え始め，4～5 か月頃になくなる．この頃より離乳を開始する．
離乳期	哺乳から摂食機能へ　⇒　**捕食**，**咀嚼**，**嚥下**といった「食べる機能」の練習
幼児期	捕食，咀嚼，嚥下といった「食べる機能」の獲得．歯の萌出とともに食べられる食材が増える．

それぞれの時期に食べる機能の発達がみられるね！

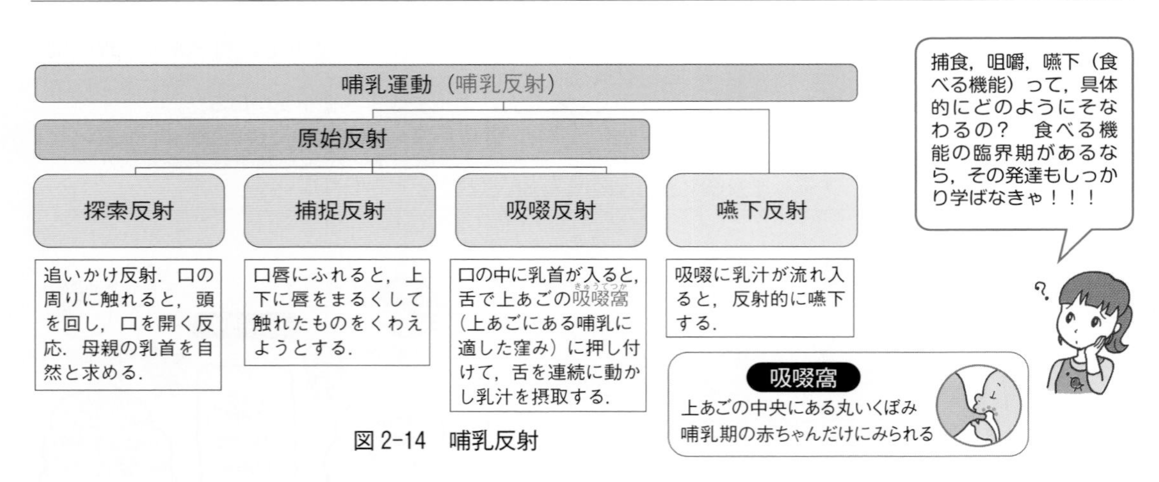

図 2-14　哺乳反射

2 嚥下機能と咀嚼機能の発達

哺乳反射の時期が過ぎると，脳を使いながら食事を始める．最初に，食べ物を目で認識し，どのような食べ物を食べるかを決める．食べ物を決定した後，食べ物をスプーンなどの器具を使い口唇で取り込む（**捕食**）．口の中に入ると食べ物をすりつぶしたり，押しつぶしたり，噛みつぶし（**咀嚼**），唾液とともに食塊をつくり，咽頭に食塊を送る．口蓋垂と喉頭蓋が下がることで，舌が盛り上がり，食塊が食道へ送り込まれる（**嚥下**）．食塊が形成されると，嚥下反射により食塊が咽頭を通過する（図 2-15）．気道に食塊が入ることを誤嚥という．

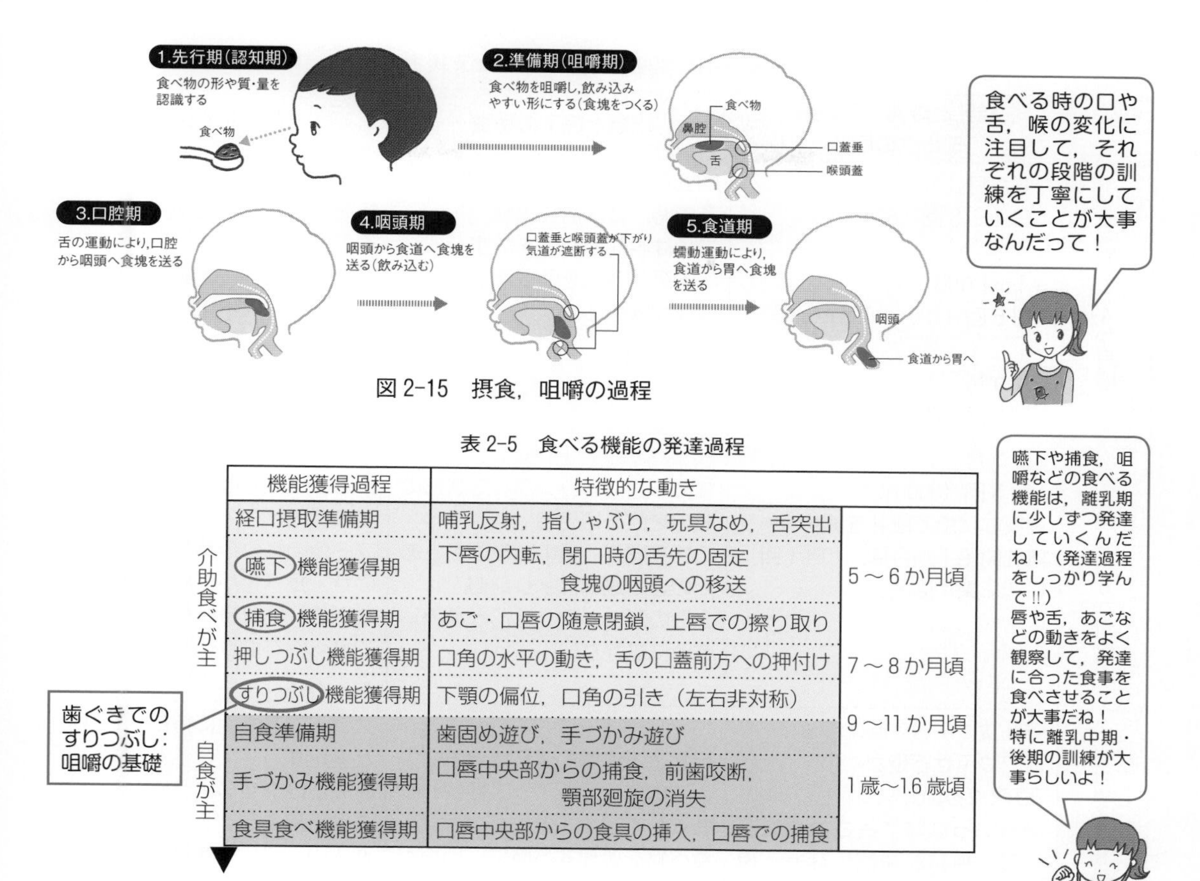

図 2-15　摂食，咀嚼の過程

表 2-5　食べる機能の発達過程

機能獲得過程	特徴的な動き	
経口摂取準備期	哺乳反射，指しゃぶり，玩具なめ，舌突出	
嚥下機能獲得期	下唇の内転，閉口時の舌先の固定 食塊の咽頭への移送	5～6か月頃
捕食機能獲得期	あご・口唇の随意閉鎖，上唇での擦り取り	
押しつぶし機能獲得期	口角の水平の動き，舌の口蓋前方への押付け	7～8か月頃
すりつぶし機能獲得期	下顎の偏位，口角の引き（左右非対称）	9～11か月頃
自食準備期	歯固め遊び，手づかみ遊び	
手づかみ機能獲得期	口唇中央部からの捕食，前歯咬断， 顎部廻旋の消失	1歳～1.6歳頃
食具食べ機能獲得期	口唇中央部からの食具の挿入，口唇での捕食	

（資料：「臨床栄養 111 巻 1 号」医歯薬出版，2007 をもとに作成）

咀嚼機能の発達過程

咀嚼は舌，口唇，あご，ほおなどの各器官の複雑な協調運動である．発達状況は，口唇と口角の動きで確かめる（図 2-16）．“食べる機能”は，口腔・咽頭・喉頭領域の形成と機能全般の発達が密接に関連しており，咀嚼機能の発達は，個人の咀嚼力に沿った調理形態の離乳食を与えることで促される（表 2-6）．

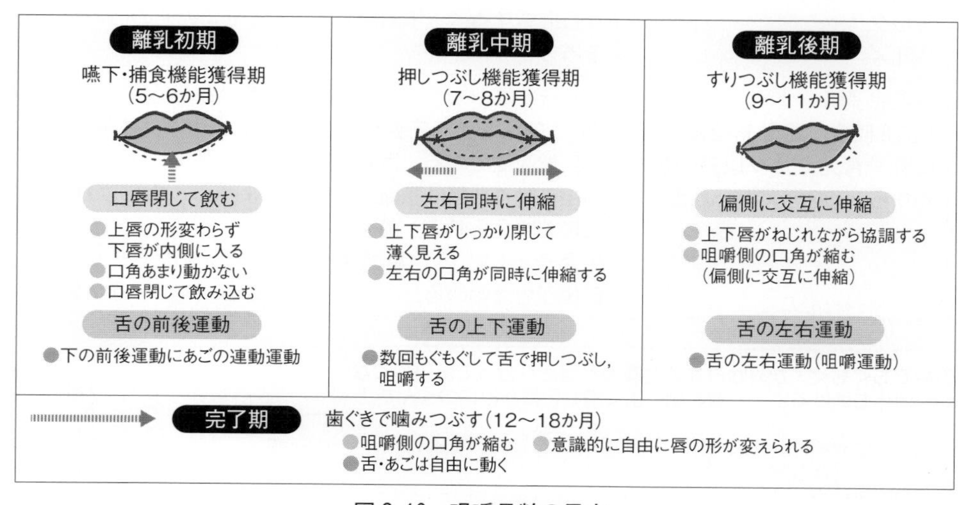

図 2-16　咀嚼月齢の見方

（資料：金子芳洋編「障害児者の摂食・嚥下・呼吸リハビリテーション」医歯薬出版，2005 をもとに作成）

表 2-6　乳幼児期の咀嚼・嚥下の発達と支援ポイント

	離乳と母乳・育児用ミルクの回数	咀嚼と嚥下の特徴	支援ポイント
生後0～4か月頃	・0か月 1日7～8回（80mL） ・1～3か月 1日6回（120～150mL） ・4か月 1日5回（200mL）	哺乳反射により乳汁が飲める． その時，舌は前後運動． 口角は半開きで舌をだす． 吸啜窩（か）が哺乳を助ける． 液体が飲める．	無理な力の入らない安定した姿勢をとり，赤ちゃんを見つめる． 授乳後，乳児に排気させるように縦に抱いて，げっぷをさせる．
生後5・6か月頃	・5か月 1日5回（200mL） 健康な状態で離乳を開始． 離乳開始1か月は，1日1回． 最初に果汁は×	（ごっくん期：嚥下） なめらかにすりつぶした状態のものを飲み込める． 口唇を閉じ，舌の前後運動とあごの連動運動により飲む． 上唇の形は，ごっくんと飲み込む時に動かない．	赤ちゃんの姿勢を少し後ろに傾けるようにする． 捕食の仕方を覚えるため，スプーンのボウル部を下唇の上にのせ，食べ物がきたことの合図を送り，乳児自身が上唇を下げて食べ物を取り込むことを待って，スプーンを水平にひく．
生後7・8か月頃	離乳食は1日2回， 舌でつぶせる硬さ （豆腐ぐらい）． いろいろな味や舌ざわりを楽しむ．種類が豊富になる．母乳は欲するままに．	（もぐもぐ期） 舌が上下に動くようになる． 舌で口蓋に押し付けて数回もぐもぐして咀嚼する． 食べ物を処理する時に，口角が左右に伸縮する．嚥下する時，上下唇がしっかり閉じて薄くなる．下の乳歯が生え始める．	スプーンを右手に持たせておくと満足する． 飲み込みやすいようにとろみをつける工夫をする． 通常のスプーンを横向きにして下唇の上に置き，上唇を液状食品にふれさせてすする動きを引き出す．
9～11か月頃	食事のリズムを大切に，離乳食は1日3回食． 歯ぐきで押しつぶせる硬さにする(指でつぶせるバナナぐらい)． 必要に応じてフォローアップミルク． 牛乳×	（かみかみ期） 舌が左右に動くようになり，あごも左右運動する．歯ぐきの上でつぶして咀嚼する．咀嚼側の口角が縮む．上下唇がねじれながら協調する．上下前歯4本がそろう．	噛むことを促す言葉がけをする．家族と一緒に楽しい食卓体験を． 手で持って食べるものを準備する（手づかみ食べ）．食事すべてを子どもの目の前に出す．
12～18か月頃	離乳完了期 1日3回食，間食1～2回． 母乳や育児ミルク以外の食べ物からとるようになる状態．	歯ぐきで噛みつぶす（かみかみ期）．前歯を使って自分に合う一口量を噛み取る．舌もあごも自由に動く．唇は意識的に自由に形を変えられる．前歯が8本生えそろい，16か月頃第一乳臼歯が生え始める．	手づかみ食べをしっかりさせる．介助は必要．見守りながら，スプーンに食べ物をのせるなどし，さりげなく口に入れる． 遊び始めたらそれとなくたしなめる（マナーを伝える）．

口の中でもぐもぐ・かみかみすると唾液と混ざり合っておいしくなるし，消化も助けるよ！　離乳期によく噛む習慣がみにつくんだ！

咀嚼能力の臨界期は，生後18～24か月といわれているよ!!
離乳期のつまずきを早く見つけてね！

3 食欲，味覚，嗜好の発達

食欲・味覚・嗜好は，それぞれ食経験に影響を与える．

食欲のしくみ

食欲調節は，胃腸管，多くのホルモンおよび中枢と自律神経系両方の神経系を伴う非常に複雑な過程であるといわれている．

食欲を決める要因

①胃の状態（胃の中の食べ物の量）

胃が空になれば飢餓収縮（お腹が鳴る）が起こる．一種の臓器感覚である．

②生理状態（血液中の血糖値や遊離脂肪酸の濃度）と食欲中枢（摂食中枢と満腹中枢）

食後，エネルギーとして血糖が利用され，血糖値の低下に伴い遊離脂肪酸が上昇する．これが摂食中枢を刺激して空腹感を生じさせ，食事をすると食後 20～30 分で血糖値が上昇し満腹中枢が刺激される（図 2-17, 図 2-18）．

③精神状態（食事の経験が記憶に残る）

食欲には，視覚，聴覚，味覚，嗅覚ほか，あらゆる記憶が影響を与える．食事の楽しい雰囲気や大人がおいしそうに食べる姿，盛りつけや香り，献立の名前，ほめられた経験なども記憶として影響する．逆に不快な経験が食欲低下を招く．

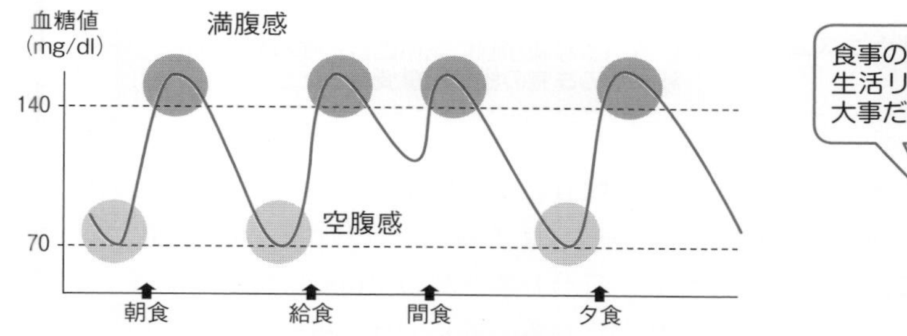

図 2-17　食事前後の血糖値の推移

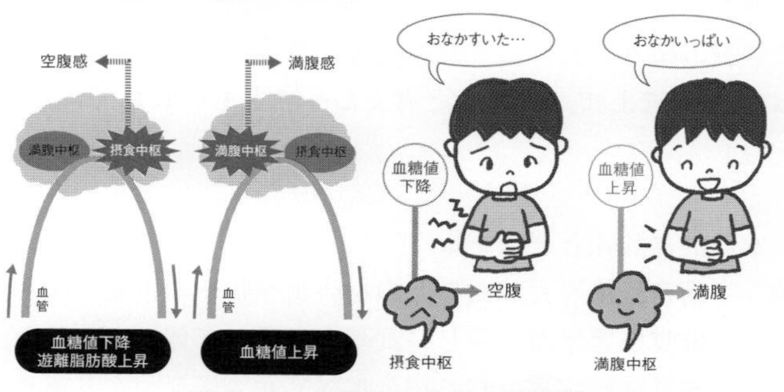

図 2-18　血糖値と食欲の関係性

MEMO

食欲を邪魔する要因

- 食事と食事の間隔が短い⇒血糖値が下がらない
  - 朝の起床が遅く，朝食時間も遅くなる．登園が遅い．給食が食べられない…
  - 夕食前におやつを与えてしまう．夕食の食欲がない…
  - 食事前のアメやジュース（お腹にたまらなくても砂糖は血糖値が上がりやすい）
- 食事の強制⇒食事が不快に
  - 「みんなは食べられるのに !!」，食事の前や最中に叱る…
  - 食事を強制されたり，口に無理に入れられたり…

味覚の発達

味覚は五感の1つであり，日常の味覚の体験は，嗅覚，視覚，温覚，圧覚，触覚などの感覚との混合から成る．味覚とは，食べ物の味を識別する感覚をいう．口の中に入った食物成分が舌表面などにある味蕾の中の味細胞にふれ，味覚神経を経て大脳皮質の味覚野に伝えられ味が識別される（図 2-19）．

基本味	甘味，酸味，塩味，苦味，旨味の5つがある．
味蕾	食べ物の味を感じる小さな器官．主に舌，軟口蓋（口の奥の上面），喉頭蓋，食道上部内面，口と喉に広く分布．人間の舌には1万個の味蕾がある．
子どもの味覚	甘味，塩味，旨味を好み，酸味と苦味を嫌う傾向がある．

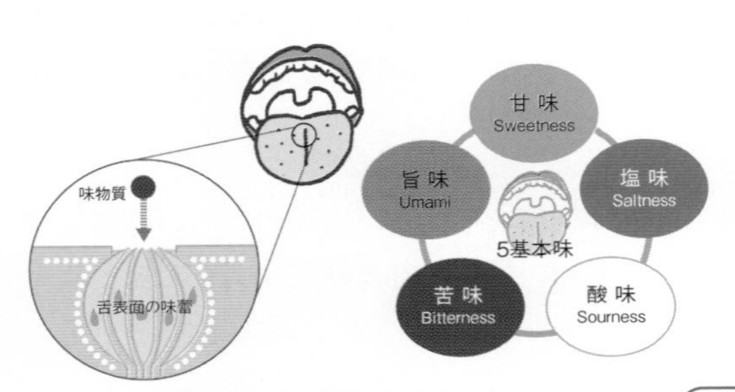

図 2-19　味を感じるメカニズム

MEMO

甘味…エネルギー源のシグナル
酸味…腐ったものや未熟なもののシグナル
塩味…ミネラルのシグナル
苦味…毒のシグナル
旨味…たんぱく質のシグナル

いろいろな味が脳に記憶として残るのね !!
離乳期の味覚の経験が重要なんだって！

嗜好の発達

嗜好とは食べ物に対する好き嫌いをいう．嗜好は味覚による影響が大きい．大脳皮質の味覚野の情報が脳の扁桃体に送られ，味の好き嫌いの判断や学習による評価が行われる（図 2-20）．同時に前頭連合野にも送られ，食べ物に対する総合的な認知が行われる．脳の記憶や脳機能の発達，学習効果により次第に食べられる食べ物が多くなり嗜好の幅が広がる．近年では，視床下部の室傍核を介した食嗜好と血液成分との関連も報告されている．

つまり嗜好とは，食経験の積み重ねによる脳の記憶・発達といってもいいかもしれない．好き嫌いがある場合，「食べられる経験をしていない」と考えるべきともいわれている．

嗜好の原因

遺伝的要因…味覚：本能的に酸味と苦味を嫌う．

環境的要因…食経験
- **新奇恐怖**…食べたことのない食べ物への不安や嫌悪．
- **味覚嫌悪学習**…新しい食べ物を食べて体調が悪くなった．
- **味覚嗜好学習**…食べ物を食べて元気になったり満足が得られた．

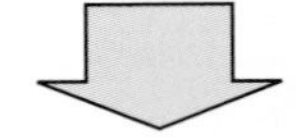

①**生理的な嗜好**　⇒　身体に必要な栄養素を好む（汗をかくと塩味が欲しくなるなど）．
②**子どもの頃に親しんだ嗜好**　⇒　味やにおいとともに記憶のメカニズムに関わる．
③**情報による嗜好**　⇒　学習によって作り上げた味覚（コーヒーなどの苦味を好む）．
④**快感・快楽を追求する嗜好**　⇒　砂糖や油脂が病みつきになる脳内の報酬系といわれる．「ほめる」ということも報酬系である．

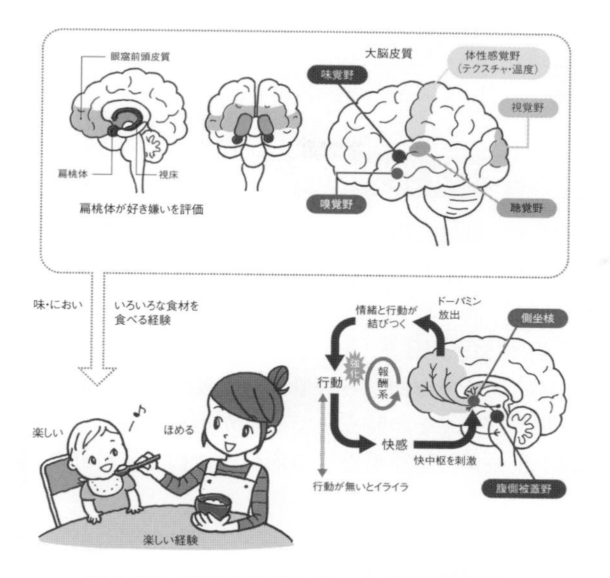

図 2-20　嗜好の発達とおいしさの記憶学習

小児期からの脂質摂取が脳内報酬系を介して脂肪食嗜好を形成することが報告されているわ !!
一種の中毒作用とも似ていて，嗜好を変えることは難しい…

Q　食べる機能も少しずつ訓練していく必要があることが理解できましたか？

COLUMN

偏食の理由と対策

偏食は 1 歳後半から徐々に多くなり，3 歳後半から増えてくる.

偏食は野菜が多く，食べにくい，噛めない，硬い，色，味，においや食感が悪いなどの理由があげられている.

＜偏食の対策＞

- 接触頻度を増やす　…接触回数が増えると嫌悪度合いが薄れる，保護者がおいしそうに食べる様子を見せるだけでも効果がある.
- いろいろな味に触れさせる　…小さい頃から豊かな食経験がある，いろいろな味にふれるだけで味の好みが変わり，苦手食材の克服のきっかけになる.
- 食べさせ方の工夫　…野菜好きのお友だちと一緒に食べる，野菜を収穫する，調理法を工夫する.
- 偏食の固定化を避ける　…幼児は，時期により嫌う食品が変化するので，嫌いだからといって献立に用いないと，偏食の固定化が起きる.
- 栄養バランスと長期的な視野を持つ　…成人までにほとんどの人が食べられるようになる．まずは小学校入学までに食べられるよう，目標を設定する.
- 年齢に応じて軟らかくする　…野菜を嫌う 3 歳以下の幼児に対しては加熱時間を長くし，軟らかくする．好きな食材に少量混ぜてみる.
- においについて　…青ピーマンはゆでこぼして調理する，カラーピーマンは嫌われるにおいがない.
- 好奇心を育てる　…無理強いしないようにすすめる．4 歳ぐらいになると嫌いな物も我慢して食べようとする気持ちが育つので，チャレンジしようとする好奇心を育てる.
- 食育の工夫　…野菜を育てたり，買い物に参加させたりして食材を選ばせるなど試みる.

2.4　発育・栄養状態の評価

身長や体重，頭囲，胸囲の測定による発育・栄養状態の評価

子どもの発育の評価は，身体計測による評価が一般的に用いられ，母子手帳，保育園，幼稚園，小学校などの記録によって縦断的にみることができる．子どもの心身の変調（健康状態や栄養状態）や障害などは，身長や体重の変化として現れる．

成長曲線（発育パーセンタイル曲線）による発育の評価

乳幼児期は，成長曲線を用いて子どもの発育状況を多方面から評価する必要がある．成長曲線を用いることにより，①成長異常の早期発見，早期治療，②その時点まで成長が適正であることの保証ができる．成長異常は，成長ホルモンや甲状腺ホルモン，脳腫瘍などの病気が原因で，早期発見により治療が可能となる．

①標準偏差（SD）…身長や頭囲の評価

平均値からのばらつきの大きさ，分布の幅を SD（標準偏差）という数値で表す．1 人ひとりの子どもの身長が，同じ年齢の子どもと比べてどれくらい高いか，低いかを，平均値から SD の何倍離れているかによって表す方法を SD スコアという．

小児の身長や頭囲は正規分布し，±2SD の範囲に 95.5%，±3SD の範囲に 99.7%の子どもが含まれる（**図 2-21**）．

身　長	＋2SD 以上：高身長，－2SD 以下：低身長，－1.5SD 以下：低身長・要観察とし，低身長がみられる場合は，代謝性の疾患，骨系統の疾患がある場合がある．
頭　囲	－2SD 以下：小頭症，大きい場合には巨脳症や水頭症などを疑う．

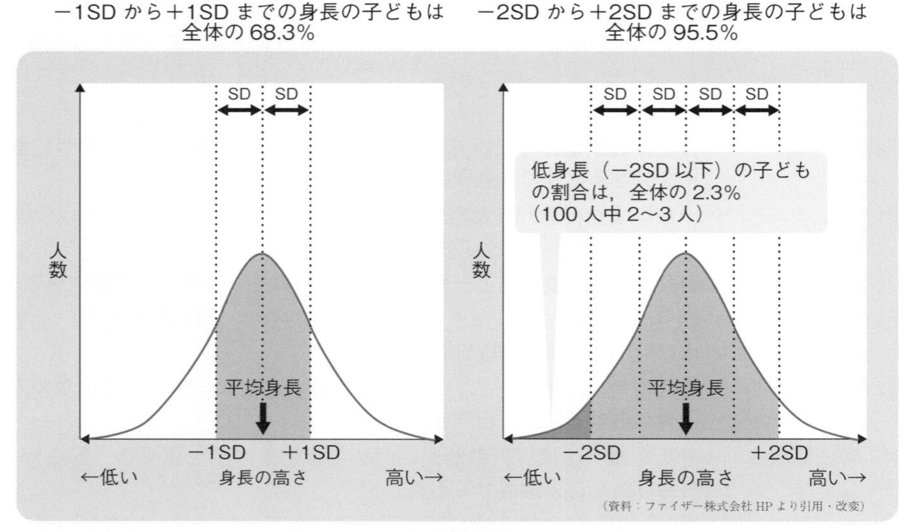

図 2-21　標準偏差（SD）の見方

②パーセンタイル値 ･･･ 体重の評価

体重は正規分布しないのでパーセンタイル値を用いる．

体　重	97 パーセンタイル以上：肥満（過体重），3 パーセンタイル以下：栄養不足・ネグレクト・虐待などの可能性を疑う（**図 2-22**）．

パーセンタイルとは，測定値を小さいほうから順番に並べて全体を100とした場合，小さいほうから何番目に当たるかを示したものです．50パーセンタイルは平均値ではなく，中央値を表しています．

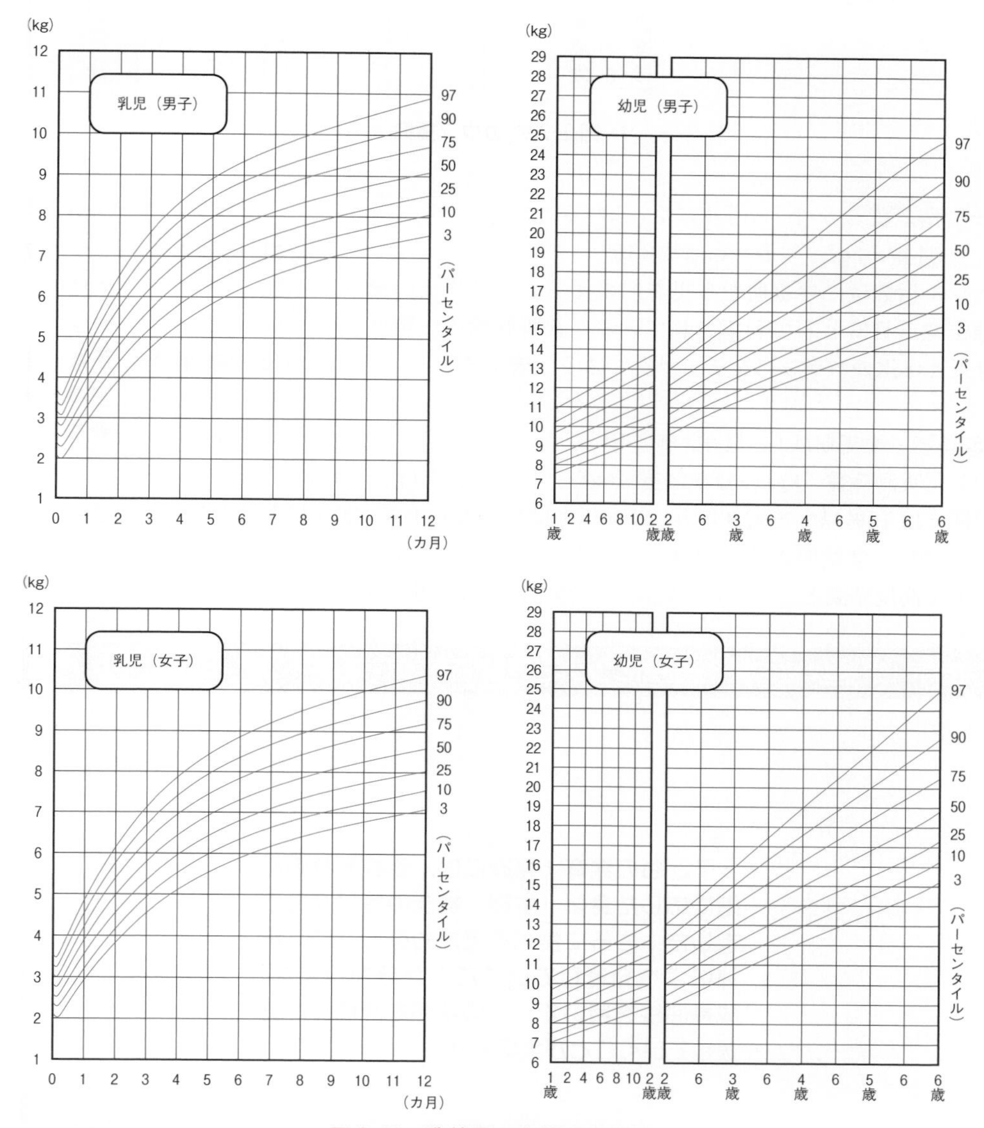

図 2-22　乳幼児の身体発育曲線

（資料：厚生労働省「平成 22 年乳幼児身体発育調査報告書」）

カウプ指数 …3か月以後の乳幼児の発育指数

計算式：[体重(kg)／身長(cm)^2]×10^4

計算によって得られた数値により，やせ・普通・太りぎみなどを判定する．年齢によって判定基準が異なるため乳幼児の月齢を確認して用いる（**図 2-23**）．

やせすぎ…13 未満
やせぎみ…13 以上～ 15 未満
標準…15 以上～ 19 未満
太りぎみ…19 以上～ 22 未満
太りすぎ…22 以上

幼児で肥満治療が必要となるのは、カウプ指数 19 以上

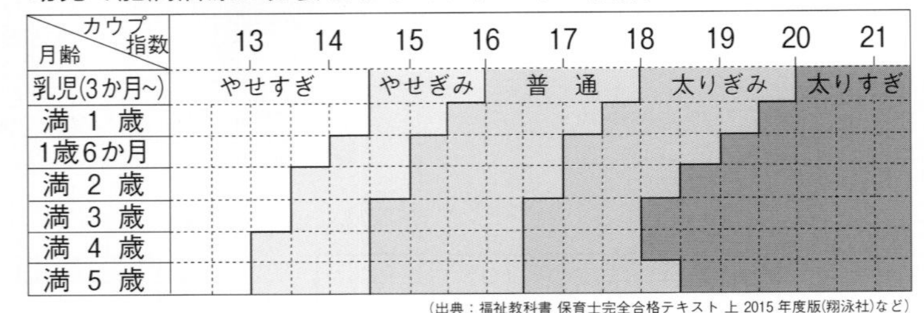

（出典：福祉教科書 保育士完全合格テキスト 上 2015 年度版(翔泳社)など）

図 2-23　カウプ指数

ローレル指数 …小・中学生に用いられる

計算式：[体重（kg）／身長（cm）³] × 10⁷

ローレル指数は，学童期から思春期の児童および生徒の発育状態を知る目安として利用されている．健康管理の一環として身長と体重のバランスをチェックできる（表 2-7）．

表 2-7　ローレル指数

ローレル指数	判定
100 未満	やせすぎ
100～115	やせ
115～145 未満	**正常 (普通)**
145～160 未満	肥満ぎみ
160 以上	肥満

肥満度 …幼児期以上の発育評価に用いる

計算式：[（実測体重（kg）－標準体重（kg））／標準体重（kg）] × 100

幼児期では 15％以上を太りぎみ，20％以上はやや太りすぎ，30％以上は太りすぎとされている（第 8 章 8.1 参照）．学童期以降は 20％以上を肥満とし，20～30％を軽度肥満，30～50％を中等度肥満，50％以上を高度肥満としている．肥満度－15％以下はやせとする．

Q　発育・栄養状態の評価方法について理解できましたか？

子どもの発育・発達には，それぞれの段階に応じた身体（生理）機能の特徴がありました．さらに食べる機能も少しずつ，訓練により発達していくことが分かります．成長曲線を用いて，その状態を評価し，支援していくことが大切です．

第3章
栄養に関する基本的知識

この章で学んでほしいこと！

人が生命を維持するためには，空気，水と食べ物の摂取が必要であることはいうまでもありません．成長期における子どもの体重当たりのエネルギーおよび栄養素の必要量は，大人よりもはるかに高く，成長段階に応じた栄養素を適切に摂取する必要があります．子どもが成長するためには，それを支えるための栄養摂取が質・量ともに重要です．

この章では，食品に含まれる栄養素の種類や特徴と身体での役割を知り，エネルギーおよび栄養素の摂取量の基準について，さらに献立作成や調理の基本などについて学びます．

この章で学ぶこと

- 栄養の基本的知識
- 小児の食事摂取基準
- 献立作成・調理の基本

この章での到達目標

- 栄養素の種類と身体の役割，食品群ごとの栄養特性について理解できた
- 成長のために必要なエネルギーおよび栄養素の基準値を知ることができた
- 献立作成や調理の基本について理解できた

MEMO

身体を構成する栄養成分

身体を構成する栄養成分についてを図3-1に示した．私たちは，これらの栄養成分を食事から補う必要がある．

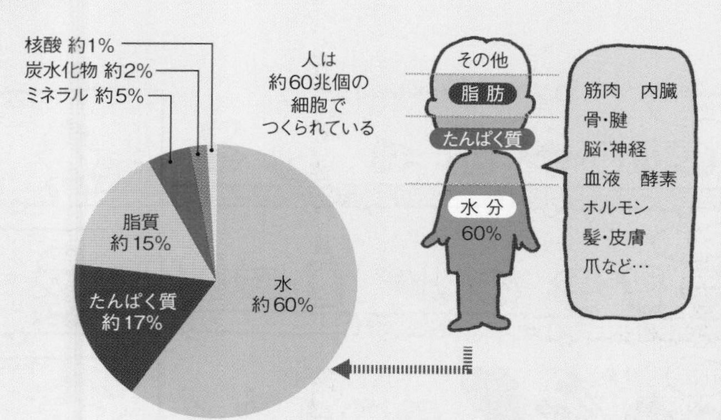

図3-1　人の身体をつくる細胞の構成比率

私たちの身体は60兆個の細胞で構成されていて，60%が水，40%が栄養成分なの．子どもは大人より水や栄養成分の需要が高いのよ．

3.1　栄養の基本的知識

1 栄養と栄養素

栄養とは，体外から物質を取り入れ，体内で利用することにより，生命を維持し，成長や日常の活動，体温の維持などの生命現象を営むことである．また，体内に取り入れて栄養となる物質を栄養素という．私たちは食品に含まれている栄養素を摂取するが，身体に必要な栄養素がすべてそろっている完全食品は存在しないため，さまざまな食品から栄養素を補うことが重要である．

食品は，それぞれが持つ栄養素によって６つのグループ（６つの基礎食品）に，働きによって３つのグループ（３つの食品群）に分かれる．それぞれのグループから食品を組み合わせて食べることで，栄養のバランスがとれた食事をとることができる（図 3-2）．

図 3-2 「３つの食品群」と「６つの基礎食品」

> 食育の媒体としての活用
>
> ３つの食品群を汽車や車に表し，「３つの食品群がそろわないと元気が出ない」などの食育が行われています．食材カードを作って，給食当番に３つの食品群ボードに貼ってもらうのも楽しいですね．

3つのいろのたべものきしゃ

あかのたべもの　にく　たまご　さかな　ぎゅうにゅう　チーズ　とうふ　なっとう　からだをつくるもとになるよ

きのたべもの　ごはん　パン　うどん　じゃがいも　さつまいも　あぶら　バター　さとう　エネルギーになるよ

みどりのたべもの　野菜　トマト　たまねぎ　ねぎ　にんじん　ほうれんそう　くだもの　りんご　みかん　いちご　ぶどう　バナナ　からだのちょうしをととのえるよ

2 エネルギー

私たちは，摂取した栄養素をエネルギーに変換し利用している．このエネルギーの量を**消費エネルギー**という．エネルギー値は，たんぱく質，脂質，炭水化物の量（g）に各成分のエネルギー換算係数を乗じて算出できる（**図 3-3**）．日本食品標準成分表を用いて 1 日の食品摂取量ごとの栄養素量を計算すれば，おおよその**エネルギー摂取量**を知ることができる．

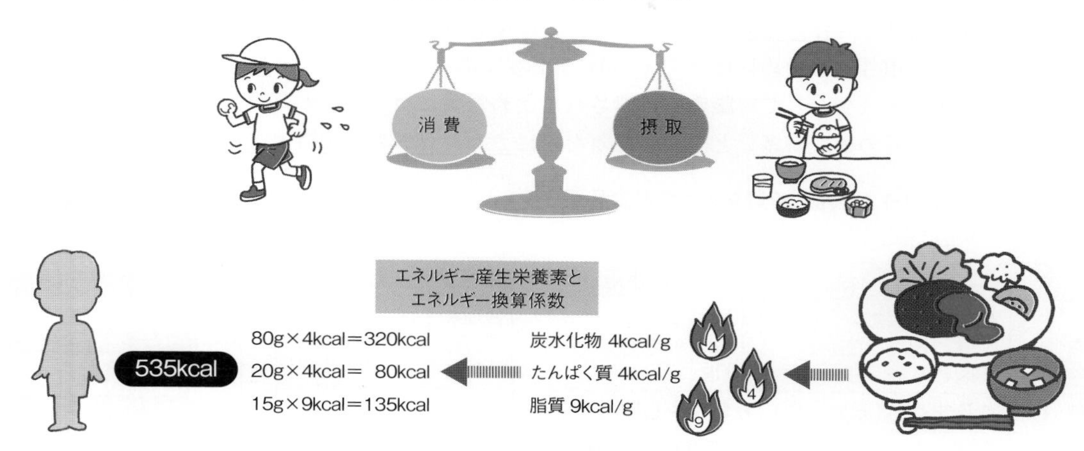

図 3-3　エネルギー換算係数

MEMO

カロリー（cal）って？？？

①カロリーはエネルギー量（熱量）の単位のこと
②1 カロリーは，純粋 1g を 1 気圧の下，摂氏 14.5 度から 1 度上げるのに必要な熱量
③食品のカロリーは，食品を体内で消費するのに必要な熱量を表す．
④食品の熱量は，キロカロリー（kcal＝1000cal）が用いられている．

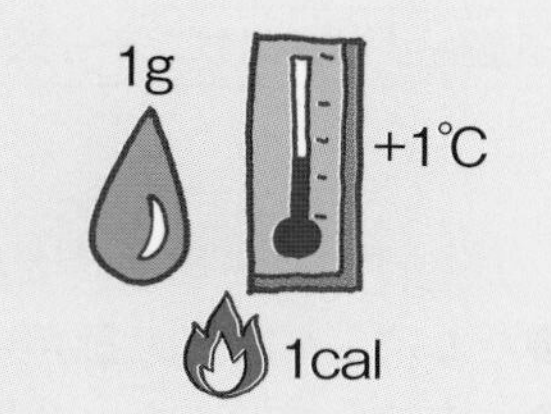

3 栄養素の種類と機能

子どもの成長に欠かせない栄養素について，しっかり学ばなきゃね！

第7の栄養素
フィトケミカル
（植物栄養素）

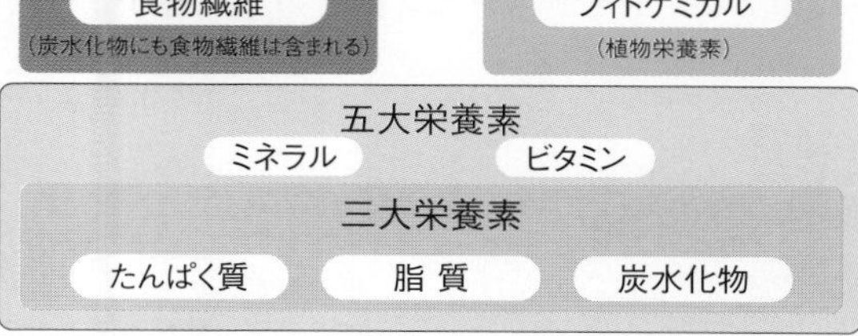

栄養素は，たんぱく質，脂質，炭水化物を**三大栄養素**，ビタミン，ミネラルを合わせて**五大栄養素**という．また第 6 の栄養素として食物繊維や水を加える考え方もある．最近では，第 7 の栄養素として植物由来の化合物であるフィトケミカルも注目されている．

(1) たんぱく質の基礎知識

たんぱく質の働き

●内臓，筋肉，皮膚，爪，髪，酵素やホルモン，神経伝達物質など人体の構成成分となる．
●糖質，脂質が不足した場合，エネルギーとなる．
●激しい運動や感染症，外傷がある場合には必要量が増加する．
●不足で新陳代謝低下，体力や免疫力低下，子どもの場合は成長障害となる．
●体内で有効に利用されるためにはビタミン B_6 が必要である．
●過剰に摂取すると尿素として腎臓から排泄されるため腎臓に負担がかかる．
●動物性たんぱく質の摂取が多いと中和させるためにカルシウムの尿中排泄量が増加する．

表 3-1　たんぱく質を多く含む食品

たんぱく質含有量の目安（使用量当たり）

食品		使用量	含有量
肉	和牛赤肉（生） 黒豚ヒレ肉（生） 鶏肉ささみ（生）	100g 100g 100g	20.2g 22.7g 24.6g
魚	くろまぐろ(赤身、生)	6 切れ少し厚め(100g)	26.4g
卵	全卵（生）	全卵 2 個（100g）	12.2g
大豆製品	糸引き納豆	1 パック（40g）	6.6g
	木綿豆腐	1/2 丁（150g）	10.5g
乳製品	パルメザンチーズ	大さじ 1.5（14g）	6.2g

（資料：日本食品標準成分表 2020 年版（八訂））

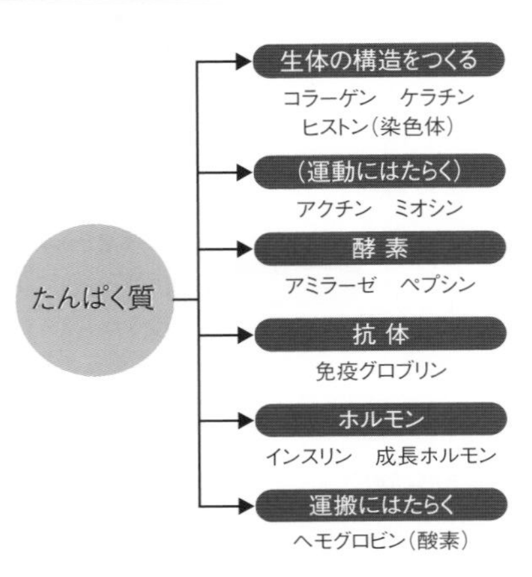

図 3-4　たんぱく質の働き

たんぱく質を構成するアミノ酸

●たんぱく質は，20 種類の**アミノ酸**が，高分子構造を成す．
●体内で合成できない 9 種類の**不可欠アミノ酸**（**必須アミノ酸**）と（**表 3-2**），合成できる**可欠アミノ酸**（**非必須アミノ酸**）に分類される．
　⇒不可欠アミノ酸は食事から摂る必要がある．
●不可欠アミノ酸の含量がたんぱく質の質を評価し，適切な割合のものを「良質たんぱく質」という．
　⇒卵や牛乳が良質たんぱく質の代表例である．
●食べ物に含まれる不可欠アミノ酸の質の評価には「アミノ酸スコア」が用いられる．
　スコアが 100 に近いほど良質となり，基準値より少ないアミノ酸を**制限アミノ酸**という（**図 3-5，6**）．

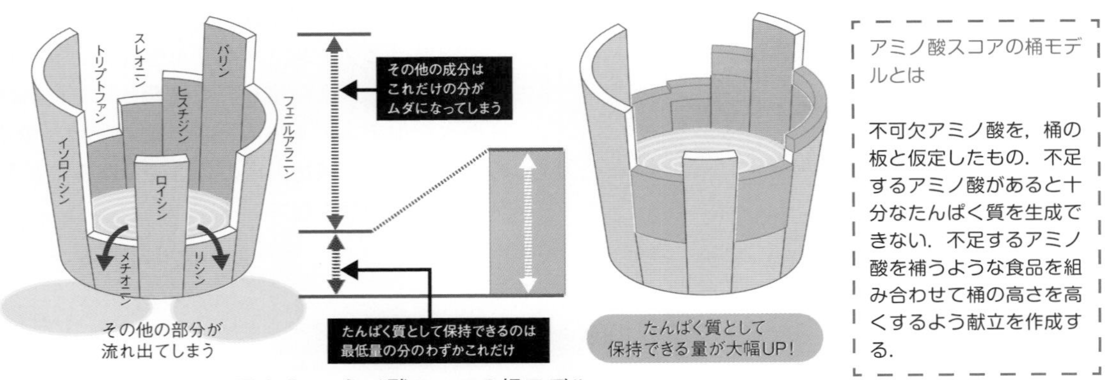

アミノ酸スコアの桶モデルとは

不可欠アミノ酸を，桶の板と仮定したもの．不足するアミノ酸があると十分なたんぱく質を生成できない．不足するアミノ酸を補うような食品を組み合わせて桶の高さを高くするよう献立を作成する．

図 3-5　アミノ酸スコアの桶モデル

不可欠アミノ酸のいずれかが不足している食品

1つの食品に含まれる不可欠アミノ酸の中で「最も少ない不可欠アミノ酸」の基準値に対する割合が，その食品のアミノ酸スコアになる．

食品名	アミノ酸スコア	必要量に足りないアミノ酸
精白米	91	リシン
食パン	51	リシン
薄力粉	53	リシン
うどん	51	リシン
トマト	83	ロイシン
たまねぎ	64	ロイシン
キャベツ	93	ロイシン
レモン	54	ロイシン
ピーナッツ	89	リシン

アミノ酸スコア100の食品

動物性食品の多くとローヤルゼリーには，全種類の不可欠アミノ酸が必要量ふくまれている．

食品名	アミノ酸スコア
卵	100
牛肉（脂身なし）	100
豚肉（脂身なし）	100
鶏肉（皮なし）	100
いわし	100
さけ	100
牛乳	100
ヨーグルト	100
プロセスチーズ	100

不可欠アミノ酸がすべて必要量含まれている

図 3-6 主な食品のアミノ酸スコア

（資料：日本食品標準成分表2020年版（八訂）をもとに作成）

米のアミノ酸スコアは 91 で，リシンが不足しているわね．食事がおにぎりだけ…うどんだけなどの単品料理では，身体に必要なたんぱく質の生成に必要なアミノ酸が不足するの．
ラットにアミノ酸スコア 100 の食品とアミノ酸スコアの低い食品を与える実験をしてみると，アミノ酸スコアの低いラットは体重が増加しないらしいわ．
成長するためには，アミノ酸の質を整えることも重要なことなんだね！

表 3-2 不可欠アミノ酸の種類と働き

アミノ酸名	働き	食品	アミノ酸名	働き	食品
イソロイシン	筋肉強化・成長促進	鶏肉・さけ・牛乳	フェニルアラニン	鎮痛作用・うつ症状改善	魚介類・卵・大豆製品
ロイシン	筋力強化・肝機能↑	牛肉・レバー・牛乳	スレオニン	成長促進・脂肪肝予防	卵・スキムミルク・さつまいも
リシン	肝機能↑・成長促進	肉類・魚類・大豆製品	トリプトファン	成長促進・筋肉強化	牛乳・チーズ・大豆製品
メチオニン	うつ症状・痛み改善	牛肉・かつお・牛乳・羊肉	バリン	筋肉強化・成長促進	牛肉・レバー・チーズ
ヒスチジン	成長促進・神経機能補助	鶏肉・かつお節			

(2) 脂質の基礎知識

脂質の働き

- 細胞膜の主要な構成成分であり，脳や神経細胞の構成成分，ホルモン合成の材料となる．
- 体内に中性脂肪，遊離脂肪酸，コレステロール，リン脂質の 4 種類が存在する．
- 中性脂肪は食品に多く含まれ（主に植物性の油や動物の脂），エネルギー源として利用される．
- 中性脂肪成分の脂肪酸は，**飽和脂肪酸**，**一価不飽和脂肪酸**，**多価不飽和脂肪酸**の 3 種類である．
- コレステロールは細胞膜やホルモン，胆汁酸として利用され，体内で合成される．
- リン脂質は細胞膜の主成分で両親媒性を持つ．

脂質は細胞膜，脳神経細胞の構成成分！
身体にとって重要なんだ！

脂質を構成する脂肪酸

- 脂質の質は**脂肪酸**で決定する．脂肪酸の体内への影響はその構造によって異なる．
- n-3 系，n-6 系脂肪酸は体内で合成されないか，必要量を合成できないため食べ物から摂取する．

表 3-3 脂肪酸の種類と働き

	種類			働き	食品
脂肪酸	飽和脂肪酸	ミリスチン酸 パルミチン酸 ステアリン酸		エネルギー源として利用． 体内合成コレステロールの原料．	ラード（動物脂） バター
		中鎖脂肪酸		水に溶けやすい，ほかの脂肪酸と異なり門脈を介し吸収され，効率の良いエネルギー源となる．体脂肪になりにくい．	ココナッツオイル
	一価不飽和脂肪酸	n-9 系	パルミトレイン酸 オレイン酸	酸化しにくい性質があり，過酸化脂質になりにくい．	オリーブ油 キャノーラ油
	多価不飽和脂肪酸	n-6 系	リノール酸 γ - リノレン酸 アラキドン酸	血中コレステロールを減少させるが，摂り過ぎは炎症を引き起こす，HDL コレステロール（高比重リポたんぱく質）の減少と関連がある．	植物油 卵白 レバー
		n-3 系	α - リノレン酸 ドコサヘキサエン酸（DHA） エイコサペンタエン酸（EPA）	LDL コレステロール（低比重リポたんぱく質），中性脂肪を低下させる． 酸化されやすい性質がある． 各種疾患や脳機能改善が報告されている．	まぐろ，さんま，さば，エゴマ油，アマニ油

(3) 糖質（炭水化物）の基礎知識

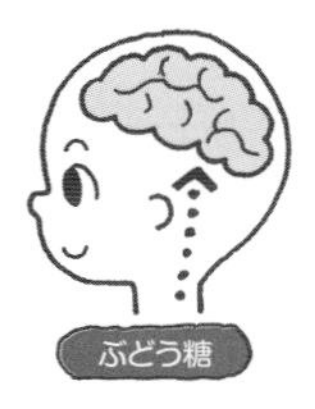

炭水化物には，糖質と食物繊維がある（**表 3-4**）．

糖質の働き

- 身体の主要なエネルギー源で吸収・分解が速い．
- 糖質は，脳，神経組織，赤血球，腎尿細管など，ぶどう糖しかエネルギー源として利用できない組織へのエネルギー供給をする．このうち，脳は体重の 2% 程度の重量だが，基礎代謝量の約 20% のエネルギー量を消費する．
- 糖質は，**単糖類**，**二糖類**，**オリゴ糖**，**多糖類**に分類され，食品によって含有量が異なる．

●糖質が不足すると体たんぱく質や脂肪を分解してエネルギーを補おうとするため，筋肉量が低下する可能性がある．

●吸収された糖質は，**グリコーゲン**として肝臓（重量の8%）や骨格筋（重量の1%）で貯蔵され，肝臓のグリコーゲンは脳のエネルギー源，骨格筋のグリコーゲンは筋運動のエネルギーとして利用される．糖質は，グリコーゲン貯蔵量を超えると中性脂肪として貯蔵される．

表 3-4　炭水化物の分類

炭水化物	糖質	単糖類	単糖	ぶどう糖，果糖，ガラクトース
		二糖類	単糖 2 個	ショ糖，麦芽糖，乳糖など
		オリゴ糖	単糖 3～10 個	マルトオリゴ糖，フルクトオリゴ糖など
		多糖類	単糖が多数個	でんぷん，グリコーゲン，セルロースなど
	食物繊維	水溶性食物繊維		ペクチン，アルギン酸ナトリウム，グルコマンナン，イヌリン，βグルカン
		不溶性食物繊維		セルロース，ヘミセルロース，リグニン，キチン

第 6 の栄養素　食物繊維の働き

●食物繊維は，**水溶性食物繊維**と**不溶性食物繊維**に分類される．

●水溶性食物繊維は，糖や脂質の吸収阻害，がん予防，腸内環境を整えるなどの働きがある．

●不溶性食物繊維は，便量を増やし便秘を解消する，大腸がんのリスクを下げる，腸内環境を整えるなどの働きがある．

(4)　ビタミンの基礎知識

三大栄養素の代謝を助け身体の調子を整える！

●血管，粘膜，皮膚，骨などあらゆるところにあり，これらの新陳代謝を促進する．

●**ビタミン**（主にビタミンB群）は，三大栄養素の代謝を助ける補酵素成分となる．

●体内で合成されないか，合成されても量が少ないため，食べ物から摂取する必要がある．

●不足すると欠乏症が起こる（**表 3-5** 参照）．

●ビタミンは，**脂溶性ビタミン**と**水溶性ビタミン**に分類される．

●脂溶性ビタミンは，水に溶けにくく油脂やアルコールに溶ける性質があり，肝臓に蓄積されやすいので過剰摂取に注意が必要．

●水溶性ビタミンは，水に溶けやすく油脂に溶けにくい，過剰摂取しても尿で排泄されるため，毎日，欠かさず摂取する必要がある（近年，一部の水溶性ビタミンにも，過剰摂取の注意が必要）．

三大栄養素は，ビタミンがないと上手に体内で利用されないんだって！
だから，ビタミンは身体の調子を整える栄養素なんだね！

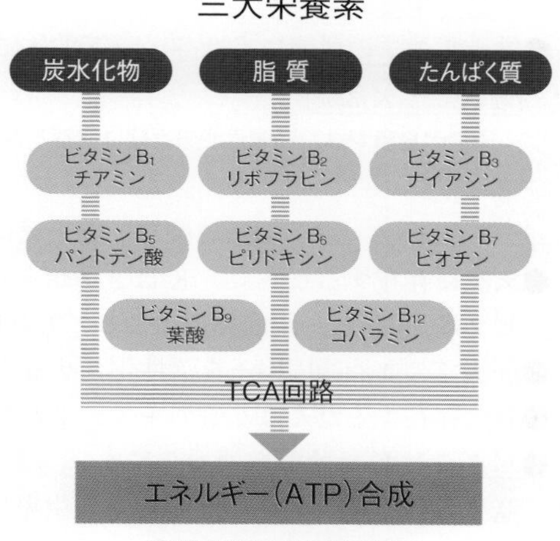

代謝を助けるビタミン

脂溶性ビタミンの働き

ビタミンA（レチノールの吸収率は70〜90%）

●レチノールやカロテノイドなどがビタミンAとして働く．カロテノイドは約50種類ある．
●動物性食品（レバー・うなぎなど）や植物性食品（にんじん，みかんなど）に含まれる．
●皮膚や粘膜の正常保持の働きがあり病原菌の身体への侵入を防ぎ，感染症にかかりにくくする．
●ビタミンAは明暗を感じる色素の主成分で視覚や目の健康を守る．
●細胞の分化と増殖をコントロールして成長を促し，皮膚や粘膜（上皮細胞）の新陳代謝を助ける．
●妊娠中に胎盤を介して胎児に供給され蓄積される．

過剰症

90%が肝臓に蓄積される．サプリメントなどによる妊娠期初期の過剰摂取は，胎児の先天性異常症を引き起こす原因となる．成人の場合，短期間の過剰摂取は，吐き気や頭痛，めまい，目のかすみなど．長期間の過剰摂取は，中枢神経系への影響，肝臓の異常，骨や皮膚の変化がみられる．

欠乏症

不足すると目の機能や免疫力の低下，子どもでは成長障害を引き起こす．

ビタミンD（日光浴で皮膚合成）

●カルシウムやリンの吸収を促進し，健康な骨をつくる（カルシウム＋リン＋ビタミンDを合わせて）．
●日光を浴びることにより皮膚で合成されている．日照時間によって合成量が変化する．
●活性型ビタミンDが，腸管でのカルシウムの吸収を促進し，骨への沈着を助ける．カルシウムの摂取が少ないと骨からカルシウムを溶出させ，血中のカルシウム濃度を調整する．
●妊娠中や子どもの成長には欠かせない．子どもでは骨の成長が遅れたり，歯やあごの成長にも影響する．※近年，発がん抑制や免疫調整にも関わっている可能性が報告されている．

欠乏症

成人では，骨軟化症，子どもではくる病になる．高齢者では骨粗鬆症の原因にもなる．

ビタミンE（ビタミンEの吸収率は51〜86%，正確な吸収率は不明）

●強い抗酸化力で細胞のがん化や老化を防ぐ．細胞膜や脂質に豊富に存在し，それ自体が酸化されることによって，多価不飽和脂肪酸の酸化を防止する．
●細胞膜のリン脂質二重層内に局在する．
●血液中のLDLコレステロールの酸化を防ぎ，動脈硬化を予防する．また，末梢血管を広げて血行を良くする．
●性ホルモンの代謝にも関与．脳下垂体に働きホルモン分泌を促進し，生理痛・不順を解消する．

過剰症・欠乏症

通常の食事では，過剰症や欠乏症は発症しない．

ビタミンK（血液凝固に関与，新生児にはビタミンK_2シロップを投与）

●天然に存在するビタミンKは２種類あり，緑黄色野菜・海藻類・緑茶・植物油などに含まれるビタミンK_1と，腸内細菌によっても合成されるビタミンK_2である．
●肝臓での血液凝固因子を活性化させる．動脈硬化の石灰化を抑制する．
●骨に存在するたんぱく質のオステオカルシンを活性化し，骨形成を調整する．
●ビタミンKは胎盤を通過しにくい．また母乳含量が低いこと，乳児で腸内細菌によるビタミンK産生・供給量が低いことから，新生児はビタミンK欠乏症に陥りやすい．新生児メレナ（消化管出血)，特発性乳児ビタミンK欠乏症（頭蓋内出血）は，ビタミンK不足によって発症する．生後直ちにビタミンKの経口投与が行われている．

過剰症・欠乏症

通常の食事では，過剰症や欠乏症は発症しない．抗生物質を服用すると腸内合成が低下することもある．また血液凝固剤を服用している人は，ビタミンKを多く含む食品摂取に注意する．

水溶性ビタミンの働き

ビタミンB_1　（糖質の代謝を促進！肉体疲労，食欲不振の回復）

- 脳や中枢神経・末梢神経の働きを正常に保つ，集中力や記憶力が高まる．
- 糖質からエネルギーを生み出す補酵素の働きをする．
- 糖質を摂り過ぎるとビタミンB_1不足になる．
  （清涼飲料水や菓子は糖質が多いが，ビタミンB_1はほとんど含まれていない）
- ビタミンB_1の不足によって糖質の代謝が上手くいかないと体内に乳酸などの疲労物質が蓄積し，筋肉痛や倦怠感，むくみ，食欲不振，イライラしやすいなどの症状が現れる．
- アルコールの分解にも関与している．
- 水に溶けやすく熱に弱い．調理法によって30～50%が損失する．
- にんにく，にらなどに含まれるアリシンと結合すると身体への吸収率が高まる．

欠乏症

脚気やウェルニッケ・コルサコフ症候群にかかる可能性がある．
※近年，アルツハイマー型認知症との関連も報告されている．

ビタミンB_2　（発育ビタミン！細胞の新陳代謝を促進）

- 三大栄養素を分解し，効率よくエネルギーを生み出す補酵素の働きをする．
- 過酸化脂質を分解し，生成を抑制する．ビタミンEと合わせて摂るとよい．
- 発育を促す働きがあり，成長期の子どもには欠かせない．また細胞の再生に関与しており，肌や髪を健やかに保つ．
- 粘膜を保護する．口内炎，目の充血，肌荒れの予防．
- 光に弱く変質しやすい．日光を避けた保存方法を選択する．

欠乏症

成長障害，口内炎，口角炎，目の充血，頭皮のフケや脂漏性皮膚炎など．

ビタミンB_6　（たんぱく質の分解・合成に重要！）

- たんぱく質代謝の中心的役割があり，分解・合成をスムーズにする．
- 皮膚の再生や髪の健康維持に役立つ．免疫系の維持にも重要である．
- 脂質代謝にも関与し，肝臓に脂肪が蓄積するのを防ぐ．
- 神経伝達物質の生成とも関連し，精神状態にも影響する．
- 腸内細菌から合成されるので欠乏することはないが，抗生物質の長期投与による腸内環境の悪化から不足することがある．

欠乏症

ペラグラ様症候群，脂漏性皮膚炎，舌炎，リンパ球減少，成人では鬱状態，脳波異常，痙攣発作など．

表 3-5　主なビタミンの分類と欠乏症・過剰症

	栄養素	身体での働き	欠乏症	過剰症	多く含む食品
脂溶性ビタミン	ビタミンA 油脂と摂れば吸収UP!	皮膚，粘膜を健康に保つ．薄暗いところでの視力を保つ，疲れ目予防． 免疫維持，感染症予防！	成長障害，骨や歯の発育不良．夜盲症．皮膚や粘膜の上皮の角化．	頭痛，吐き気，皮膚疾患， 胎児の奇形	レバー，うなぎ，たら，モロヘイヤ，にんじん，かぼちゃ
	ビタミンD 油脂と摂れば吸収UP！	紫外線に当たると皮膚でも合成される．カルシウムやリンの取り込み． 骨の成長促進．	骨の成長障害，くる病，骨軟化症，骨粗鬆症．	高カルシウム血症， 腎機能障害	さけ，さんま，いさき，ちりめんじゃこ，きくらげ
	ビタミンE	細胞膜の酸化を抑える（抗酸化作用）老化防止，血液促進，疲労改善． ビタミンC, B_2, βカロテンと摂ると抗酸化力UP！	赤血球膜の抵抗性が低下し溶血． 神経障害．	—	さけ，うなぎ，まぐろ缶，子持かれい，植物油
	ビタミンK 油脂と摂れば吸収UP！	血液を固める作用，骨を強く！カルシウム結合，たんぱく質の生成． 止血ビタミン！	血液凝固の遅れ，新生児の出血性疾患．新生児メレナ，骨粗鬆症．	—	納豆，しゅんぎく，ほうれんそう，トウミョウ，抹茶，カットわかめ
水溶性ビタミン	ビタミンB_1 にんにくと摂れば吸収UP!	炭水化物の代謝に関与．脂質はB_1節約作用，神経機能を正常に保つ． 疲労回復，夏バテ予防．	脚気，多発性神経炎，浮腫，心臓肥大，精神不安定，食欲不振．	—	豚ヒレ，豚もも，うなぎ，ボンレスハム，玄米
	ビタミンB_2 発育ビタミン	エネルギー代謝をサポート！アミノ酸，脂質，炭水化物の代謝に関与． 成長促進．	成長障害，口唇炎，口角炎，角膜炎．	かゆみ，しびれ	レバー，うなぎ，かれい，さば，さんま，牛乳
	ビタミンB_6 鮮度の良い動物性食品で摂る！	アミノ酸代謝に関与． 神経伝達物質の合成． 月経前症候群の予防．	皮膚炎，貧血，湿疹，免疫力低下．	神経系障害	まぐろ，かつお，さけ，レバー，鶏ささ身，バナナ
	ビタミンB_{12} 煮汁ごといただく料理に！	アミノ酸の代謝，たんぱく質，核酸の生合成．赤血球の産生．神経機能の維持．脳の正常化．	悪性貧血，神経疾患，倦怠感，疲労感．	—	あさり，しじみ，さんま，レバー，かき（貝類），いわし丸干し
	葉酸 光に弱く， 95%が水に溶出	赤血球の産生，DNA合成に関与，胎児の正常な発育，先天異常の予防．	巨赤芽球性貧血，口内炎，出血傾向疾患への抵抗力減少，胎児の神経管閉鎖障害．	—	レバー，菜の花，ほうれんそう，えだまめ，ブロッコリー
	ビタミンC 水に溶け，熱に弱い！ 新鮮第一！	コラーゲン生成，毛細管，歯，軟骨，結合組織の強化．鉄の吸収．ビタミンEの再利用，抗ストレス．	壊血病，皮下出血，コラーゲン形成低下，骨形成不全，成長不全．	下痢，頻尿	菜の花，赤ピーマン，ブロッコリー，じゃがいも，かき（果実類）

子どもの成長（血液や骨形成，体組織の合成）や病気を予防するための免疫力にもビタミンは関係あるんだね！特に水溶性ビタミンは貯蔵できないから毎日摂らなきゃ．

ビタミンB12（造血に関わるビタミン！）

●補酵素として代謝に関わる．葉酸とともに骨髄で赤血球のヘモグロビン合成を促進する．
●核酸の合成を助け，神経伝達物質を末梢神経まで運搬することで，筋肉痛の緩和効果がある．
●たんぱく質の合成を助け，神経系の機能を守る．
●メラトニンの分泌を調整し，睡眠などの生体リズムを整える．

欠乏症

悪性貧血，動脈硬化，倦怠感，集中力の低下，運動機能の低下．

葉酸（細胞の新生，増殖，造血のビタミン）

●ビタミンB12とともに赤血球の産生に関与する．
●たんぱく質の合成や細胞の新生に必要な核酸を生成する．妊娠期や成長期の子どものように細胞分裂・増殖が活発な時期には欠かせない．
●消化管粘膜や口腔・舌の粘膜を保護して抵抗力を高める．
●不足すると動脈硬化の引き金となる血清ホモシスチン濃度が高くなる．
●妊娠初期に適切な量を摂取することで，胎児の神経管閉鎖障害の発症リスクを軽減する．

欠乏症

不足すると成長期の子どもは悪性貧血にかかりやすい．妊婦が不足すると胎児の神経管閉鎖障害を引き起こす．

ビタミンC（抗酸化ビタミン！細胞を元気にする）

●強い抗酸化力でビタミンEと協力し活性酸素を除去して，老化やがんを引き起こす過酸化脂質の生成を抑え，動脈硬化を予防する．
●皮膚やコラーゲン合成に関与している．骨や皮膚，血管や粘膜，骨を健康に保つ．コラーゲンが不足すると毛細血管がもろくなり，歯ぐきや内臓などから出血する（壊血病）．
●インターフェロンの合成や白血球をサポートして，免疫力を維持し感染症から守る．
●メラニンの生成を抑制するので美白効果がある．
●鉄を還元型に変換し吸収率を増加させる．
●ストレスや喫煙によってビタミンCは大量に消費される．

欠乏症

壊血病．

(5) ミネラルの基礎知識

人体を構成する元素は約60種類あり，そのうち酸素，炭素，水素，窒素の4元素で全体の95%を占め，残りの約5%の元素をミネラル（無機質）とよぶ．栄養素として不可欠なミネラルを必須ミネラルといい，現在16種類（食事摂取基準では13種類）が知られている．体内に多い多量ミネラルと量が少ない微量ミネラルに分類される（**表3-6**）．体内で自分自身によって合成することはできないので食品からバランスよく摂ることが重要である．

カルシウム（骨や歯を形成し，神経機能を調整する）

●体重の1～2%存在し，そのうちの約99%が骨や歯などの組織に存在する．
●残りの1%は機能カルシウムとよばれ，血液や筋肉などすべての細胞に分泌し，血液凝固や筋肉の収縮，神経の興奮抑制，ホルモン分泌調整などのさまざまな生理機能に関わる重要なミネラルである．

表 3-6　必須ミネラルの種類と働き

分類	種類	元素記号	人体の存在量(g) 体重 50kg	主な働き	欠乏症
多量ミネラル	カルシウム	Ca	715	骨や歯の形成，神経の興奮を抑える	成長抑制（図 3-7）
	リン	P	560	骨や歯の形成，糖質代謝，浸透圧の維持	骨量低下
	カリウム	K	100	細胞内液の浸透圧維持，心臓や筋肉機能調節	むくみ，高血圧
	イオウ	S	100	皮膚や髪，爪の形成，酵素の活性化，PH 調整	皮膚炎，解毒能力低下
	ナトリウム	Na	70	細胞の浸透圧調整，筋肉や神経の興奮を抑える	疲労感，食欲不振
	塩素	Cl	68	胃液成分，殺菌，消化促進，体液の PH 調整	食欲不振，消化不良
	マグネシウム	Mg	14	血圧の調整，骨の維持，体温維持，酵素活性化	筋収縮異常，骨の成長障害
微量ミネラル	鉄	Fe	3.0	赤血球の成分，造血作用，免疫機能の維持	貧血，成長抑制
	亜鉛	Zn	1.6	細胞の形成，たんぱく質の合成，味覚の正常化	成長障害，味覚障害
	銅	Cu	0.05	造血作用，コラーゲン生成，骨や歯の強化	貧血，髪・皮膚脱色
	ヨウ素	I	0.02	発育，基礎代謝の促進，甲状腺ホルモンの成分	成長障害，甲状腺腫
	セレン	Se	0.013	抗酸化作用，抗がん作用	老化促進，心疾患
	マンガン	Mn	0.02	抗酸化作用，中枢神経機能に関与，糖 / 脂質代謝	骨の成長障害ほか
	モリブデン	Mo	0.007 未満	尿酸代謝に関与，鉄の利用効率促進	貧血，痛風
	クロム	Cr	0.0013 未満	糖・脂質代謝に関与	代謝機能低下
	コバルト	Co	0.0011	ビタミン B_{12} の成分，造血作用に不可欠	貧血

（資料：中村丁次監修「栄養の基本がわかる図解辞典」成美堂出版，2020 より一部改変）

●骨はカルシウムの貯蔵庫としての役割もあり，機能カルシウムが不足すると骨を破壊して血液中にカルシウムを放出し，血液中のカルシウム濃度を一定に保つ．食事によってカルシウムを補わなければ骨が形成されず，骨折などの原因となる（図 3-8）．

●カルシウム吸収率は，乳製品で約 50%，小魚で約 30%，青菜で約 10～20% である．

過剰症・欠乏症

過剰症では，鉄や亜鉛などの他のミネラルの吸収を阻害するといわれている．欠乏症では，骨量の減少による骨折や肩こり・腰痛，イライラするといった神経過敏な状態になることがある．

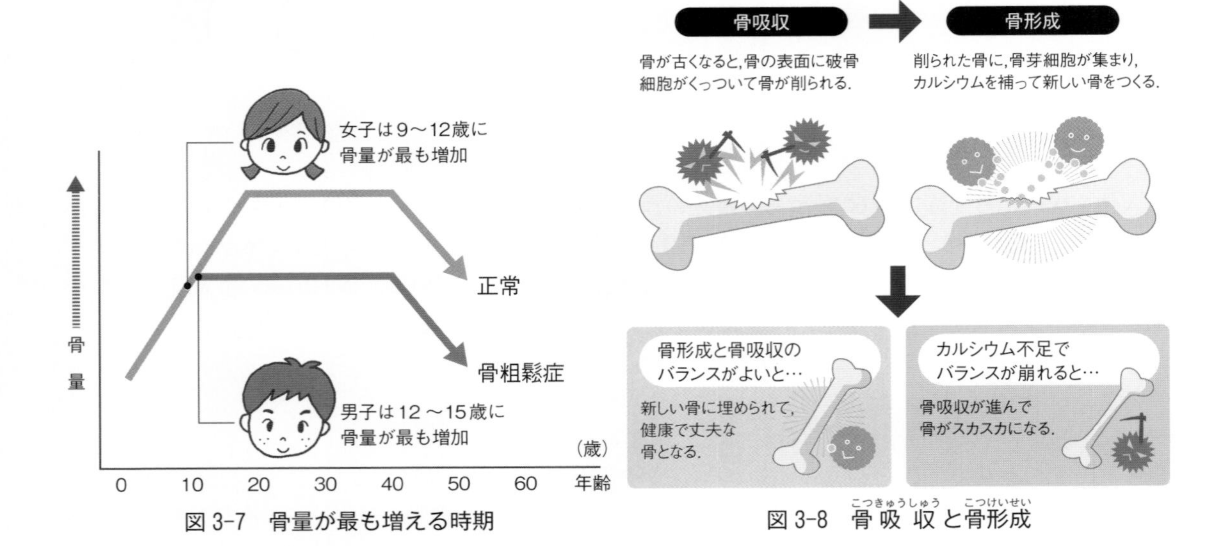

図 3-7　骨量が最も増える時期

図 3-8　骨吸収（こつきゅうしゅう）と骨形成（こつけいせい）

鉄（赤血球をつくり，酸素を全身に運ぶ）

●体内に3～4g含まれ，そのうちの約70%は赤血球中のヘモグロビンと結合して酸素の運搬に利用され，約10%は筋肉のミオグロビンと結合して酸素の運搬・貯蔵を行う．

●0.3%は酵素と結合し，エネルギー代謝に関わる．

●20～30%は貯蔵鉄とよばれ，肝臓や骨髄，脾臓などに蓄えられ（**図3-9**），出血などで鉄が減少すると血液中に運ばれて利用される．

●鉄は体内に吸収されにくく，動物性食品（たんぱく質）とビタミンCと摂ると吸収率が高まる．貯蔵鉄が，腸管からの鉄の吸収を調節し必要以上に体内に吸収されない．

過剰症・欠乏症

普段の食事で摂り過ぎることはない．
鉄が不足すると鉄欠乏性貧血を引き起こし，頭痛，動悸，食欲不振，倦怠感などがあらわれる．

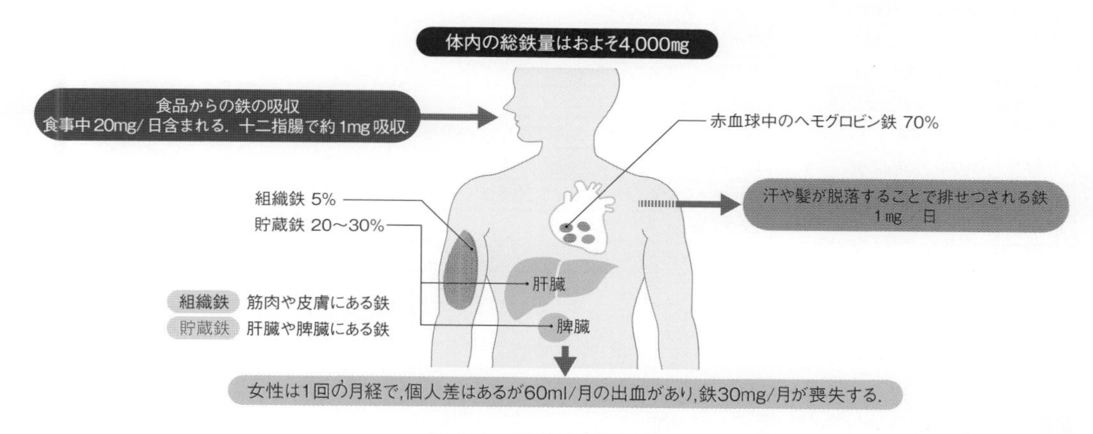

図3-9　体内の鉄の吸収

（資料：「病気がみえる vol.5 血液 第1版」図書印刷，2013をもとに作成）

(6) 水

人にとって，水は生命を維持する上で必要不可欠である．一般に体内の水分量は，成人で体重の約60%，幼児は約70%であり，新生児では約80%となる．体のさまざまな化学反応に必要不可欠であり，恒常性である人の体温維持の役割も大きい．乳幼児期においては，体重当たりの水分量が不足すると，生命を脅かすことにもなる（**表3-7**）．成人の場合，水分摂取は飲料から1500mL，食事から500mL，代謝水から400mLで1日合計2400mLとなる．一方，水分排泄も同じ量となる．ただし，正しい水の選び方も大切であり，特に水からの有毒物質および悪性細菌による感染などには注意を払わなければならない．

表3-7　年齢別体重kg当たり水分摂取量

年齢別体重kg当たり水分摂取量	
乳幼児	100～130mL／kg／日
児童・生徒	60～100mL／kg／日
成　人	30～ 40mL／kg／日
高齢者	25～ 30mL／kg／日

水不足は命の危険!!

●体重の1%の水分が失われると喉が渇く．

〔脱水症状〕
発汗，下痢，嘔吐，出血によって水分が失われると頭痛，食欲不振，脱力感などの脱水症状を引き起こす．

●体重の10%の水分が失われると，筋肉のけいれんや意識障害，腎機能障害が起こり，生命にかかわる．

(7) フィトケミカル

フィトケミカルとは，植物に含まれる非栄養素の物質で，赤色や紫色やオレンジ色といった色素や香り，味やアクなどの成分である．ほとんどのフィトケミカルには，活性酸素を無害化するなど抗酸化力が強く，免疫力を高め，疲労回復や血圧の改善，骨粗鬆症やがん，動脈硬化の予防などの効果がある．どれか一つの成分だけ摂るよりも，さまざまな成分を組み合わせることで効果が高まるといわれている（表 3-8）．

表 3-8　主なフィトケミカルの種類と働き

主な種類			主な成分	主な働き
ポリフェノール	フラボノイド	フラボン類	アピゲニン，ルテオリン	抗酸化作用
		フラバノン類	ヘスペリジン	抗アレルギー作用，発がん抑制作用
		フラボノール類	ルチン，ケンフェロール	血管強化，血圧降下
		イソフラボン類	ダイゼイン	女性ホルモン類似作用
	ノンフラボノイド	カテキン類	カテキン，エピカテキン	殺菌作用
		アントシアニジン類	シアニジン，デルフィニジン	視力回復，皮膚やコラーゲンの生成促進
カロテノイド		カロテン類	α-カロテン，β-カロテン，γ-カロテン，リコペン	老化による視力低下を防ぐ
		キサントフィル類	ゼアキサンチン，ルイティン，クリプトキサンチン	肺・肝臓・皮膚がんなどの予防
イオウ化合物			イソチオシアナート，アリイン，硫化アリル	血液循環を促す，食中毒を予防する
β-グルカン			β-グルカン	免疫力の向上
テルペン類			リモネンなど	がん細胞の抑制
その他			サポニン	コレステロールを取り除く，抗酸化作用
			ナットウキナーゼ 酵母（イースト）	抗血栓作用 糖分を分解する，代謝を活性する

（資料：USDA 栄養データベースより抜粋）

4 食品群ごとの栄養の特徴

(1) 穀類，いも類の栄養

穀類，いも類の主成分は炭水化物で，エネルギーの供給源であるほか，たんぱく質やビタミン，ミネラルを含む．米や麦などは外皮や胚芽にビタミン，ミネラルが豊富で精白・精製されるほどそれらは減少する（表 3-9）．いも類に含まれるビタミン C は，でんぷんで守られているため加熱しても損失が少ない．

もみから白米になるまで

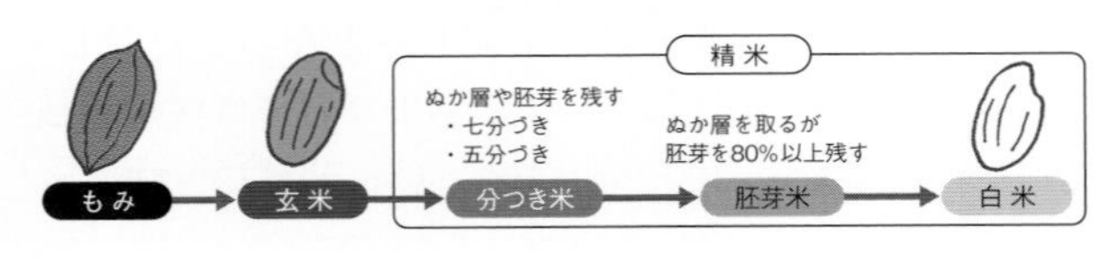

表 3-9　米の成分比較

100g 当たり（茶碗 1 杯分）

	玄米	胚芽米	精白米
カロリー	165kcal	167kcal	168kcal
食物繊維	1.4g	0.8g	0.3g
ビタミン B_1	0.16g	0.08g	0.02g

(2) 野菜類，果物類の栄養

野菜類には，ビタミン，ミネラル，食物繊維や機能性成分（フィトケミカル）が含まれる．野菜は，カロテン含有量 600μg以上（以前から緑黄色野菜と分類されていたものを含む）の野菜を緑黄色野菜（表 3-10），それ以下をその他の野菜に分類する．

野菜には水溶性ビタミンが豊富で加熱や水洗いによって流出するため，調理時間を短くするなどの工夫が必要である．果物類には糖質のほか，ビタミン，食物繊維が含まれる．

表 3-10　緑黄色野菜の分類

あさつき	しそ（葉・実）	なずな	ひのな
あしたば	じゅうろくささげ	（なばな類）	ひろしまな
アスパラガス	しゅんぎく	和種なばな	ふだんそう
いんげんまめ（さやいんげん）	すいぜんじな	洋種なばな	ブロッコリー（花序，芽ばえ）
うるい	すぐきな（葉）	（にら類）	ほうれんそう
エンダイブ	せり	にら	みずかけな
（えんどう類）	タアサイ	花にら	（みつば類）
トウミョウ（茎葉，芽ばえ）	（だいこん類）	（にんじん類）	切りみつば
さやえんどう	かいわれだいこん	葉にんじん	根みつば
おおさかしろな	葉だいこん	にんじん	糸みつば
おかひじき	だいこん（葉）	きんとき	めキャベツ
オクラ	（たいさい類）	ミニキャロット	めたで
かぶ（葉）	つまみな	茎にんにく	モロヘイヤ
（かぼちゃ類）	たいさい	（ねぎ類）	ようさい
日本かぼちゃ	たかな	葉ねぎ	よめな
西洋かぼちゃ	たらのめ	こねぎ	よもぎ
からしな	ちぢみゆきな	のざわな	（レタス類）
ぎょうじゃにんにく	チンゲンサイ	のびる	サラダな
みずな	つくし	パクチョイ	リーフレタス
キンサイ	つるな	バジル	サニーレタス
クレソン	つるむらさき	パセリ	レタス（水耕栽培）
ケール	とうがらし（葉・果実）	はなっこりー	サンチュ
こごみ	（トマト類）	（ピーマン類）	ルッコラ
こまつな	トマト	オレンジピーマン	わけぎ
コリアンダー	ミニトマト	青ピーマン	（たまねぎ類）
さんとうさい	とんぶり	赤ピーマン	葉たまねぎ
ししとう	ながさきはくさい	トマピー	みぶな

注）食品群順
「緑黄色野菜」とは，原則として可食部100g当たりβカロテン当量が600μg以上のものとし，ただし，βカロテン当量が600μg未満であっても，トマト，ピーマンなど一部の野菜については，摂取量及び摂取頻度等を勘案の上設定しているもの．なお，食品名は「日本食品標準成分表2020年版（八訂）」に統一した．

(3) 肉類の栄養

肉類は動物性たんぱく質の重要な供給源で，血液や筋肉などの体をつくるもととなる．

豚肉はビタミンB_1が豊富で，牛肉の赤身部分には鉄が多く含まれる．また，部位によっても栄養素の含有量が異なる．ヒレやささ身，むね肉は高たんぱく質・低脂肪で，ロースやバラ肉，皮付きの鶏肉は高脂肪である．レバーは，ビタミンA，ビタミンB_2，鉄などを多く含んでいる．

表 3-11　肉の部位別栄養素比較

100g当たり	エネルギー (kcal)	たんぱく質(g)	脂質(g)	炭水化物 (g)
牛もも肉（和牛・赤肉）	176	21.3	10.7	0.6
牛ばら肉（和牛）	472	11.0	50.0	0.1
豚もも肉（大型種肉・赤肉）	119	22.1	3.6	0.2
豚ばら肉（大型種肉）	366	14.4	35.4	0.1
鶏もも肉（若鶏肉・皮なし）	113	19.0	5.0	0
鶏もも肉（若鶏肉・皮つき）	190	16.6	14.2	0
鶏むね肉（若鶏肉・皮なし）	105	23.3	1.9	0.1
鶏ささみ肉（若鶏肉）	98	23.9	0.8	0

（資料：日本食品標準成分表2015年版（七訂）より作成）

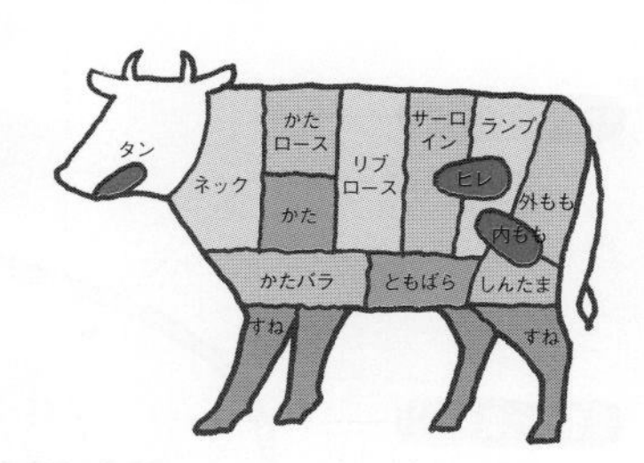

(4) 魚介類の栄養

魚介類は良質たんぱく質が含まれるほか，皮下脂肪には不飽和脂肪酸であるＥＰＡ（エイコサペンタエン酸），ＤＨＡ（ドコサヘキサエン酸）が含まれる．ＥＰＡ，ＤＨＡは青魚のあじ，まいわし，さば，さんま，ぶり，まぐろなどに豊富で，さまざまな健康効果が期待されている．魚は，色素たんぱく質の含有量によって赤身魚と白身魚に分類される（図 3-10）．

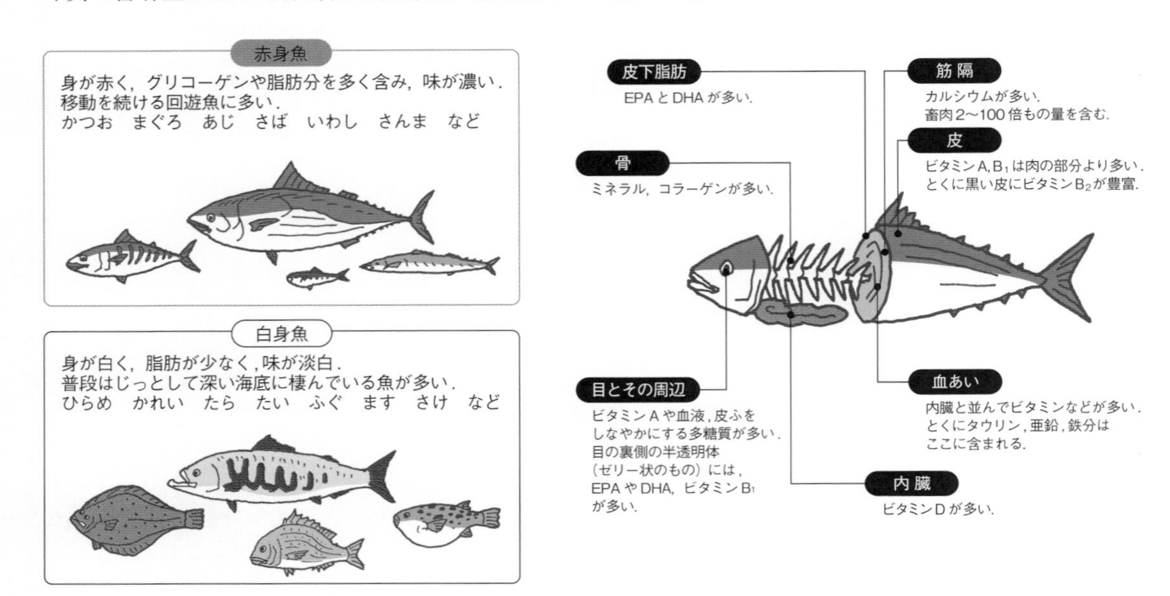

図 3-10　魚介類の栄養

(5) 卵類，乳類の栄養

鶏卵は完全栄養食品といわれるほどのアミノ酸組成を有し「アミノ酸スコア」は 100 である．また，ビタミンＣを除くビタミン類やミネラルも豊富である．

乳類の摂取はカルシウムの供給源として不可欠であり，子どもの体格の向上に役割を果たす．

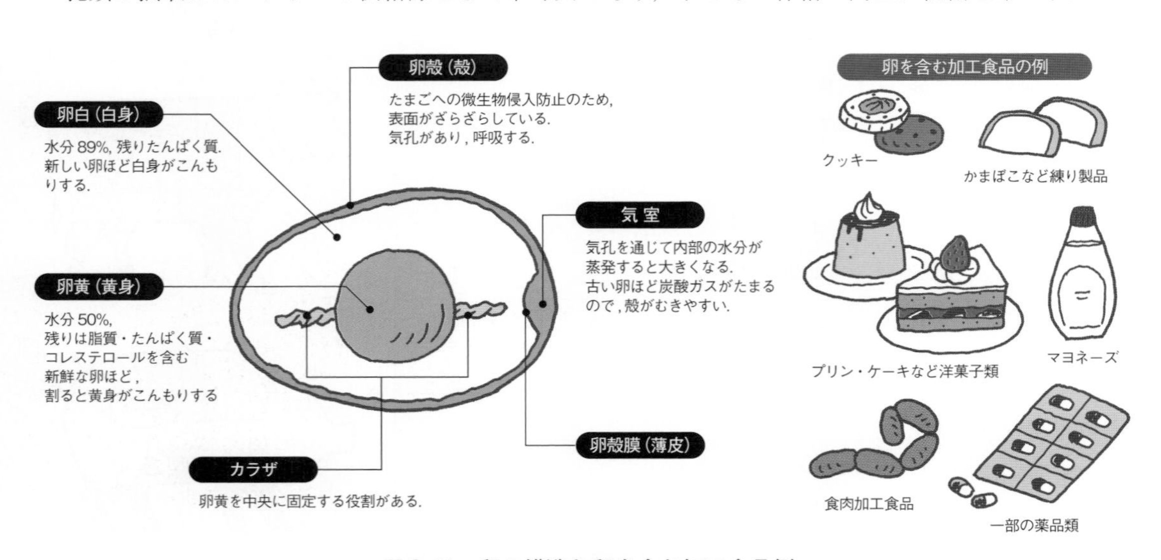

図 3-11　卵の構造と卵を含む加工食品例

表 3-12　乳類の成分比較

100g 当たり	エネルギー (kcal)	たんぱく質 (g)	脂質 (g)	カルシウム (mg)	鉄 (mg)
普通牛乳	61	3.3	3.8	110	0.02
低脂肪牛乳	42	3.8	1.0	130	0.1
脱脂乳	31	3.4	0.1	100	0.1
豆乳	44	3.6	2.0	15	1.2
調製豆乳	63	3.2	3.6	31	1.2

（資料：日本食品標準成分表 2020 年版（八訂））

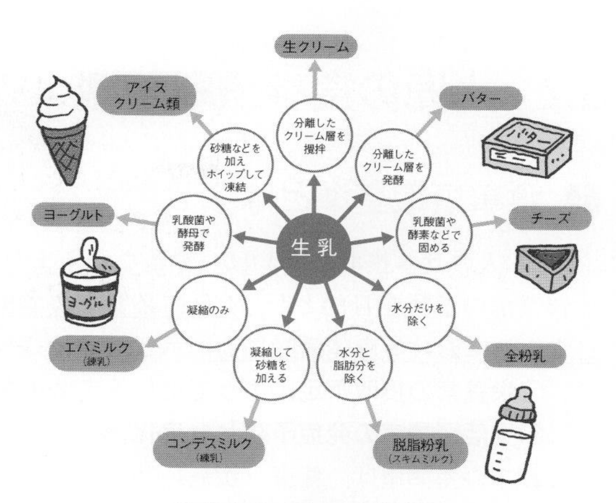

生乳からできる主な製品

（資料：熊本県酪農業協同組合連合会 HP を参照して作図）

(6) 豆類の栄養

豆類は，植物性たんぱく質や脂質の多いだいず類，たんぱく質や糖質の多いそらまめ類，糖質の多いあずき類，生理活性成分が多く含まれるいんげん・えんどう類などに分類される（**表 3-13**）.

表 3-13　豆類の代表的な流通銘柄

科	属	種	代表的な流通銘柄など
マメ科	ササゲ属	あずき	小豆，大納言，白小豆
		ささげ	ささげ，ブラックアイ，黒アズキ
	インゲン属	いんげんまめ	金時豆，レッドキドニー，大福豆，虎豆
		べにばないんげん	白花豆，紫花豆
	ソラマメ属	そらまめ	寧波蚕豆，青海蚕豆
	エンドウ属	えんどう	青えんどう，赤えんどう，白えんどう
	ヒヨコマメ属	ひよこまめ	カブリ（大粒種），デシ（小粒種）
	ダイズ属	だいず	大豆（黄大豆），黒豆（黒大豆）
	ラッカセイ属	らっかせい	バージニア型，スパニッシュ型

（資料：（公財）日本豆類協会 HP を参照して作成）

だいずから作られる主な食品

(7) きのこ類，海藻類の栄養

きのこ類，海藻類は低エネルギー食品である.

きのこ類に含まれる複合多糖類は，β-グルカン，ヘテロガラクタンなどの食物繊維で，含有量が 40〜50%に達するものもあり生理活性効果も報告されている.

海藻類は，約 100 種が食用で褐藻類（こんぶ，わかめ，ひじき），紅藻類（あまのり，てんぐさ），緑藻類（ひとえぐさ，あおのり），藍藻類（すいぜんじのり）などに分類される．藻類の食物繊維は重量の 40〜60%を占め，アルギン酸，フコダインが多い.

Q　栄養素の種類と身体の役割や食品群ごとの栄養特性について理解できましたか？

3.2　小児の食事摂取基準

1 食事摂取基準とは？

「日本人の食事摂取基準」は，健康な個人または集団を対象として，国民の健康の維持・増進，生活習慣病の予防を目的とし，１日に必要なエネルギーおよび各栄養素の摂取量の基準を年齢，性別，日常生活における身体活動量別に示したものである．

○栄養素の摂取不足によって生じるエネルギーや栄養素欠乏症の予防

○生活習慣病の発症予防と重症化予防

これらの基準値は，健康（疾病）と栄養との関連について研究された科学的根拠に基づいて設定されている．

エネルギーの指標と栄養素の指標

①エネルギーの指標

食事摂取基準では，エネルギーの摂取量および消費量のバランス（エネルギー収支バランス）の維持を示す指標として BMI が採用されている．また，併せて参照値として**推定エネルギー必要量**を示すこととされている．

ＢＭＩ（body mass index）…体重（kg）÷身長（m）^{2}

※乳児・小児では成長曲線に照らして成長の程度を確認する．

推定エネルギー必要量…1 日に摂取することが望ましいと推定されるエネルギー量．

②栄養素の指標

食事摂取基準では，33 種類の栄養素について５つの指標が設定されており，性別，年齢区分別に数値が示される（**表 3-14**）．

表 3-14　栄養素の指標

指標	内容
推定平均必要量（EAR）	摂取不足の回避が目的．男女別で，ほぼ同じ年齢の集団において，半数の人が必要量を満たす量．
推奨量（RDA）	推定平均必要量を補助する目的で設定され，ほとんどの人が充足している量．
目安量（AI）	十分な科学的根拠が得られず，推定平均必要量と推奨量が設定できない場合の一定の栄養状態を維持するのに十分な量．
耐容上限量（UL）	過剰摂取による健康障害の回避が目的．
目標量（DG）	生活習慣病の予防が目的．生活習慣病の予防のために現在の日本人が当面の目標とすべき摂取量．

2 子どものエネルギーの基準値（必要量）

(1) 子どもの推定エネルギー必要量

成長期である子どもは，身体活動に必要なエネルギーに加えて，組織合成に要するエネルギーと組織増加分のエネルギー（エネルギー蓄積量）を余分に摂取する必要がある．子どものエネルギー必要量は，成長（組織増加分のエネルギー）を考慮し設定することが重要である．エネルギー必要量を求めるには，エネルギー消費量を把握する必要がある．

推定エネルギー必要量＝基礎代謝量（kcal ／日）×身体活動レベル（＋エネルギー蓄積量）

※基礎代謝量＝基礎代謝基準値（kcal ／ kg 体重／日）×体重

※身体活動レベル＝エネルギー消費量（kcal ／日）÷基礎代謝量（kcal ／日）

(2) エネルギー消費量

人体のエネルギー消費量は，**基礎代謝量**，**活動代謝量**，**食事誘発性熱産生**に分けられる（**表 3-15**）.

表 3-15　消費エネルギーの分類

消費エネルギー	基礎代謝＋活動代謝＋食事誘発性熱産生	100%
基礎代謝	安静時，生命維持のためのエネルギー	約 60〜70%
活動代謝	身体活動をして消費するエネルギー	約 20〜30%
食事誘発性熱産生	吸収された栄養素が分解され生み出される熱	約 10%

①基礎代謝量

身体的にも精神的にも安静の状態で，生命を維持するために必要な最低限のエネルギー量のことで，約 40%が筋肉で消費される（**図 3-12**）．体重当たりの基礎代謝量は年齢とともに低くなり，18−29 歳男性で 23.7kcal/kg 体重 / 日に対して，1−2 歳児では 61.0kcal/kg 体重 / 日と約 2.5 倍である（**表 3-16**）.

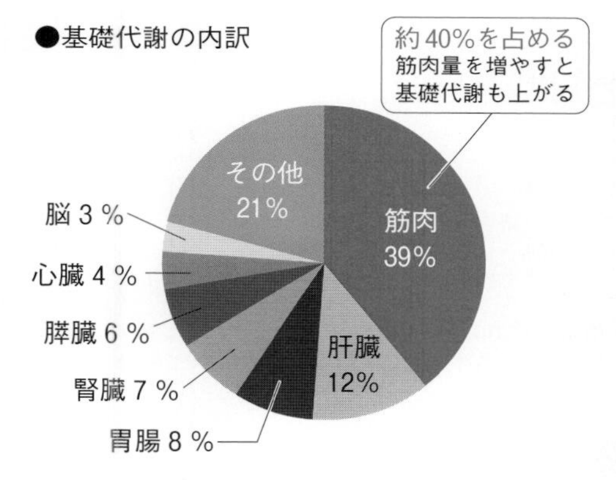

図 3-12　安静時における臓器別エネルギー消費量

（資料：田中茂穂，「静脈経腸栄養 Vol.24 No.5, 2009」日本静脈経腸栄養学会 改編）

表 3-16　参照体重における基礎代謝量

性別	男性			女性		
年齢	基礎代謝基準値 (kcal/kg体重/日)	参照体重 (kg)	基礎代謝量 (kcal/日)	基礎代謝基準値 (kcal/kg体重/日)	参照体重 (kg)	基礎代謝量 (kcal/日)
1-2	61.0	11.5	700	59.7	11.0	660
3-5	54.8	16.5	900	52.2	16.1	840
6-7	44.3	22.2	980	41.9	21.9	920
8-9	40.8	28.0	1,140	38.3	27.4	1,050
10-11	37.4	35.6	1,330	34.8	36.3	1,260
12-14	31.0	49.0	1,520	29.6	47.5	1,410
15-17	27.0	59.7	1,610	25.3	51.9	1,310
18-29	23.7	64.5	1,530	22.1	50.3	1,110

（資料：厚生労働省「日本人の食事摂取基準（2020 年版）」）

②活動代謝量

歩行や運動，家事や仕事などにおける動作や，座ったままといった姿勢の保持など，さまざまな筋活動を伴う身体活動によるエネルギー消費量のことで，運動以外の活動量の方が全体の活動量への影響が大きい.

③食事誘発性熱産生

食後，食べ物を消化・吸収・運搬するためにみられる熱産生で，摂取エネルギーのおよそ 6〜10%程度が消費されると考えられている.

3 子どもの栄養素の基準値

食事を計画する際の指標は，推奨量や目標量を基準値として利用し，推奨量が設定されていない場合は目安量を用いる．**表 3-17** に子どもと 18-29 歳までの食事摂取基準値を示した．

表 3-17　食事摂取基準（身体活動レベル※1 がふつうの場合）

年齢・性別		エネルギー kcal/日※2	たんぱく質 g/日	脂質 %エネルギー	カルシウム mg/日	鉄 mg/日	ビタミンA μgRAE/日	ビタミンB_1 mg/日	ビタミンB_2 mg/日	ビタミンC mg/日	食塩相当量 g/日
1-2歳	男	950	20	20-30	450	4.5	400	0.5	0.6	40	<3.0
	女	900	20	20-30	400	4.5	350	0.5	0.5	40	<3.0
3-5歳	男	1,300	25	20-30	600	5.5	450	0.7	0.8	50	<3.5
	女	1,250	25	20-30	550	5.5	500	0.7	0.8	50	<3.5
6-7歳	男	1,550	30	20-30	600	5.5	400	0.8	0.9	60	<4.5
	女	1,450	30	20-30	550	5.5	400	0.8	0.9	60	<4.5
8-9歳	男	1,850	40	20-30	650	7.0	500	1.0	1.1	70	<5.0
	女	1,700	40	20-30	750	7.5	500	0.9	1.0	70	<5.0
10-11歳	男	2,250	45	20-30	700	8.5	600	1.2	1.4	85	<6.0
	女	2,100	50	20-30	750	12.0	600	1.1	1.3	85	<6.0
18-29歳	男	2,650	65	20-30	800	7.5	850	1.4	1.6	100	<7.5
	女	2,000	50	20-30	650	10.5	650	1.1	1.2	100	<6.5

※1　身体活動レベルは「低い」「ふつう」「高い」の３段階がある．
※2　エネルギーは推定エネルギー必要量，脂質・食塩相当量は目標量，それ以外の栄養素は推奨量を示している．

（資料：厚生労働省「日本人の食事摂取基準（2020 年版）」）

COLUMN

子どもにサプリメントは必要？！

近年，食事が十分に提供されている子どもと，されていない子どもにみられる家庭の格差が大きくなってきた．食事が十分にとれない子ども達への最低限の栄養素を確保するためには，子どもへのサプリメントは効果を示すことがある．しかし，十分に栄養をとれる子どもが，ある目的のためにサプリメントを摂取することにはリスクを伴う．

食事摂取基準では，過剰摂取による健康障害を回避する目的で耐容上限量が設定されている．通常の食事では，過剰摂取になることはなく，サプリメントによる影響が大きい．医療機関からの推奨は，説明があったうえでの使用（インフォームドコンセント）になる．しかし，自分の判断による摂取は，各企業の説明を基準に各自の責任で選ぶこと（インフォームドチョイス）になる．安易な使用は，逆に子どもの成長に悪影響を与えかねない．子どもにとっては，できるだけ食事から適切な栄養をとるように心がけてほしい．

Q　成長のために必要なエネルギーおよび栄養素の基準値を知ることができましたか？

3.3　献立作成と調理の基本

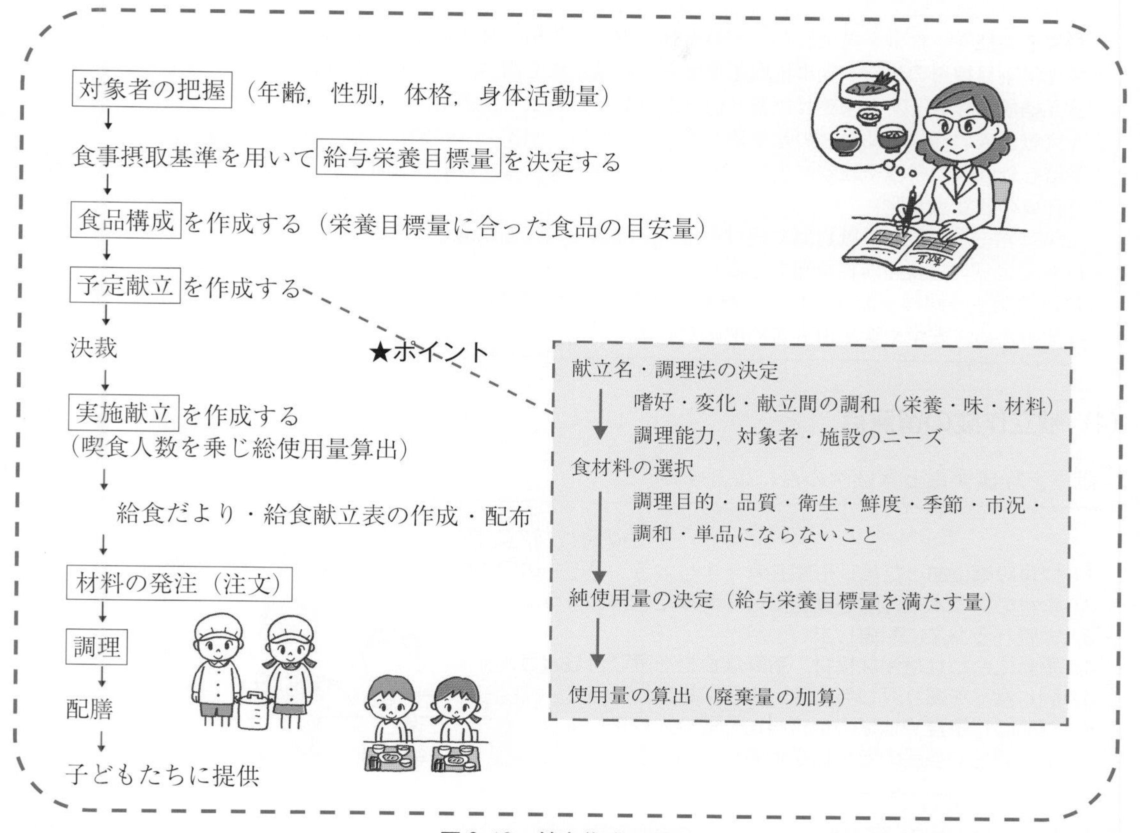

図 3-13　献立作成の手順

1 献立作成の基礎知識

(1) 食事と健康や食文化の関わり

私たちにとって食事とは，生命を維持するだけでなく，精神的な安定や喜びにもつながる．また，食事は，居住する環境（気候や風土）に適した生産物や加工品が使用され，食べ方や形式まで影響を受ける．これらの食生活に適合した食文化が生まれ伝承されてきている．

(2) 献立とは・・・栄養摂取のみならず食育媒体としての役割

献立とは，提供する食事の目的が達成できるように，料理を組み合わせることをいい，これを記入したものが献立表である．献立に基づいた食事は，喫食者に対する直接的な栄養指導媒体（食育媒体）となる．子どもたちの健康維持や発育・発達を支え，なおかつ毎日の食経験が食教育につながっているということを認識しなくてはならない．

(3) 献立作成の手順

図 3-13 の手順にしたがって献立を作成し食事を提供する.

①**対象者の把握**…食事を提供したい人の年齢，性別，体格，身体活動量を把握する.
②**給与栄養目標量の決定**…食事摂取基準から①の基準値を調べ，栄養目標量を決める.
③**食品構成の作成**…②の栄養目標量に沿った食品の目安量を決める.
④**予定献立表の作成**…②や③の基準値を考慮しながら，ポイントに沿った献立を作成する.
栽培した野菜の料理や絵本に出てくるおやつを加えるなど，食事と食育が関連するように工夫する（献立作成の留意点参照).
⑤**実施献立**…④について職員間で検討を重ね，決裁され実施献立となる.
⑥**給食だより**…給食の内容を知らせる.
⑦**材料の発注→調理→配膳→提供**…材料の鮮度や調理・配膳への配慮が「おいしさ」・喫食状況に影響を与えるため，安全や衛生面も含め配慮が必要.

(4) 献立作成の留意点

献立を作成するときは次の点に留意する.

７つの献立留意点

1. 成長段階にあった調理形態を考えましょう．子どもの口の動きやあごの発達を考慮しましょう.
2. 食材の持つ本来の味を大切にし，薄味にしましょう.
3. 栄養バランスに配慮しましょう.
4. 季節に合わせた旬な食材，新鮮な食材を選びましょう.
5. 同じ食品を繰り返し与えないようにしましょう.
6. 季節の行事食や地域の伝統料理も取り入れましょう.
7. 衛生管理や食品の安全性を考慮しましょう.

2 献立作成の基本

(1) 一汁三菜を基本として献立を作成する

献立を立てる基本として，**一汁三菜の五器盛**の形を応用するのが適している.

この五器盛を基本として料理の内容や食材を選択すると和食，中華，洋食にも応用でき栄養的特徴が満たされバランスの良い食事となる(**図 3-14**).

図 3-14　一汁三菜

(1) 主食　主に炭水化物が多く摂れるご飯類，パン類，麺類などの穀類から選ぶ.
(2) 主菜　主にたんぱく質が多く摂れる肉，魚，卵，大豆製品などから選ぶ.
＊ただし，消化器官が十分に発達する前は，消化機能が未熟なため，できるだけ脂質の少ない肉や魚などを選ぶようにする.
(3) 副菜　主にビタミン・ミネラル・食物繊維が多く摂れる野菜類，海藻類，きのこ類から選ぶ.
野菜の 1/3 を緑黄色野菜にすると，栄養素がさらに充実できる.
(4) 副々菜　主に全体の献立で不足する食品や栄養素を補う食品を取り入れる.
(5) 汁物　主に水分を摂取することを目的とする．主菜や副菜とは異なる食品を選ぶ.

(2) 食材の選択

献立に旬の食材を利用することで，安価でおいしく，栄養成分が豊富に摂れるといった利点がある．さらには季節（旬）を楽しむことができる（図 3-15）．

図 3-15　主な旬の食材

3 調理の基本

(1) 調理の目的

調理には，主に加熱調理と生食調理がある．調理の目的は，食品の品質や衛生管理などの食品の安全性を考慮し，形態を工夫し，加熱することで消化・吸収しやすいように食材を変化させることである．咀嚼力が異なる幼児の場合，食品の特徴を活かした調理方法が望まれる．

(2) 調理方法

調理をするために必要な，主な方法を表 3-18 に示す．

表 3-18　調理方法の目的と注意事項

	分　類	目的	注意事項
準備・その他の予備操作	計　量	必要な分量や，調理時間，適切な温度を知る．	各計量に，適切な器具を使用し，適切に計量する．
	洗　浄	各食品に付着している有害物質などを取り除く． 魚：魚に付着する細菌類や魚臭，血液を取り除く． 貝：あさりやはまぐりは，食塩水に浸し砂をはかせる．しじみは，ざるを使用し，貝と貝をすり合わせて洗う．むき身は，塩をまぶしてこすり洗いする． 野菜：土砂を落として洗う．根菜類や茎菜類は，手やブラシで洗う．葉菜類は，できるだけ葉をほぐし，水中で振り洗いする． 穀類：水中で攪拌しながら，浮上したり，沈殿したりしたものを取り除く．	洗うものの種類や形状によって，適切な方法で洗浄する． 魚：素早く洗うが，切り身の場合は洗わない． 貝：海水は，約 3%の食塩水．ざるは，粗い目のものが適切． 野菜：各部位ごと，組織細胞が壊れない程度で洗う．すすぎは，水を数回変えて丁寧に行う．
	浸　漬	水に浸すことで，乾物がやわらかくなる．その際，不味や不要な成分を取り除く．	浸す水は，目的に応じて，水，塩水，調味液などを使用する．
	切　砕	不要な部分を取り除く．形を整える．	包丁をよく研いで用いる．
	粉砕・磨砕	食品を粉末状にしたり，ペースト状にしたりする．	食品を細かくする．嚥下状態に合わせた状態にする．
	混合，攪拌，混捏	材料を均質にする．	和える場合は，食べる直前に行う．
	圧搾	不要な部分を分ける．	食品によって使用する直前に行う．
	冷却	食品の鮮度の維持，保存や，滅菌目的で行う．	食品による適切な温度，方法で行う．
	解凍	短時間の場合は，常温に置く．長時間の場合は，4℃前後で解凍する．	食品による適切な温度，方法で行う．旨味が流出しないようにする．
加熱料理	茹でる	十分な水の量で加熱する．不味成分を取り除き，色よく仕上げる．	食品の 5～10 倍の水を使用．加熱した水，もしくは食塩水．茹でた直後冷水に流すことで，余熱による温度を止める．
	煮る	味を付けながら加熱する．	素材によって煮汁の量と時間が異なる．
	蒸す	蒸気により加熱する．	栄養損失が少ない．
	焼く	直火，もしくは間接焼きで加熱する．こげ味をつけ，風味をつける．	形状や加熱器具で焼き方が異なる．
	炒める	「焼く」と「揚げる」の中間動作．	油の量を調節できる．
	揚げる	油の中で加熱する．食品の持つ水分を蒸発させ，油を吸収させる．	揚げ物の種類により，吸油率（量）が異なる．
	電子レンジ	マイクロ波を当て，食品の分子間におきる摩擦熱によって加熱させる．	短時間で調理できるが，水分が蒸発しやすい．

Q　献立作成や調理の基本について理解できましたか？

栄養素は私たちの身体を構成しており，健康を維持するためには欠かすことはできません．身体にとって必要なエネルギーや栄養素は，「日本人の食事摂取基準」として定められており，健康な人が，健康を維持・増進するための摂取量の基準値が示されています．

私たちの身体にとって必要な栄養素が含まれる食品を上手に選択して，献立（食事）に取り入れることが重要です．

第4章
食の衛生と安全

この章で学んでほしいこと！

子どもが安全に食事を行うためには，それを支えるための食に関する情報と，子どもにとって安全なものかどうかの知識や選択が重要です．

保育者は，食の衛生と安全について知り，理解することで子どもの食支援をより高度に行うことができます．この章では，食中毒や食品の関連法規ついて学ぶとともに，子どもにとっての食の衛生と安全について考えます．

この章で学ぶこと

- 食中毒についての基礎的知識
- 食品の表示について（食品表示法）
- 食品添加物についての基礎的知識

この章での到達目標

- 食中毒の種類と特徴を知り，発生原因やそれを予防する方法について理解できた
- 食品表示法の目的と表示すべき事項について理解できた
- 食品添加物について理解できた

MEMO

こんな場面も…

お惣菜での幼児の食中毒死亡事故や，幼稚園の仕出し弁当での食中毒などの報道を耳にする．

このように，施設内での給食提供のほか，外部搬入によるお弁当などの提供も例外として一部認められている．衛生管理に関する知識がなければ重大な事故につながりかねない．

同様に保育園では，ミルクの管理も重要である．子どもの健康と命を守るために，食事やミルクの提供などの衛生や安全を管理するのも保育者の役割といえる．

粉ミルクは無菌ではない・・・
・サカザキ菌（Cronobacter sakazakii）
・サルモネラ菌（Salmonella）
哺乳瓶やスプーン，乳首の洗浄など注意する必要がある（第5章参照）．

4.1　食中毒の原因とその特徴

1 食中毒の種類

食中毒とは，食中毒菌（食中毒を起こす細菌）やウイルス，有毒物質などが付着した状態で食べ物を摂取することにより，数時間～数日後に発熱・腹痛・下痢・嘔吐などの症状が出る病気である．

食中毒は，微生物性食中毒では細菌性とウイルス性に分類することができ，ふぐや毒きのこなどの自然毒による食中毒や化学物質による食中毒などがある（図 4-1）．

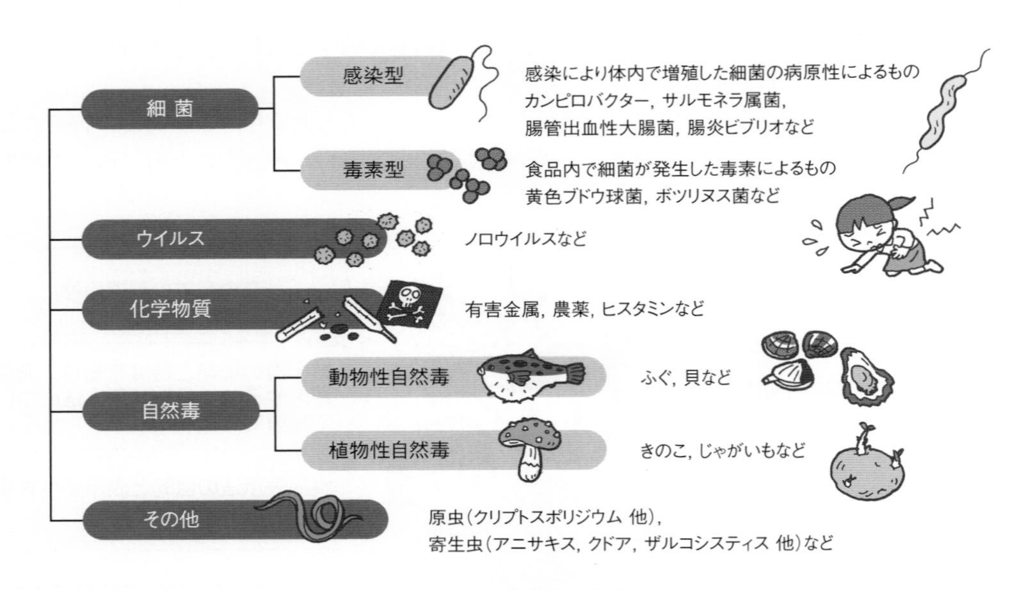

図 4-1　食中毒の種類

2 食中毒の発生原因

食中毒事故で最も多い発生原因は，調理員などの従業員の手指や調理器具を介しての二次汚染である．食中毒を起こす細菌は，土の中や水，人や動物の皮膚や腸の中にも存在していて特別な菌というわけではない．そのため，食品を作る途中で菌が付着したり，暖かい部屋に長時間放置したりしてしまうことが細菌増殖の原因となる．食中毒を起こさないためには，調理従事者の体調管理や調理前や盛付時の手洗い，調理器具の洗浄・除菌などの衛生管理，温度管理を徹底することが重要になる．

時期により食中毒の原因は異なり，細菌による食中毒は気温が高く，細菌が育ちやすい６月から９月頃が多いのに対して，ウイルスによる食中毒は冬に流行しやすい．特に発生件数が多い食中毒が，細菌では**カンピロバクター**，ウイルスでは**ノロウイルス**となっている．カンピロバクターは十分に加熱されていない肉（特に鶏肉）や，飲料水，生野菜などが原因食材としてあげられる．ノロウイルスは牡蠣などの二枚貝を，生や十分加熱しないで食べた場合に感染するので（図 4-2），牡蠣の旬である冬に発生件数や患者数が著しく増えている（図 4-3）．

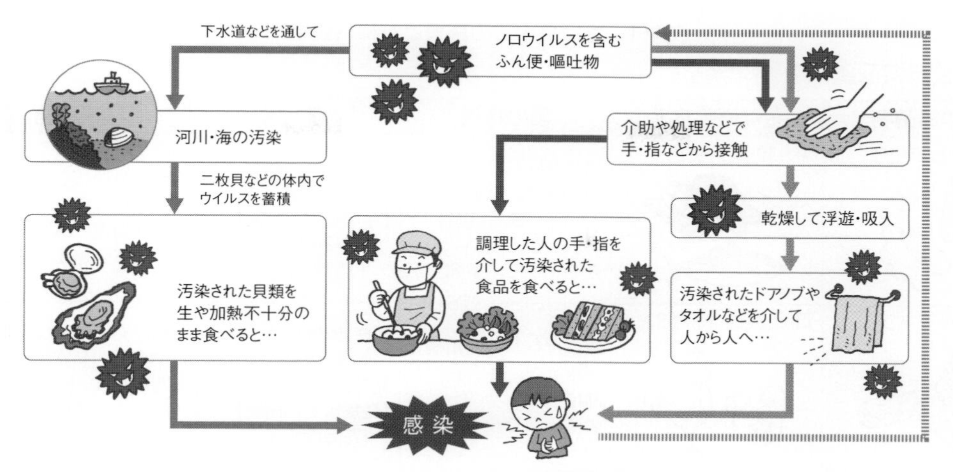

図 4-2　ノロウイルスの感染経路

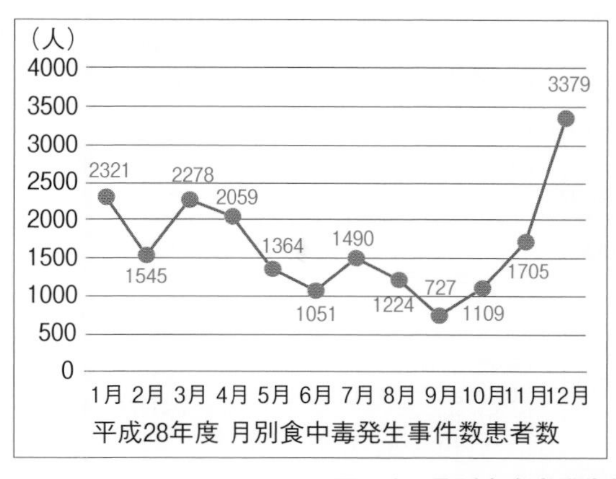

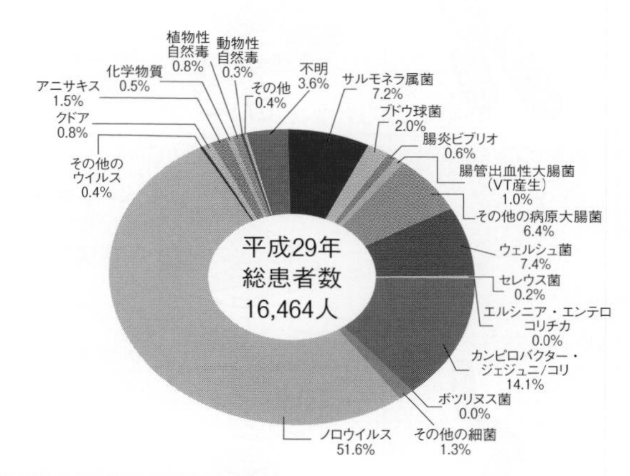

図 4-3　月別食中毒発生状況と病因別食中毒患者数

（資料：厚生労働省「食中毒統計資料」）

3 食中毒の種類と特徴

食中毒を起こす主な細菌・ウイルスについて，その種類と特徴を**表 4-1** に記載する．

表 4-1　主な食中毒の種類と特徴

ウイルス感染型食中毒

ウイルス名	主な原因食品	菌の特徴	症状	予防のポイント
ノロウイルス	・貝類の生食 ・感染者の吐物やふん便などから直接または二次的に感染 ・感染者の調理した食事を食べた場合	・感染力が強く，何度もかかる場合がある ・非常に小さなウイルス ・経口感染のみならず飛沫感染，空気感染にも注意	嘔吐，吐き気が突然，強烈に起こるのが特徴．下痢（水様便），発熱 37～38℃． 〔発病までの期間〕 24～48 時間	・貝類は 85℃～90℃で 90 秒間以上加熱 ・手指の洗浄・消毒 ・飛沫感染の予防 ・塩素濃度 200ppm の次亜塩素酸ナトリウムでの消毒

表4-1　主な食中毒の種類と特徴（続き）

細菌性感染型食中毒

食中毒菌名	主な原因食品	菌の特長	症　状	予防のポイント
腸炎ビブリオ	魚介類(特に生食)	塩分を好む. (海水程度の塩分2～5%でよく発育) 真水や酸に弱い. 夏期～秋口に多発	腹痛, 下痢, 発熱, 吐き気, 嘔吐 【発病までの時間】 10～24時間 平均12時間	·低温管理(5℃以下) ·魚介類は真水で洗浄 ·加熱調理(75℃1分以上) ·二次感染防止
サルモネラ	鶏卵, 食肉(特に鶏肉)	家畜, ペット, 河川や下水などにも分布. 熱に弱い. 少量菌数で食中毒	悪寒, 嘔吐, 腹痛, 下痢, 発熱38℃～40℃ 【発病までの時間】 5～72時間	·食肉類の生食は避ける ·生食の加熱調理は75℃1分以上 ·卵は冷蔵庫保管, 加熱調理は十分な温度で
病原性大腸菌	多種の食品　井戸水	人に対する発症機序により, 5つに分類. 熱, 消毒剤に弱い. 少量菌数で食中毒	腹痛, 下痢, 吐き気, 嘔吐, 発熱, 頭痛, 血便 ※O157は死亡例も. 【発病までの時間】 12時間～8日 平均5日前後	·食肉類の加熱料理は75℃1分以上 ·定期的な水質検査 ·十分な手洗いの実行
カンピロバクター	食肉(特に鶏肉) 飲料水	ペットを含む, あらゆる動物に分布する. 少量菌数で食中毒	発熱, 下痢, 発熱39℃～40℃ 【発病までの時間】 2～7日間 平均35時間	·生食と調理した肉類は別々に保存 ·十分な加熱 ·飲料水の煮沸 ·二次汚染防止
ウェルシュ菌	水や土壌特に食肉加熱調理品 (カレー, シチューなど)	大量調理食品中 (酸素が少ない状態)で増殖 【嫌気性菌】 芽胞形成菌	腹痛, 下痢 【発病までの時間】 6～18時間 平均12時間	·十分な加熱調理 ·調理後は早めに食べる ·加熱食品は短時間冷却·低温保存 ·弁当, 仕出し, 集団給食注意

細菌性毒素型食中毒

食中毒菌名	主な原因食品	菌の特長	症　状	予防のポイント
黄色ブドウ球菌	おにぎり, サンドイッチなど	人, 動物の 化膿創, 手指·鼻咽喉などに分布 【食品汚染→増殖 →毒素産生】	吐き気, 嘔吐, 下痢, 腹痛 【発病までの時間】 1～5時間 平均2～3時間	·手指に傷·化膿創のある者は調理取り扱い禁止 (個人衛生の徹底) ·手指洗浄消毒の励行
セレウス菌	穀物加工品 チャーハンなど	自然環境に広く分布. 食品中で増殖すると毒素を産生. 4～50℃で発育. 芽胞形成菌	吐き気, 嘔吐, 下痢, 腹痛 【発病までの時間】 下痢型:8～16時間 嘔吐型:30分, 1～5時間	·一度に大量の米飯·麺類を調理しない ·米飯·茹でたスパゲッティを室温放置しない ·低温保存
ボツリヌス菌	魚肉発酵食品 いずしなど	食品中で毒素(神経性)を産生. 毒素はA～G型まであり, 人の食中毒はA, B, E. 芽胞形成菌	めまい, 頭痛, かすみ目, 言語障害, 呼吸困難 【発病までの時間】 5～72時間 平均12時間	·新鮮な原材料を用いて洗浄を十分に ·低温保存と喫食前の十分な加熱

（資料：花王プロフェッショナル・サービスHPを参照して作成）

4 食中毒の予防

細菌性食中毒の予防には，**食中毒予防の三原則**（細菌をつけない・細菌を増やさない・細菌をやっつける）が重要である（**図 4-4**）．これらをしっかり守り調理をすることが予防につながる．手洗いについては，第 8 章 8.1 を参照のこと．

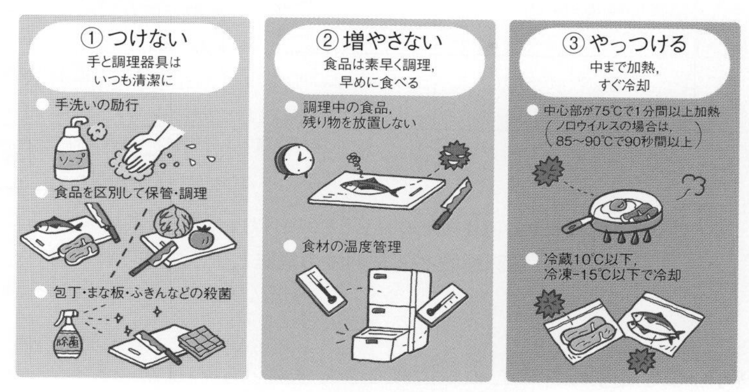

図 4-4　食中毒予防の三原則

4.2　食品の表示について

食品の安全性を確保する目的で，食品のリスク分析が行われ，さまざまな法律によって食品の安全が守られている．私たちは，食品の表示を活用し上手に食品を選択する力が求められている．

1 食の安全を守る法律（食品表示法）

食品の表示は，消費者が食品を購入する場合に食品の内容を正しく理解し，選択し，適正に使用する上での重要な情報源である．

2015（平成 27）年 4 月**食品表示法**が施行され，従来，食品衛生法，JAS 法（農林物資の規格化等に関する法律），健康増進法でそれぞれの目的に則って規定されていた表示を統合し，食品表示に関する包括的・一元的な制度が創設された．アレルギー表示の見直し，栄養成分表示，栄養成分表示の義務化，新たな機能性表示制度の導入などの変更点が加えられるなど，消費者にとって分かりやすい表示制度がスタートした．

食品表示基準（抜粋）

①加工食品・・・義務表示：名称，原材料，保存方法，アレルゲン，遺伝子組み換えなど
推奨表示：飽和脂肪酸，食物繊維
任意表示：栄養成分表示，栄養強調表示など
②生鮮食品・・・義務表示：名称，原産地，遺伝子組み換えなど
任意表示：栄養成分表示，栄養強調表示など
②添 加 物・・・義務表示：名称，添加物である旨，消費期限など
任意表示：栄養成分表示

2 食品の表示に関する基準

①**期限表示**

賞味期限：定められた方法により保存した場合において，期待されるすべての品質保持が十分に可能であると認められる期限を示す月日．

消費期限：定められた方法により保存した場合において，腐敗，変敗その他の品質の劣化に伴い安全性を欠くこととなるおそれがないと認められる期限を示す月日（**図 4-5**）．

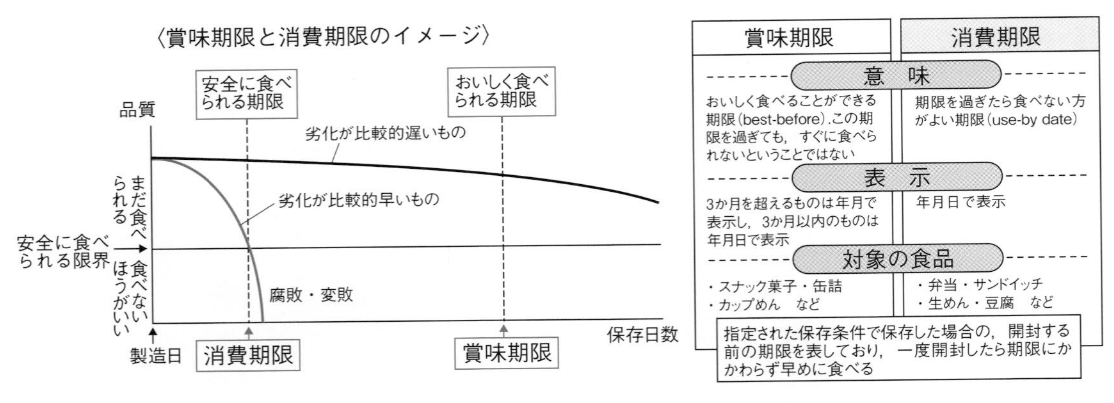

(JAS法の改定により，消費期限のおおむね5日以内の語句は削除された)

図4-5　賞味期限と消費期限の意味と表示方法

(資料：小塚論編「イラスト食品の安全性（第3版）」東京教学社，2016)

②栄養成分表示

生活習慣病への対応など健康維持のための情報として栄養表示の役割は大きい．前述の通り，2015(平成27)年に食品表示法施行により表示が義務化された．飽和脂肪酸や食物繊維も将来の義務化も視野に入れて「推奨」となっている(**表4-2**)．加工食品だけでなく，生鮮食品にも表示が可能となり，一般用加工食品と添加物は表示が義務化された(**表4-3**)．栄養表示を参考に食品を選択したい(**図4-6**)．

表4-2　栄養表示が定められた栄養成分など

区分		栄養成分
義務		エネルギー，たんぱく質，脂質，炭水化物，食塩相当量
任意	推奨	飽和脂肪酸，食物繊維
	その他	糖質，糖類，コレステロール，n-3系脂肪酸，n-6系脂肪酸，ビタミン類，ミネラル類

表4-3　栄養表示の義務化対象食品と任意表示食品

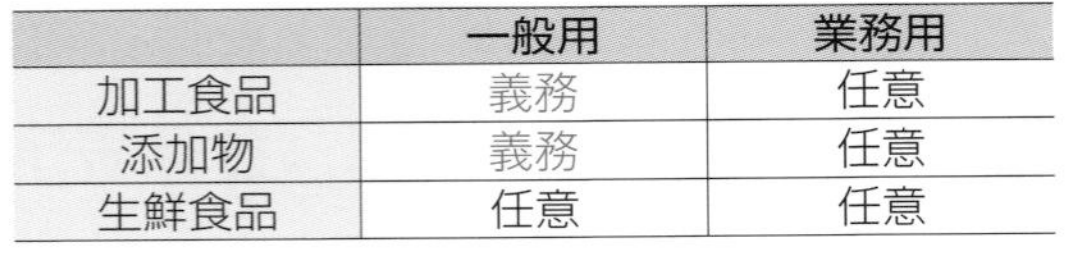

	一般用	業務用
加工食品	義務	任意
添加物	義務	任意
生鮮食品	任意	任意

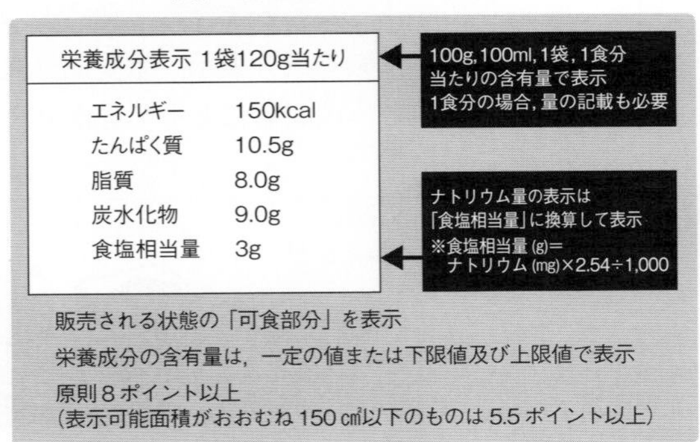

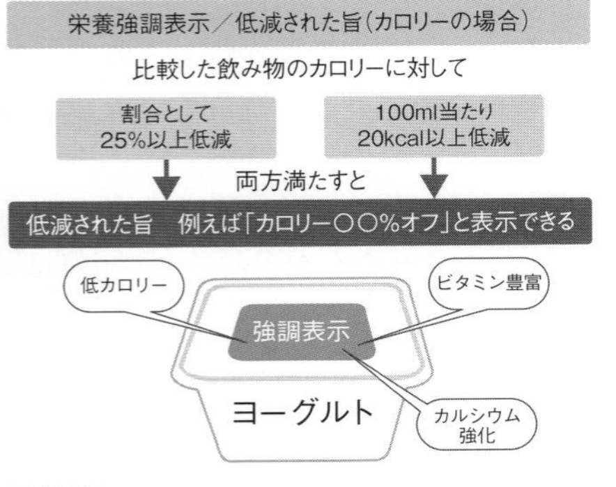

図4-6　栄養表示の具体例

③遺伝子組み換え食品の表示

遺伝子組み換えとは，生物の細胞から有用な性質を持つ遺伝子を取り出し，植物などの細胞の遺伝子に組み込み，新しい性質を持たせることをいう．**遺伝子組み換え食品**および添加物リスト（厚生労働省HP，平成29年2月16日現在）は，大豆，とうもろこし，馬鈴薯(ばれいしょ)，アルファルファ，てん菜，なたね，綿実，パパイヤの表示義務がある8品目310品種である．

④アレルギー物質（アレルゲン）を含む食品の表示

食品に含まれる**特定原材料**[※1]をすべて表示する．記載にあたって，名称が特定原材料を原材料として含むことが容易に判断できるように表示する．また，表示が困難な場合などは，まとめて括弧書きにする方法（一括表示）も可能である．

※1「特定原材料」…アレルゲン表示対象品目のうち，特に症状が重篤な，または症例数が多い品目のこと（卵・乳・小麦・落花生・そば・えび・かにの7品目）
「特定原材料に準ずるもの」（あわび，いか，いくら，オレンジ，カシューナッツ，キウイフルーツ，牛肉，くるみ，ごま，さけ，さば，大豆，鶏肉，バナナ，豚肉，まつたけ，もも，やまいも，りんご，ゼラチンの20品目）表示については可能な限り表示するよう努めるとされている．

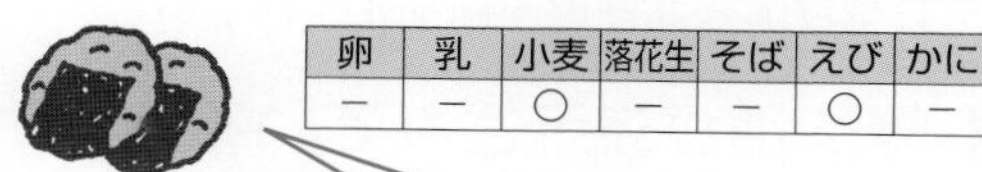

卵	乳	小麦	落花生	そば	えび	かに
−	−	○	−	−	○	−

注意　例としてのりせんべいの「のり」など，海産物が含まれる食品には，原材料には記載のない「えび」などの魚介類がアレルギー表示に記載されている場合がある．

⑤食品添加物の表示

第4章4.4「食品添加物について」を参照．

①～⑤までの食品表示の基準に基づいて，加工食品は**図4-7**のように表示されている．

❶原材料名
使用した添加物（栄養強化の目的で使用されるもの，加工助剤，キャリーオーバーを除く）と，その他の原材料は明確に区分される．重量の割合が高いものから順に一般的な名称で表示．
原材料のうち，遺伝子組み換え食品については「○○（遺伝子組み換え）」と表示．

❷内容量
計量法に従い，量（グラムなど）や体積（ミリリットルなど），個数などを表示．

❸アレルギー表示
特定原材料であるアレルゲン7品目は義務，特定原材料に準ずるもの20品目は推奨表示である．義務品目は名称を表示し，推奨品目は「○○含む」などと表示される．

❹賞味期限表示
比較的長く保存できる食品であり，期限が過ぎたからといってすぐに食べられなくなるわけではない．3か月以内は年月日で，3か月以上保存可能な食品は年月で表示される

❺栄養成分表示
表示が義務化された栄養成分表示である．ナトリウムは，ナトリウム塩が添加されている時は食塩相当量，ナトリウム塩が添加されてない時は，ナトリウム（食塩相当量）となる．

❻乳児用規格適用食品
法的に乳児用食品の規格規準が適用されていることを意味する．

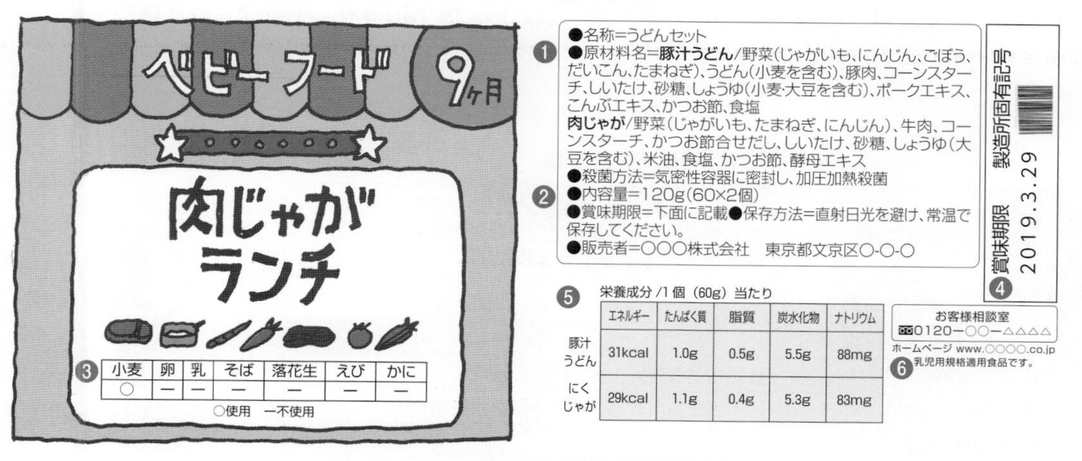

❸

小麦	卵	乳	そば	落花生	えび	かに
○	ー	ー	ー	ー	ー	ー

❺ 栄養成分 /1個（60g）当たり

	エネルギー	たんぱく質	脂質	炭水化物	ナトリウム
豚汁うどん	31kcal	1.0g	0.5g	5.5g	88mg
にくじゃが	29kcal	1.1g	0.4g	5.3g	83mg

図4-7　加工食品表示の例（乳児用食品）

4.3　健康や栄養に関する表示の制度

消費者が安心して食生活の状況に応じた食品選択ができるよう適切な情報提供を行うことを目的として**保健機能食品制度**が制度化されている．

1 機能性が表示されている食品

機能性が表示されている食品には，健康の維持増進に役立つことが科学的根拠に基づいて認められている**特定保健用食品（トクホ）**や，栄養の補助・補完のための**栄養機能食品**，事業者の責任において，科学的根拠に基づいた機能性を表示した食品である**機能性表示食品**がある．

健康増進法に基づき，より消費者に正しく，詳細な情報が提供できる表示方法が指示されている．医薬品と一般食品の間には，**保健機能食品**が位置付けられている（**図 4-8**）．

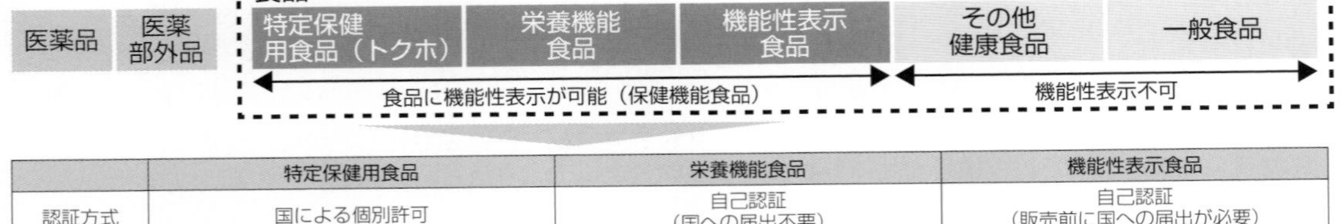

	特定保健用食品	栄養機能食品	機能性表示食品
認証方式	国による個別許可	自己認証 （国への届出不要）	自己認証 （販売前に国への届出が必要）
対象成分	体の中で成分がどのように働いているか，という仕組みが明らかになっている成分	ビタミン 13 種類 ミネラル 6 種類 脂肪酸 1 種類	体の中で成分がどのように働いているか，という仕組みが明らかになっている成分（栄養成分を除く．）
可能な機能性表示	健康の維持，増進に役立つ，又は適する旨を表示（疾病リスクの低減に資する旨を含む．） 〔例：糖の吸収を穏やかにします．〕	栄養成分の機能の表示（国が定める定型文） 〔例：カルシウムは，骨や歯の形成に必要な栄養素です．〕	健康の維持，増進に役立つ，又は適する旨を表示（疾病リスクの低減に資する旨を除く．） 〔例：Aが含まれ，Bの機能があることが報告されています．〕
マーク		なし	なし

図 4-8　機能性が表示されている食品について

（資料：消費者庁「健康食品の表示・広告の見方」）

2 特別用途食品の表示

特別用途食品とは，「乳児の発育や，妊産婦，授乳婦，嚥下困難者，病者などの健康の保持・回復などに適する」という特別の用途について表示できる（**表 4-4**）．

表 4-4　特別用途食品の分類

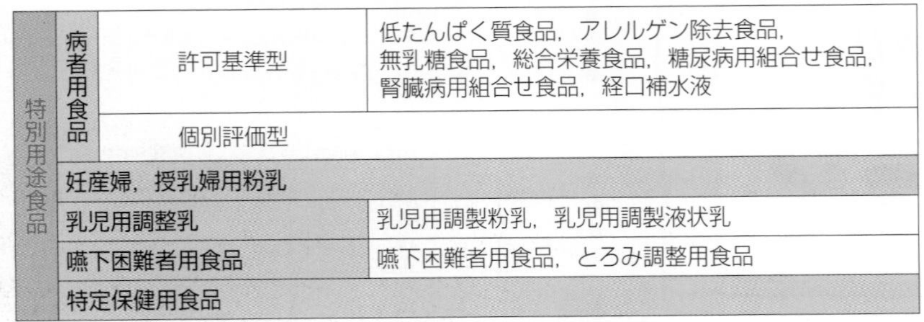

特別用途食品			
病者用食品	許可基準型	低たんぱく質食品，アレルゲン除去食品，無乳糖食品，総合栄養食品，糖尿病用組合せ食品，腎臓病用組合せ食品，経口補水液
病者用食品	個別評価型	
妊産婦，授乳婦用粉乳		
乳児用調整乳		乳児用調製粉乳，乳児用調製液状乳
嚥下困難者用食品		嚥下困難者用食品，とろみ調整用食品
特定保健用食品		

（資料：消費者庁 HP「特別用途食品について」を参照）

特別用途食品表示について

・どのような場合に適する食品であるかどうか明記してある．
・医師や薬剤師，管理栄養士に相談しながら使用するようになっている．

4.4　食品添加物について

1 食品添加物の分類

食品添加物とは，「食品の製造過程においてまたは食品の加工もしくは保存の目的で，食品に添加，混和，浸潤その他の方法によって使用する物をいう」と定義されている（食品衛生法第4条）．現在食品添加物は**表 4-5** のとおり，指定添加物 472 品目，既存添加物 357 品目，天然香料約 600 品目，一般飲食物添加物（約 100 品目）が存在する（2022（令和 4）年 7 月現在，厚生労働省）．

表 4-5　食品衛生法による食品添加物の分類

分　類	合成	天然	品目数	内　容	食品添加物例
① 指定添加物	○	○	472	天然・合成にかかわらず，安全性と有効性が確認されて厚生労働大臣により指定されているもの． （指定添加物リストに収載）	食用赤色 102 号 クエン酸 キシリトール ビタミン C
② 既存添加物		○	357	食経験のある食品から作られ，長年使用されてきた天然添加物として厚生労働大臣が認めたもの． （既存添加物名簿に収載）	カラメル色素 クチナシ色素 ペクチン カフェイン
③ 天然香料		○	約 600	天然の動植物から得られたもので，着香の目的に使用されるもの． （天然香料基原物質リストに収載）	バニラ香料 レモン香料
④ 一般飲食物添加物		○	約 100	一般に食品として飲食されているものを添加物として利用するもの． （一般に食品として飲食に供させている物であって）添加物として使用される品目リストに収載）	ココア（着色） ブドウ果汁（着色）

・品目数は 2022（令和 4）年 7 月現在のもの．たえず追加と削除が行われ，数値は変動している．・1995（平成 7）年以降は，厚生労働大臣の許可を得た動植物から作られた天然添加物も化学合成添加物も，①の指定添加物に分類されることになったため，指定添加物は増加する．一方，②の既存添加物は，2003（平成 15）年の食品衛生法改正により，安全性に問題があるものや使用実態のないものを名簿から削除し，使用を禁止することになったため，今後，減少していく．
・①と②は食品衛生法で規制の対象となるが，③と④は対象とならない（食品衛生法第 10 条）

さらに食品添加物は，使用目的によって**図 4-9** のように分類することができる．食品添加物は，さまざまな加工食品に含まれていることがわかる．

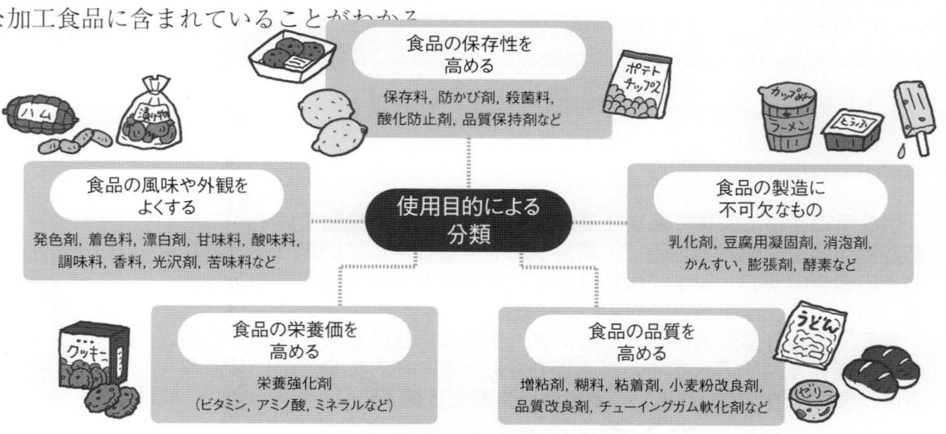

図 4-9　添加物の使用目的による分類

（資料：小塚論編「イラスト食品の安全性（第 3 版）」，東京教学社，2016 より作成）

2 食品添加物の表示

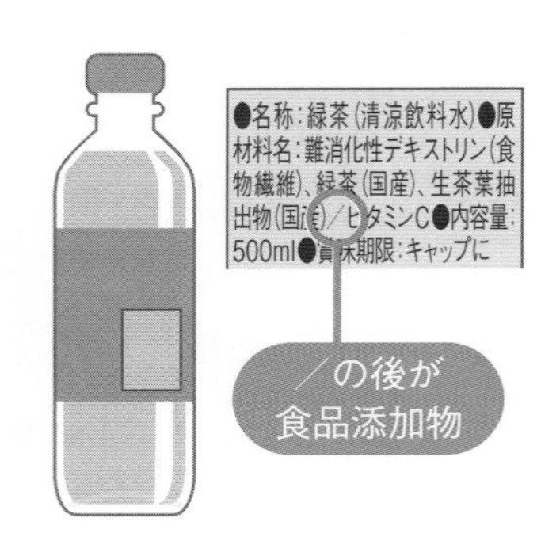

食品添加物の使用

食品添加物には，純度や成分についての規格や，使用できる量などの基準が定められており，原則として食品に使用した添加物は，すべて表示しなくてはならない．表示は，物質名で記載され，保存料，甘味料などの用途で使用したものについては，その用途名も併記しなければならない．表示基準に合致しないものの販売などは禁止されている．

食品添加物のキャリーオーバー

食品の原材料の製造または加工の過程において使用され，かつ，当該食品の製造または加工の過程において使用されないものであって，当該食品中には当該物が効果を発揮することができる量より少ない量しか含まれていないものをキャリーオーバーという．

（例：せんべいに使用される醤油に含まれる保存料）

最終食品に残存していない食品添加物や，残存してもその量が少ないため最終食品に効果を発揮せず，期待もされていない食品添加物については，表示が免除される．

食品添加物の安全性

食品添加物の安全性評価は，リスク評価機関である食品安全委員会が行う（食品健康影響評価）．具体的には，動物を用いた毒性試験結果などの科学的なデータに基づき，食品添加物ごとに，健康への悪影響がないとされる「一日摂取許容量」（ADI）が設定される．厚生労働省が行っている食品添加物の一日摂取量調査では，実際の摂取量は健康への悪影響がないとされる ADI を大きく下回っている結果になった．

Q　食中毒の種類と特徴を知り，発生を予防する方法について理解できましたか？

Q　食品表示について理解できましたか？特に食物アレルギー表示について再確認しましょう

Q　食品添加物について理解できましたか？

第３章で学んだ栄養に関する基礎知識に基づいて，施設では子どもたちが健やかに成長するために，給食やおやつを提供していますが，もともとの食材の安心・安全が保たれなければ健康を害する可能性があります．

安心・安全な食生活を送るためには，食品の衛生的な取り扱い，食品の表示を見る力や選択する力が必要です．子どもたちの身近にいる保育者は，食事支援の場面においてその責任は重大です．

第5章 ライフステージ別の栄養と食生活

この章で学んでほしいこと！

小児期の順調な発育・発達が，生涯にわたる健康でいきいきとした生活を送る基礎となります．妊娠前の母体の食生活や，胎児期（妊娠期），乳幼児期，学童期，思春期の食生活のあり方が成人後の健康や生活の質（quality of life，QOL）に大きく影響してきます．本章では，各期にあった適切な栄養と，望ましい食生活のあり方について学びます．

この章で学ぶこと

- 胎児期（妊娠期）の食生活
- 乳幼児期の食生活
- 学童期の食生活
- 思春期の食生活
- 子どもの発育・発達と食生活の関連

この章での到達目標

- 妊娠期は体重管理・貧血予防が重要であることが理解できた
- 乳幼児の発育・発達には栄養が重要であることが理解できた
- 学童期･思春期の栄養上の問題と健康への対応について理解できた
- 胎児期からの食生活のあり方が成人後の生活の質（QOL）に大きく影響することが理解できた

MEMO

最近の研究から

DOHaD（Developmental Origins of Health and Disease）は，「将来の健康や特定の病気へのかかりやすさは，胎児期や生後早期の環境の影響を強く受けて決定される」という概念である．近年，「低出生体重児は成人期に糖尿病や高血圧，高脂血症など，いわゆるメタボリックシンドロームを発症するリスクが高い」という疫学調査の結果が相次いで報告された．

DOHaD 仮説では，「発達過程（胎児期や生後早期）におけるさまざまな環境により適応反応が起こり，環境との適合の程度が将来の疾病リスクに関与する」と考えられている．この反応は遺伝子の発現部位を調節するエピゲノム変化を介して起こることがわかっている．遺伝子の発現部位を調節するこの機構は，食物や薬物，ストレスなど後天的な要因によって起こる遺伝子の化学修飾である．この変化によって発現する遺伝子の調節がなされるため，疾患発症のリスクが変化すると考えられている．胎児期や生後早期のいわゆる発達過程からのよりよい食育や成育環境を通して将来の疾病リスクを減ずること，さらに個々の遺伝的背景をもとに疾病リスクに対して早期から介入していく，いわゆる「先制医療」の概念が注目されている．

（参考資料：昭和大学 DOHaD 班 HP http://www10.showa-u.ac.jp/~dohad/ より抜粋（一部改変））

5.1 胎児期（妊娠期）

1 妊娠期の栄養と食生活

妊娠とは，受精卵の着床に始まり，胎芽または胎児およびその付属物（卵膜，羊水，さい帯，胎盤）の排出を終了するまでの状態をいう．分娩予定日は，最終月経の第1日を0週0日として起算し，40週0日目（満280日）となる．

表5-1　妊娠期間中の母体・胎児の変化

妊娠期間の区分

	流産　：妊娠22週未満で妊娠が終了
初期：16週未満	早産　：22週以上37週未満で分娩
中期：16週～28週未満	正産期：満37週～42週未満で分娩
後期：28週以降	過渡期：満42週以上で分娩

（日本産科婦人科学会編「産科婦人科用語集・用語解説集改訂3版」，2013）

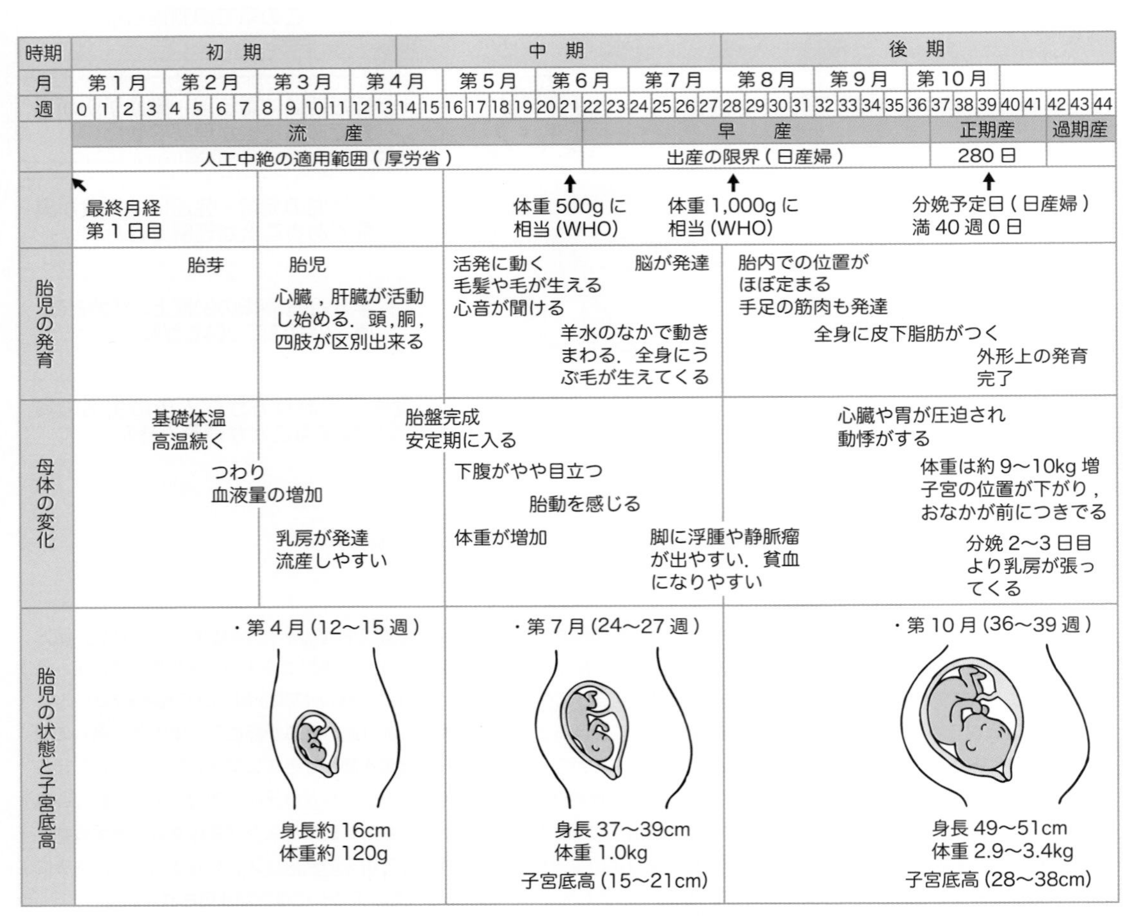

（資料：澤純子他著「応用栄養学 第7版」，医歯薬出版，2006より作成）

(1) 妊娠期の栄養の特性

①栄養の特性

妊娠期は，胎児と母体の変化に応じた栄養が必要である．母体の適切な栄養状態を維持し，正常な分娩をするために，過不足なく必要栄養量を摂るとともに，貧血や妊娠中毒症などの合併症を予防する．

- 母体の子宮や乳腺（1kg）の発達，皮下脂肪の貯留（3.5kg）により体重が増加する．
- 妊娠期間中の基礎代謝は，約 8～15%，後半 20～30% 亢進する．
- 循環血液量や細胞間質液の増加，血漿量（水分）の増加（4kg）により血液は希釈状態となる．
- 胎児や付属物（胎盤，羊水）による体重増加（4kg）．
- 乳汁分泌や分娩時の出血に備え，後期にはたんぱく質を 3.9 倍蓄積する．
- 胎児の主要エネルギーは糖質に依存し，特に脳にグルコースを継続的に供給する必要がある．
- 胎児の発育はたんぱく質が主であり，アミノ酸は胎盤で能動輸送される．

以上のことから，妊娠期は，体重が増加しやすく貧血になりやすい．

→体重の管理をして，妊娠高血圧症候群や妊娠糖尿病，貧血を予防する．

妊娠中に体重管理は重要！

妊娠時の肥満は，妊娠高血圧症候群，妊娠糖尿病，乳児の神経管閉鎖障害，死産などのリスクが高いといわれている．

②食事摂取基準

妊娠期の栄養は，栄養特性から妊娠経過に必要なエネルギーおよび栄養素を考慮し，食事摂取基準では妊娠期間別に付加量が設定され，適切な身体活動レベルに当てはまる非妊娠時の年齢階級別に示されている（表 5-2）．

(2) 妊娠期の食生活

妊娠初期　つわり（悪阻）の時期

1. 妊娠初期は，ビタミン A の過剰摂取（奇形発生）と葉酸不足（神経管閉鎖障害など）に気をつける．
2. 妊娠 6 週から 5 か月頃まで「悪心・嘔吐・食欲不振」などの不快症状が現れる．

- 重症化して妊娠前の体重の 5%以上の減少や脱水，栄養不足に陥ることを妊娠悪阻という．
- 少量を頻回に，食べたいものを食べられるときに食べる．
- 脱水を防ぐため，水分補給に注意する．
- 冷たいものや清涼感のあるものが好まれる．

妊娠中期・後期　体重管理と貧血予防の時期

1. 妊娠期の体の変化に伴う栄養必要量の増大により，妊娠中期以降は食欲亢進が起こるため，体重管理に心がける．
2. 貧血を防ぐため，鉄を多く含む食品を毎食取り入れるように工夫する．

妊娠期の食生活を支えるツール

①妊娠前からはじめる妊産婦のための食生活指針

健全な妊娠期の食生活に向けて，厚生労働省より「妊娠前からはじめる妊産婦のための食生活指針」が示されており，食事内容や食生活だけでなく，心と体の健康に配慮した 10 項目が設定されている（巻末資料 1 参照）．

表5-2　妊娠期の食事摂取基準（身体活動レベル※がふつうの場合）

年齢・性別		エネルギー（kcal/日）	たんぱく質（g/日）	カルシウム（mg/日）	鉄（mg/日）	ビタミンA（μgRAE/日）	ビタミンB_1（mg/日）	ビタミンB_2（mg/日）	葉酸※2（μg/日）	ビタミンC（mg/日）	食塩相当量（g/日）
18～29歳	非妊娠期	2,000	50	650	6.5	650	1.1	1.2	240	100	<6.5
	初期	+50	+0	+0	+2.5	+0	+0.2	+0.3	+240	+10	<6.5
	中期	+250	+5	+0	+9.5	+0	+0.2	+0.3	+240	+10	<6.5
	後期	+450	+20	+0	+9.5	+80	+0.2	+0.3	+240	+10	<6.5

※エネルギーは推定エネルギー必要量，食塩相当量は目標量，それ以外の栄養素は推奨量を示している．
※2　妊娠を計画している女性，妊娠の可能性がある女性および妊娠初期の妊婦は，胎児の神経管閉鎖障害のリスク低減のために通常の食品以外の食品に含まれる葉酸（狭義の葉酸）を400 μg/日摂取することが望まれる．

（資料：厚生労働省「日本人の食事摂取基準（2020年版）」）

a　推定エネルギー

推定エネルギー必要量は，非妊娠期に付加量を加え，**初期＋50kcal/日，中期+250kcal/日，後期＋450kcal/日**を付加した．

b　たんぱく質

妊娠期のたんぱく質蓄積量から算出された推奨量の付加量として，**初期＋0g/日，中期＋5g/日，後期＋20g/日**を付加した．妊娠初期・中期のたんぱく質は13～20％エネルギーとし，後期は15～20％エネルギーとした．

c　脂　質

脂肪エネルギー比は非妊娠時と同じである．脂質の質は，n-3系多可不飽和脂肪酸の**ドコサヘキサエン酸やエイコサペンタエン酸**[*1]は胎児の発育に必要とされている．

＊1　ドコサヘキサエン酸（DHA），エイコサペンタエン酸（EPA）
青皮の魚などに多く含まれており，脳の細胞膜に多く，脳内神経伝達や神経組織の構成に役立つ．

d　カルシウム

妊娠期は，腸管からのカルシウムの吸収率が上昇する．多く取り込んだカルシウムは，母体の尿中に排泄されるため，付加量は必要ないとされている．しかし，妊娠前の食生活において，カルシウムが不足する場合もあるため推奨量である**650mg/日**を目指して摂取する．

e　鉄

妊娠中は鉄の需要が増加するため，積極的に鉄分を多く含む食品をとる．鉄の付加量は，妊娠中期・後期に多く，**初期＋2.5mg/日，中期・後期＋9.5mg/日**である．非妊娠期と付加量を合わせて1日に16mg/日となる．

f　ビタミンA

ビタミンAの付加量（推奨量）は，**初期・中期＋0μg，後期＋80μgRAE/日**である．

（妊娠初期）継続的な過剰摂取により，<u>奇形発生の危険性</u>が高くなるといわれている．ビタミンAは，上皮細胞器官の成長や分化に関与するため，レチノールの多いレバー類，サプリメントの習慣的な摂取は避けることが重要である．<u>ビタミンAでも野菜のβ-カロテンは心配ない</u>．

（妊娠後期）この時期の胎児の発達にとって必須であり，胎盤を介して胎児の肝臓に蓄積される．

g　葉　酸

妊娠期の欠乏症は，胎児の**神経管閉鎖障害**や**無脳症**を引き起こす．また，「造血ビタミン」といわれる葉酸が欠乏すると**巨赤芽球性貧血**がみられる．細胞の新生や増殖に大切な働きをするため，胎児には欠かせない栄養素である．付加量は**＋240μg/日**である．妊娠前後にサプリメントなどにより，400μg/日の葉酸を十分に摂取することで，神経管閉鎖障害のリスクを低減させることができる．

※神経管の閉鎖は受胎後28日で完成するので，妊娠に気づいてからの葉酸服用では遅すぎ，妊娠が成立する1か月以上前からの服用が推奨される

※栄養素の特徴は，第3章を参照

②妊産婦のための食事バランスガイド

1日に「何を」「どれだけ」食べたらよいかが一目でわかる食事の目安として「妊産婦のための食事バランスガイド」を策定した．非妊娠時・妊娠初期の1日分を基本として，各妊娠期の付加量を補う食事の例が示されている（巻末資料2参照）．

③妊娠中の体重増加指導の目安

厚生労働省は，妊娠期における望ましい体重増加量について「妊娠中の体重増加指導の目安」（令和3年3月8日日本産科婦人科学会）を参考として提示した（**表5-3**）．

非妊娠時に「低体重」に属する者は，低出生体重児分娩や貧血などのリスクが高まり，「肥満」に該当する場合，糖尿病や巨大児，帝王切開分娩，妊娠高血圧症候群のリスクが高まる．妊娠期における体重増加とリスクとの関連も同様にみられるため，1人ひとりの体格に配慮した適切な体重増加量がわかるように示されている．

表5-3　妊娠中の体重増加指導の目安＊1

妊娠前の体格＊2	体重増加指導の目安
低体重（やせ）：BMI 18.5 未満	12〜15kg
普通体重：BMI 18.5 以上 25.0 未満	10〜13kg
肥満（1度）:BMI 25.0 以上 30.0 未満	7〜10kg
肥満（2度以上）:BMI 30.0 以上	個別対応（上限 5kgまでが目安）

＊1　「増加量を厳格に指導する根拠は必ずしも十分ではないと認識し，個人差を考慮したゆるやかな指導を心がける」産婦人科診療ガイドライン産科編 2020 CQ 010 より

＊2　日本肥満学会の肥満度分類に準じた．

（資料：厚生労働省「妊娠前からはじめる妊産婦のための食生活指針」より抜粋）

④妊娠期の魚の摂取の仕方に注意

厚生労働省は，水銀の摂取が胎児に影響を与える可能性があると報告され，「妊婦への魚介類の摂食と水銀に関する注意事項」の見直しを行った．魚介類は，自然界に存在する水銀を食物連鎖の過程で体内に蓄積する．水銀濃度の高い魚介類を偏って食べることは避け，水銀摂取量を減らすことで，魚食のメリットを生かすこととの両立が大切である（**表5-4**）．

表5-4　注意が必要な魚の目安

刺身1人前，切り身1切れ（それぞれ80g）の1週間の摂取の目安	注意が必要な魚の名前
妊婦は週に2回まで	キダイ，マカジキ，ユメカサゴ，ミナミマグロ（インドマグロ），ヨシキリザメ，イシイルカ，クロムツ
妊婦は週に1回まで	キンメダイ，ツチクジラ，メカジキ，クロマグロ（本マグロ），メバチ（メバチマグロ），エッチュウバイガイ，マッコウクジラ
妊婦は2週に1回まで	コビレゴンドウ
妊婦は2か月に1回まで	バンドウイルカ

（資料：厚生労働省「妊婦への魚介類の摂食と水銀に関する注意事項」より抜粋）

2 胎児に影響する有害要因

①喫　煙

たばこの煙には有害物質（ニコチン，一酸化炭素）が含まれており，特にニコチンは血管を収縮させて，子宮や胎盤の循環血液量を減少させる．一酸化炭素は血液中のヘモグロビンと結合することで胎児は低酸素状態になり，流産や早産，低出生体重児などのリスクを伴う（図 5-1）．

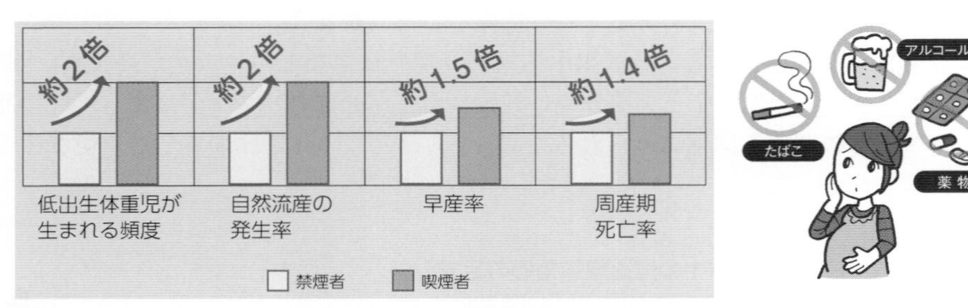

図 5-1　妊娠期の喫煙の影響

②飲　酒

妊娠期にアルコールを常用すると，知的障害，発育障害を伴う胎児性アルコール症候群の子どもが生まれる可能性があるため，禁酒する必要がある．

③服　薬

体の器官分化が起こる胎芽期（妊娠８週未満）に服薬すると，胎児死亡や奇形が生じる場合があることから薬物の服用は医師の指示に従う．

3 妊娠期の疾病と胎児への影響

①妊娠高血圧症候群

妊娠時に，高血圧*1を発症することを**妊娠高血圧症候群**という．さらに，妊娠 20 週以降に高血圧のみの場合を妊娠高血圧症，高血圧とたんぱく尿*2を認める場合を**妊娠高血圧腎症**と分類される．

食事のポイント

- 極端な食塩制限は勧められない．
- 極端なエネルギー制限は行わない．
- 高血圧合併妊娠の場合は妊娠前からの食事指導を妊娠中も継続する．

②妊娠糖尿病

妊娠糖尿病とは，妊娠中に初めて発見された糖代謝異常をいう．母体では早産，妊娠高血圧症候群，羊水過多症，尿路感染症が，胎児には流産，心臓肥大，巨大児，新生児の低血糖が起きやすく，子宮内で胎児が死亡することもある．

食事のポイント

- 規則正しく適正量を食べることを勧めるが，血糖値の上昇の状況に合わせて，１日の食事を６回に分割することもある．

＊1　高血圧の発症
収縮期血圧が 140mmHg 以上（重症では 160 mmHg 以上），あるいは拡張期血圧が 90 mmHg 以上（重症では 110 mmHg 以上）になった場合を高血圧の発症という．

＊2　たんぱく尿
尿中にたんぱくが１日当たり 0.3 g 以上出ること（重症では２ g 以上）で，妊婦の約 20 人に１人の割合で起こっている．

Q　妊娠期には，妊娠期間に応じた栄養素の摂取など体重管理や貧血予防に加え，さまざまなことに注意が必要であることが分かりましたか？

妊娠中期・後期の献立例（無理なく鉄を摂取するメニュー）

献立名	食品名	可食量	エネルギー	アミノ酸組成によるたんぱく質	脂質酸のTG量	鉄	葉酸	食塩相当量
		（g）	kcal	g	g	mg	μg	g
ご飯	精白米	70	239	3.7	0.6	0.6	8	
つくね焼き	鶏・ひき肉	60	103	8.8	6.6	0.5	6	0.1
	若鶏・肝	5	5	0.8	0.1	0.2	65	
	乾燥パン粉	3	11	0.4	0.2		2	
	たまねぎ	20	7	0.1		0.1	3	
	鶏卵	6	9	0.7	0.6	0.1	3	
	しょうが	2						
	いりごま	3	18	0.6	1.5	0.3	5	
	調合油	3	27		2.9			
	かつお・昆布だし	30	1					
	こいくちしょうゆ	3	2	0.2		0.1	1	0.4
	みりん風調味料	3	7					
	砂糖	0.5	2		0.5			
	片栗粉	1	3					
	れんこん	15	10	0.2		0.1	2.1	
	栗	15	22	0.4	0.1	0.1	11	
	生しいたけ	10	3	0.2			5	
	調合油	2	18		1.9			
	ローズマリー（飾り）							
かぼちゃのいとこ煮	かぼちゃ	80	62	1.0	0.2	0.4	34	
	かつお・昆布だし	100	2	0.2			1	0.1
	あずき（ゆで）	40	50	3.0		0.6	9	
	砂糖	2	8					
	こいくちしょうゆ	2	2	0.1			1	0.3
野菜のしょうが酢和え	レタス	30	4	0.2		0.1	13	
	セロリ	5	1				1	
	にんじん	5	2				1	
	カットわかめ	1	2	0.1		0.1		
	みょうが	5	1				1	
	ささみ	10	10	2.0	0.1		2	
	酒	0.5	1					
	穀物酢	6	2					
	かつお・昆布だし	6						
	砂糖	3	12					
	しょうが	5	1					
あさりと根野菜の牛乳味噌スープ	大根	30	5	0.1		0.1	10	
	しめじ	10	3	0.2		0.1	3	
	にんじん	10	3	0.1			2	
	あさり（缶詰）	12	12	1.9	0.1	3.6	1	0.1
	かつお・昆布だし	120	2				1	0.1
	麦みそ	10	18	0.8	0.4	0.3	4	1.1
	普通牛乳	50	31	1.5	1.8	0.01	3	0.1
	あさつき	3	1	0.1			6	
	合計	797	722	27.4	17.6	7.41	204.1	2.3

つくね焼き

1. 鶏レバーを1cm角に切り，茹でる．
2. たまねぎをみじん切りにし，しょうがをすり下ろす．
3. ひき肉に1，2を入れ，混ぜ合わせる．さらに卵，パン粉，ごまの順に入れて混ぜ合わせ成形する．
4. フライパンに油をしき，強火で片面を焼き，焼き目がついたら中火にして裏返し，蒸し焼きにする．
5. れんこんを茹で，いちょう切りにする．生しいたけ，茹で栗を4等分する．
6. だし汁に5を入れ，しょうゆ，みりん，砂糖を入れ，水溶き片栗粉でとろみをつける．
7. 4の上に6をかける．

かぼちゃのいとこ煮

1. かぼちゃを切り面取りをする．あずきを茹でておく．
2. だし汁にかぼちゃ，茹であずきを入れ，砂糖，しょうゆを入れ，やわらかくなるまで煮る．

野菜のしょうが酢和え

1. レタス，にんじん，みょうがは千切り，セロリは筋を取り，千切りにする．
2. カットわかめは水に戻し汁気をしぼる．
3. 鍋に酒を入れ沸騰させる．鶏ささみを入れたら火を止めて蓋をし，そのまま放置する．お湯が冷めたら取り出し割く．
4. 酢，だし，砂糖，しょうがを合わせる．ボールに1～3を入れて混ぜ合わせる．

あさりと根野菜の牛乳味噌スープ

1. 大根，にんじんは，表紙切りにする．しめじは石づきを取り割いておく．
2. だし汁に1を入れ，やわらかくなったら，あさりの水煮を入れる．沸騰したら分量の牛乳を入れる．牛乳を入れたら中火にし，沸騰しないように気をつける．
3. 2の火を止めて，みそを溶く．椀にもり，ねぎの小口切りを入れる．

※牛乳は沸騰させると牛乳中のたんぱく質が分離する．分離すると口あたりがざらつき食味が低下するため，煮立てないよう注意．

たんぱく質エネルギー比	15.2%
脂質エネルギー比	21.9%
炭水化物エネルギー比	62.9%

【鉄を多く含む食材】鶏・豚レバー，卵黄，納豆，しじみ，あさり，小松菜，ほうれん草，豆類など

※腸管での鉄の吸収を促進させるためには，たんぱく質やビタミンCと一緒にとることが重要です．

5.2　乳児期

1 乳児期の発育・発達の特徴

(1) 乳児期の身体的・生理的特徴　(詳細は第 2 章参照)

乳児は，発育・発達のために十分なエネルギーや栄養素を摂取しなければならない．また，図 5-2 ような生理的特徴に合わせた食事を提供することが重要である．

新生児期（生後 1 か月）…乳児期初期の 4 週未満をいう．
乳児期…新生児期を含めて満 1 歳未満をいう．

図 5-2　乳児の生理的特徴と発育・発達

(2) 乳児期の栄養学的特徴　(栄養素については第 3 章を参照)

①栄養の特性

- 乳児期から離乳期のたんぱく質摂取量が多いと小児期の BMI が高くなることが報告されている．
- ビタミン K は胎盤を通過しにくく，母乳中のビタミン K 含量が低いこと，腸内細菌での合成が低いことから新生児ではビタミン K 欠乏に陥りやすい．
- ビタミン A は，妊娠後期に胎盤を介して胎児に供給され蓄積する．
- 日光照射の少ない乳児，母乳栄養児でビタミン D 不足による「くる病」が報告されている．
- 母乳の場合，胎児の時期に蓄積される鉄は，生後 6 か月頃には枯渇し，乳児期の後期に貧血傾向がみられる．

②食事摂取基準

健康な乳児が摂取する母乳の質・量は，乳児の栄養状態にとって望ましいと考えられることから，乳児における食事摂取基準は，母乳中の栄養素濃度と健康な乳児の哺乳量から目安量が算定されている．

食事摂取基準では，離乳開始前では母乳の摂取量はほぼ一定であることから，哺乳量を 780mL/日，離乳開始後 6～8 か月は 600mL/ 日，9～11 か月は 450mL/ 日としている．6～8 か月，9～11 か月の離乳期には，離乳食からの摂取量を算出し，目安量を決定した．

乳児期における目安量＝乳児の哺乳量×母乳中の栄養素濃度＋離乳食中の栄養素量

表 5-5　乳児の食事摂取基準（例：女性のみ）

年齢・性別	エネルギー (kcal/日)	たんぱく質 (g/日(★))	脂質（%）	カルシウム (mg/日)	鉄 (mg/日)	ビタミン A (μgRAE/日)	ビタミン B_1 (mg/日)	ビタミン B_2 (mg/日)	ビタミン C (mg/日)	食塩相当量 (g/日)
0〜5 月	500	10 (1.7)	50	200	0.5	300	0.1	0.3	40	0.3
6〜8 月	600	15 (1.9)	40	250	4.5	400	0.2	0.4	40	1.5
9〜11 月	650	25 (3.0)	40	250	4.5	400	0.2	0.4	40	1.5
成人女性	2,000	50 (1.0)	20〜30	650	10.5	650	1.1	1.2	100	<6.5

エネルギーは推定エネルギー必要量，脂質，鉄の 6 〜 8 月，9 〜 11 月，成人女性は推奨量，それ以外の栄養素は目安量で示している．
★たんぱく質の体重当たりのおおよその目安量
成人女性：18〜29 歳，身体活動レベル（ふつう），脂質，食塩相当量は目標量，それ以外の栄養素は推奨量で示している．

（資料：厚生労働省「日本人の食事摂取基準（2020 年版）」）

(3) 乳児期の食生活

①母乳中の栄養素濃度の変化

母乳は，母親の栄養素の体内蓄積量や毎日の栄養摂取量に影響を受ける．子どもの発育・発達のためには，母親の食生活が重要な役割を持つ．

表 5-6　乳汁中の栄養素含有量が影響する因子

乳汁中の栄養素含有量に影響する因子	栄養素
母親の栄養摂取状況で変動する栄養素	脂質，ビタミン A，ビタミン E，ビタミン K，ビタミン B_1，ビタミン B_2，ナイアシン，ビタミン B_6，パントテン酸，ビオチン，ビタミン C，マンガン，ヨウ素，セレン
母親の体内蓄積分で補える栄養素	脂質，ビタミン D，葉酸
母親の摂取状況および体内蓄積分に関わらず一定である栄養素	たんぱく質，ビタミン B_{12}，ナトリウム，カリウム，カルシウム，マグネシウム，リン，鉄，亜鉛，銅，クロム
不明	モリブデン

（資料：厚生労働省「日本人の食事摂取基準（2010 年版）」より一部改変）

妊娠中はもちろん，妊娠前も出産後も母親は自分の食事のとり方に気を配る必要があるのね・・・

②摂食機能の発達ー乳汁栄養から幼児食へ

乳汁栄養（母乳もしくは人工乳）　フォローアップミルク*

離乳期　初期 5〜6 か月頃　中期 7〜8 か月　後期 9〜11 か月　完了期 12〜18 か月

＊離乳が順調に進んでいる場合は摂取する必要はない．離乳が順調に進まず，鉄欠乏のリスクが高い場合や体重増加が見られない場合には，フォローアップミルクの活用を検討する．

乳児期は，乳汁栄養から離乳食，そして幼児食へと摂食機能が発達していく．咀嚼・嚥下機能などの食べる機能も発達過程にあることから，その発達に合わせた食事を与える必要がある．

乳汁期は，哺乳反射により乳汁を摂取する（第 2 章 2.3 参照）．また，生後 2〜3 か月頃まで，固形物を口に入れると反射的に舌で押し出すような動きがみられ，この動きがなくなると，離乳食を与えられるようになる．離乳食は，嚥下，咀嚼などの摂食機能を獲得するための訓練食である．

(4) 乳児期の栄養状態の評価と食生活

栄養状態の評価のために，身長や体重などで発育状態を把握する．その評価には，母子健康手帳にも掲載されている乳児身体発育曲線を用いる（第 2 章 2.4 参照）．

3〜97 パーセンタイルに入っていれば発育状態に問題ないが，個人差があるため，3〜97 パーセンタイルから多少外れていても，曲線に沿って発育している場合は経過を観察する．いずれにしても，定期的に身長や体重を測定し，評価することが重要である．

2 乳児期の授乳・離乳の現状

厚生労働省は，全国の乳幼児の栄養方法および食事状況などの実態を把握し，授乳・離乳の支援，乳幼児の食生活改善のための基礎資料を得ることを目的とし，10年ごとに**乳幼児栄養調査**を実施している．この資料に基づき厚生労働省は，「**授乳・離乳の支援ガイド**」を2007（平成19）年に策定した（2019（平成31）年3月に改定）．

(1) 授乳の支援

①乳汁栄養の現状

平成27年度乳幼児栄養調査結果によると，授乳期の栄養方法の推移は母乳栄養の割合が増加し，混合栄養も含めると，母乳を与えている割合は生後1か月で96.5％，生後3か月で89.8％であった（**図5-3**）．

母乳栄養の割合の増加には，世界保健機関（WHO）や国連児童基金（UNICEF）など世界的な働き，また，日本国内での母乳育児に対する支援の広がりが背景にあると考えられる．

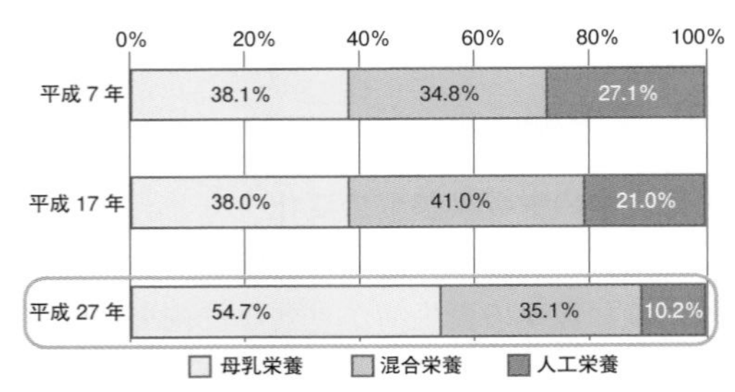

図5-3　生後3か月の栄養方法

「授乳について困ったことがある」と答えた保護者は全体の77.8％で，栄養方法別にみると，母乳栄養69.6％，混合栄養88.2％，人工栄養69.8％と，混合栄養を行っている保護者において最も多かった．「授乳について困ったこと」の回答を**表5-7**に示した．

表5-7　授乳について困ったこと

授乳について困ったこと	総数	栄養方法		
		母乳栄養	混合栄養	人工栄養
困ったことがある	77.8	69.6	88.2	69.8
母乳が足りているどうかがわからない	40.7	31.2	53.8	16.3
母乳が不足ぎみ	20.4	8.9	33.6	9.3
授乳が負担，大変	20.0	46.6	23.7	18.6
人工乳（粉ミルク）を飲むのをいやがる	16.5	19.2	15.7	2.3
外出の際に授乳できる場所がない	14.3	15.7	14.4	2.3
子どもの体重の増えがよくわからない	13.8	10.2	19.0	9.3
卒乳の時期や方法がわからない	12.9	11.0	16.1	2.3
母乳が出ない	11.2	5.2	15.9	37.2
母親の健康状態	11.1	11.2	9.8	14.0
母乳を飲むのをいやがる	7.8	3.7	11.1	23.3
子どもの体重が増えすぎる	6.8	5.8	7.9	7.0
母乳を飲みすぎる	4.4	6.7	2.2	0.0
人工乳（粉ミルク）を飲みすぎる	3.7	1.1	6.1	7.0
母親の仕事（勤務）で思うように授乳ができない	3.5	4.2	3.0	0.0
相談する人がいない，もしくは，わからない	1.7	0.8	2.6	0.0
相談する場所がない，もしくは，わからない	1.0	0.3	1.7	0.0
その他	5.2	4.9	5.7	4.7
特にない	22.2	30.4	11.8	30.2

※赤字は，栄養方法のうち最も高い割合を示しているもの　　（％・生後1か月・複数回答）

（資料：厚生労働省「平成27年度乳幼児栄養調査結果」より抜粋）

②授乳支援の基本的考え方

「授乳・離乳の支援ガイド 2019 年版」では，母乳・育児用ミルクの種類に関わりなく，母子の健康の維持とともに，健やかな母子・親子関係の形成を促し，育児に自信をもたせることを基本としている（**表 5-8**）.

表 5-8 授乳などの支援のポイント

<table>
<tr><th></th><th>母乳の場合</th><th>育児用ミルクを用いる場合</th></tr>
<tr><td>妊娠期</td><td colspan="2">・母子にとって母乳は基本であり，母乳で育てたいと思っている人が無理せず自然に実現できるよう，妊娠中から支援を行う.
・妊婦やその家族に対して，具体的な授乳方法や母乳（育児）の利点等について，両親学級や妊婦健康診査等の機会を通じて情報提供を行う.
・母親の疾患や感染症，薬の使用，子どもの状態，母乳の分泌状況等の様々な理由から育児用ミルクを選択する母親に対しては，十分な情報提供の上，その決定を尊重するとともに，母親の心の状態に十分に配慮した支援を行う.
・妊婦及び授乳中の母親の食生活は，母子の健康状態や乳汁分泌に関連があるため，食事のバランスや禁煙等の生活全般に関する配慮事項を示した「妊産婦のための食生活指針」を踏まえた支援を行う.</td></tr>
<tr><td rowspan="2">授乳の開始から授乳のリズムの確立まで</td><td colspan="2">・特に出産後から退院までの間は母親と子どもが終日，一緒にいられるように支援する.
・子どもが欲しがるとき，母親が飲ませたいときには，いつでも授乳できるように支援する.
・母親と子どもの状態を把握するとともに，母親の気持ちや感情を受けとめ，あせらず授乳のリズムを確立できるよう支援する.
・子どもの発育は出生体重や出生週数，栄養方法，子どもの状態によって変わってくるため，乳幼児身体発育曲線を用い，これまでの発育経過を踏まえるとともに，授乳回数や授乳量，排尿排便の回数や機嫌等の子どもの状態に応じた支援を行う.
・できるだけ静かな環境で，適切な子どもの抱き方で，目と目を合わせて，優しく声をかえる等授乳時の関わりについて支援を行う.
・父親や家族等による授乳への支援が，母親に過度の負担を与えることのないよう，父親や家族等への情報提供を行う.
・体重増加不良等への専門的支援，子育て世代包括支援センター等をはじめとする困った時に相談できる場所の紹介や仲間づくり，産後ケア事業等の母子保健事業等を活用し，きめ細かな支援を行うことも考えられる.</td></tr>
<tr><td>・出産後はできるだけ早く，母子がふれあって母乳を飲めるように支援する.
・子どもが欲しがるサインや，授乳時の抱き方，乳房の含ませ方等について伝え，適切に授乳できるよう支援する.
・母乳が足りているか等の不安がある場合は，子どもの体重や授乳状況等を把握するとともに，母親の不安を受け止めながら，自信をもって母乳を与えることができるよう支援する.</td><td>・授乳を通して，母子・親子のスキンシップが図られるよう，しっかり抱いて，優しく声かけを行う等温かいふれあいを重視した支援を行う.
・子どもの欲しがるサインや，授乳時の抱き方，哺乳瓶の乳首の含ませ方等について伝え，適切に授乳できるよう支援する.
・育児用ミルクの使用方法や飲み残しの取扱等について，安全に使用できるよう支援する.</td></tr>
<tr><td rowspan="2">授乳の進行</td><td colspan="2">・母親等と子どもの状態を把握しながらあせらず授乳のリズムを確立できるよう支援する.
・授乳のリズムの確立以降も，母親等がこれまで実践してきた授乳・育児が継続できるように支援する.</td></tr>
<tr><td>・母乳育児を継続するために，母乳不足感や体重増加不良などへの専門的支援，困った時に相談できる母子保健事業の紹介や仲間づくり等，社会全体で支援できるようにする.</td><td>・授乳量は，子どもによって異なるので，回数よりも1日に飲む量を中心に考えるようにする．そのため，育児用ミルクの授乳では，1日の目安量に達しなくても子どもが元気で，体重が増えているならば心配はない.
・授乳量や体重増加不良などへの専門的支援，困った時に相談できる母子保健事業の紹介や仲間づくり等，社会全体で支援できるようにする.</td></tr>
<tr><td>離乳への移行</td><td colspan="2">・いつまで乳汁を継続することが適切かに関しては，母親等の考えを尊重して支援を進める.
・母親等が子どもの状態や自らの状態から，授乳を継続するのか，終了するのかを判断できるように情報提供を心がける.</td></tr>
</table>

※混合栄養の場合は母乳の場合と育児用ミルクの場合の両方を参考にする.

（資料：厚生労働省「授乳・離乳の支援ガイド 2019 年度版」）

COLUMN

保育現場での乳汁栄養

母乳にはさまざまな利点があることから，母乳育児が勧められています．その支援の効果もあってか，母乳のみで子どもを育てている人の割合は増加傾向にあります．

しかし，保育所では育児用ミルクを利用することになります．母乳も冷凍保存により飲ませることはできますが，その場合に使用するのは哺乳瓶です．つまり，家庭とは異なり，哺乳瓶でミルクもしくは母乳を飲むということになります．家庭において，母乳のみで育てられた子どもは，保育所での哺乳瓶を嫌がることがあります．子どもの月齢が低いほど，ミルクを飲む回数も多く，哺乳瓶を嫌がる場合はミルク不足となってしまう可能性が高まります．

最近は，母親も就労していることも多く，このようなケースは多くみられます．乳汁栄養の時期に保育所に子どもを預ける予定のある場合は，哺乳瓶でミルクを飲むことに慣れておく必要があると考えられます．家庭でも時々哺乳瓶を利用しておくことが，保育所での子どもの適切な栄養管理につながるのです．

(2) 離乳の支援

①離乳の現状

平成27年度乳幼児栄養調査結果によると，離乳の開始時期は「6か月」の割合が44.9%と最も高く，2005年の調査より開始時期が1か月遅くなっていた．開始の目安としては，84.3%の保護者が「月齢」と回答した．保護者は離乳食についてさまざまな困りごとを抱えていることがわかる（図5-4）．

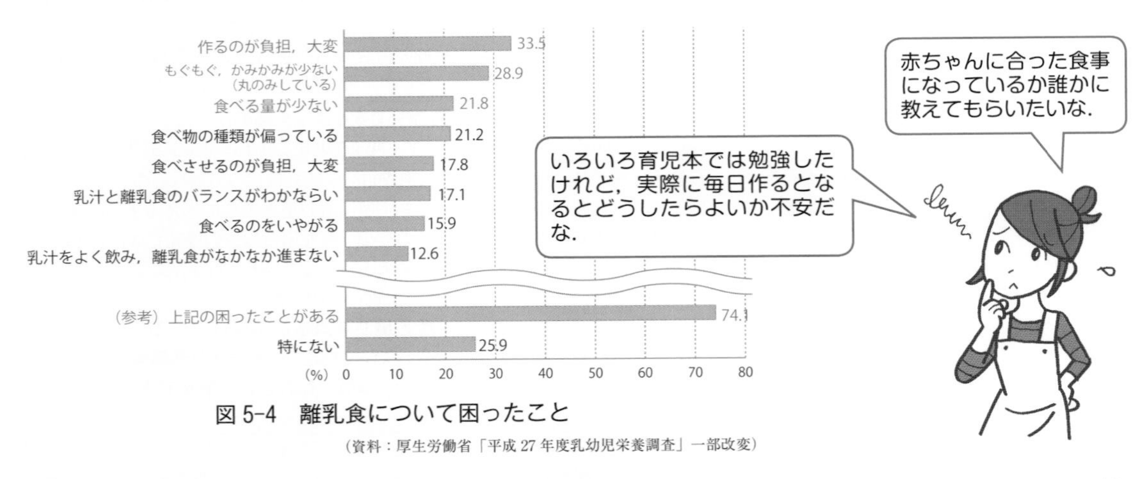

図5-4　離乳食について困ったこと

（資料：厚生労働省「平成27年度乳幼児栄養調査」一部改変）

離乳食について困ったことは，「作るのが負担，大変」33.5%，「もぐもぐ，かみかみが少ない（丸のみしている）」28.9%，「食べる量が少ない」21.8%の順だった．「特にない」と回答した者の割合は25.9%であり，約74%の保護者は，離乳食について何らかの困りごとを抱えていた．

離乳食の進め方について，学ぶ機会が「あった」と回答した者の割合は，約8割であり，離乳食について学んだ場所（人）としては，「保健所・市町村保健センター」が多く，保育園・幼稚園は7%であった（図5-5）

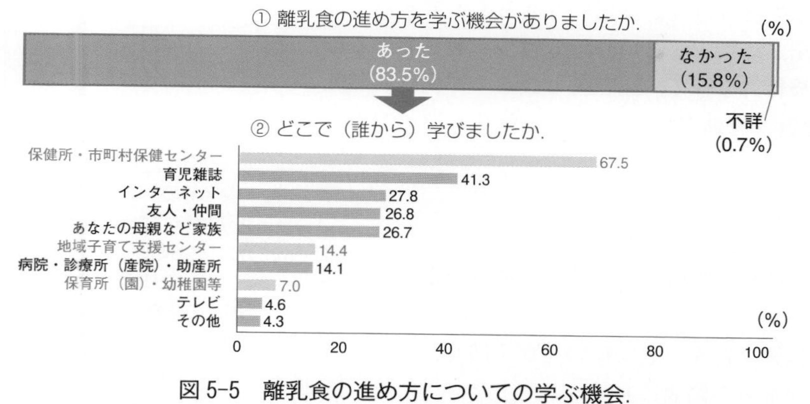

離乳期から保育所に通っている子どもの割合からすると，保育所には離乳食の進め方の相談を受ける機会がかなりあるかもしれないわね.

図5-5 離乳食の進め方についての学ぶ機会.

（資料：厚生労働省「平成27年度乳幼児栄養調査」一部改変）

②離乳支援の基本的考え方

授乳期に続き離乳期は，母子・親子関係の関係づくりの上で重要な時期にある.

「授乳・離乳の支援ガイド2019年版」では離乳の支援にあたって，子どもの健康を維持し，成長・発達を促すよう支援するとともに，授乳の支援と同様，健やかな母子・親子関係の形成を促し，育児に自信をもたせることを基本とする.

1. エネルギーや栄養素の補給

乳児の発育・発達は顕著で，5～6か月頃には胎児期に胎盤を介して蓄積した栄養素や乳汁栄養だけでは，鉄や亜鉛ほか，さまざまな栄養素が不足するため，食べ物からの栄養摂取が必要になってくる.

2. 摂食機能の発達

乳児の摂食機能は，乳汁を吸うことから，食べ物を噛みつぶして飲み込むことへと発達し，摂取する食品は量や種類が多くなり，献立や調理の形態も変化していき，次第に摂食行動は自立へと向かっていく.

3. 個々に合わせた対応（強制しない）

離乳については，乳児の食欲，摂食行動，成長・発達パターンあるいは地域の食文化，家庭の食習慣などを考慮した無理のない離乳の進め方，離乳食の内容や量を個々にあわせて進めていくことが重要である．子どもにはそれぞれ個性があるので，画一的な進め方にならないよう留意しなければならない.

4. 生活習慣の確立

生活習慣病予防の観点から，この時期に健康的な食習慣（食品選択や調理法，食事時間や回数など）の基礎を培うことも重要である．生活リズムを身につけ，食べる楽しさを体験していくことができるよう，1人ひとりの子どもの「食べる力」を育むための支援が推進されることをねらいとする.

3 乳汁期の栄養

乳汁栄養には，母乳栄養と人工栄養と混合栄養がある．

①母乳栄養

乳児を育てる最も自然な栄養法は母乳を乳児に与えることである．母乳のみで乳児を育てる方法を，**母乳栄養**という．分娩後，数日間出る母乳を**初乳**といい，その後，**移行乳**を経て，**成熟乳**となる．初乳は成熟乳と比べて，感染症を防ぐ物質（**免疫グロブリン**[*1]や**ラクトフェリン**[*2]など）を多く含む．

＊1　免疫グロブリン
第2章2.1参照.

＊2　ラクトフェリン
抗菌作用をもつ糖たんぱく質.

＊3　乳幼児突然死症候群（SIDS）
睡眠中に乳幼児が，何の予兆や既往歴もないまま死に至る原因不明の病気．予防法は確立されていないが，「あおむけに寝かせる」「できるだけ母乳で育てる」「周囲の禁煙」が発症を防ぐポイントとされている．（厚生労働省）

母乳の利点

- 成分組成が乳児に最適で消化・吸収しやすく（栄養効率が高く）代謝負担が少ない．
- 初乳は，感染症を防ぐ物質を含み，感染症の発症を防ぐ．
- ビフィズス菌などの腸内細菌の繁殖に有効．
- たんぱく質が同質で食物アレルギー誘発の危険性が少ない．
- 母子関係を良好にする（母子相互作用）．
- 産後の母体の回復を早める．
- 乳幼児突然死症候群（SIDS）[*3]の発症が少ない．

母乳栄養の問題点

問題点としては，母親が摂取したものが母乳に移行することである．そのため，当然，飲酒や喫煙は禁止であり，ほかにウイルス性感染症や薬剤などについても注意が必要である．安定した哺乳量の確保のために母親の健康管理や栄養管理が負担となる．

②人工栄養（育児用ミルク）

何らかの理由で母乳を摂取することができない場合に，母乳以外の乳汁（育児用ミルク）で乳児を育てる方法を，**人工栄養**という．育児用ミルクには，一般的に粉ミルクといわれる乳児用調製粉乳のほか，低出生体重児用ミルクやペプチドミルク，特殊用途ミルク，特殊治療ミルク，フォローアップミルクなどがある（**表5-9**）．

人工栄養の利点

- 母乳に不足するビタミンKなどの栄養素を補足できる．
- 子どもの哺乳量に合わせて調乳でき，栄養不足が起こりにくい．
- さまざまな育児用ミルクが開発され，子どもの状態に合わせた対応が可能である．

育児用ミルクは，母乳成分に近づけるように調整されており，その成分は乳児の月齢および発育・発達状況やアレルギーの有無によっても異なる．乳児用調製粉乳は，乳児の消化吸収能力に応じてたんぱく質量を調整している．フォローアップミルクでは，乳児期の鉄不足に応じて鉄を強化している（**表5-10**）．また，2018年に厚生労働省は，乳児用液体ミルクの規格基準を定めた．乳児用液体ミルクは，育児負担の軽減だけでなく，災害時の救援物資として注目を集めている．

表 5-9　育児用ミルクの種類と特徴

育児用ミルクの種類	対象	特徴
乳児用調製粉乳	すべての乳児	一般的には牛乳を原料に用い，母乳の成分に近づくよう調製されており，母乳の代替品となる.
低出生体重児用ミルク	出生体重が 2,500g 未満の低出生体重児	特に体重が少なく入院治療が必要な場合に用いられるミルク.
ペプチドミルク	親や兄弟に牛乳アレルギーがある乳児 ※1	たんぱく質を消化されやすい形（ペプチド）まで分解したもので，アレルゲン性の低いミルク．ただし，アレルギーの予防や治療のためのミルクではない.
アレルギー疾患用粉乳	牛乳アレルギーの乳児	アレルギーの原因となる成分を分解している.
無乳糖粉乳	乳糖を分解する酵素が欠損している乳児	乳糖を単糖に置き換えている
特殊治療ミルク	先天性代謝異常症（体内での代謝に必要な酵素が欠損しているなど）の乳児	疾患のため，制限が必要な成分を除去している
フォローアップミルク	生後 9 か月以降の乳児	栄養補給用のミルクであり，母乳の代替品ではない．また，離乳が順調に進んでいれば，利用する必要はない.

※1　必ず摂取しなければいけないものではない.

表 5-10　乳児用調製粉乳，フォローアップミルク，牛乳，母乳の主な成分の比較

100ml 当たり	エネルギー (kcal)	たんぱく質 (g)	脂質 (g)	鉄 (mg)	カルシウム (mg)	ビタミン D (μ g)
乳児用調整粉乳 1)	67	1.5	3.6	0.78	49	0.9
フォローアップミルク 2)	66	2.0	2.8	1.33	101	0.7
母乳 3)	61	1.1	3.5	0.04	27	0.3
牛乳 3)	61	3.3	3.8	0.02	110	0.3

1) 和光堂「はいはい」の成分組成，13%調乳液（2017 年 4 月 HP）
2) 和光堂「ぐんぐん」の成分組成，14%調乳液（2017 年 4 月 HP）
3) 日本食品標準成分表 2020 年版（八訂）より作成

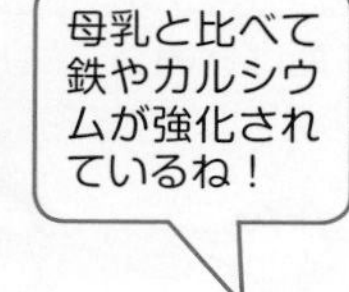

人工栄養（育児用ミルク）の問題点

問題点としては，母乳に含まれる感染防御因子（免疫グロブリンやラクトフェリンなど）が含まれないことや，容器開封後の保存状態に注意が必要なことである．1 か月に約 4 kg 以上の育児用ミルクが必要であるため，経済的負担が必要となる．

③混合栄養

母乳が不足する場合や母親が就労している場合に，母乳と育児用ミルクの両方で子どもを育てる方法を**混合栄養**という．混合栄養にすることで，母乳と育児用ミルクの利点をうまく活用することができる．

演習課題　調乳　育児用ミルクを調乳してみよう

調乳の器具を以下に示した．赤ちゃんの哺乳量に合わせて哺乳瓶や乳首を選択する．また，抵抗力の低い乳児に与えるため，器具の消毒を丁寧に行い，器具の保管についても衛生面に十分配慮したものを用い，調乳を行う．

調乳の器具

<哺乳瓶>  ・サイズは１回の哺乳量に合わせて選ぶ. ・耐熱ガラス製：汚れが落ちやすく，耐久性がある. ・プラスチック製：軽い. 持ち歩きしやすい. 煮沸の際，熱により変形することがある. <キャップ・ふた> 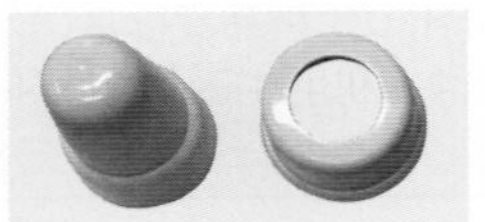 ・哺乳瓶に合わせて選ぶ． ・専用のブラシを使って洗う. ・哺乳瓶には空気弁があり穴が詰まっていないかを確認し洗う．	<乳首>  <素材> 天然ゴム イソプレンゴム シリコンゴム <サイズ> ・SS（新生児用），S（生後１か月），M（生後３か月），L（～６か月以降）がある. <穴のかたち> ・丸穴 (o)：自然とミルクが出るので新生児に使用できる. ・クロスカット（X）・スリーカット（Y）：吸う力がついてくると使用できる.
洗浄と消毒に必要な器具	
<瓶ばさみ>  ・消毒後に，取り出す際に使用する. ステンレス製やプラスチック製がある.	<洗浄ブラシ> ・哺乳瓶用 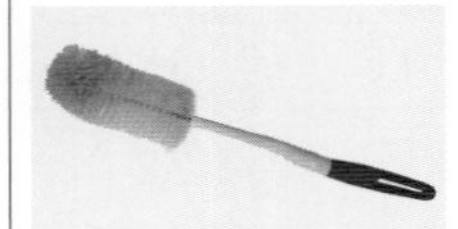 ・乳首用 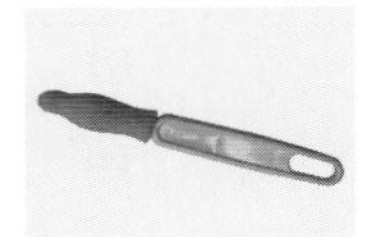 <ふきん・ガーゼ> 煮沸の際に鍋底に引いたり，乳首を包んで使用する

消毒の方法

以下のいずれかの方法で消毒した調乳用の器具は，専用のフタ付きの保管庫に入れる．その際，哺乳瓶は水滴が残らないよう伏せて保管する．

煮沸消毒

・鍋に水を入れ，沸とうしてから10分以上煮沸する（サラシを鍋底に敷くと，瓶が鍋とぶつかって割れるのを防ぐことができる).
・瓶ばさみやトングで取り出し，清潔な場所で乾燥させて使用する.

薬液消毒

・薬液（次亜塩素酸ナトリウム系）を説明書に従って希釈する.
・使用時に取り出し，流水で洗い流し，水気をよく切って使用する.

電子レンジによる消毒

・専用容器に器具を入れ，説明書に従って指定の電子レンジワット数・時間に設定し，加熱する.

調乳の方法

世界保健機関（WHO）および国連食糧農業機関（FAO）は「乳児用調製粉乳の安全な調乳，保存および取扱いに関するガイドライン」を作成した．わが国でも乳児用調製粉乳の衛生的な取扱いについて普及啓発を行うため，本ガイドラインの仮訳を作成した．

〔本ガイドラインにおける乳児用調製粉乳の調乳のポイント〕

●乳児用調製粉乳の調乳に当たっては，使用する湯は70℃以上を保つこと．
●調乳後2時間以内に使用しなかったミルクは廃棄すること．

step 1
粉ミルクを調乳する場所を清掃・消毒します．

step 2
石鹸と水で手を洗い，清潔なふきん、又は使い捨てのふきんで水をふき取ります．

step 3
飲用水※を沸かします．電気ポットを使う場合は，スイッチが切れるまで待ちます．なべを使う場合は，ぐらぐらと沸騰していることを確認しましょう．

step 4
粉ミルクの容器に書かれている説明文を読み，必要な水の量と粉の量を確かめます．加える粉ミルクの量は説明文より多くても少なくてもいけません．

step 5
やけどに注意しながら，洗浄・殺菌した哺乳ビンに正確な量の沸かした湯を注ぎます。湯は70℃以上に保ち，沸かしてから30分以上放置しないようにします．

step 6
正確な量の粉ミルクを哺乳ビン中の湯に加えます．

step 7
やけどしないよう，清潔なふきんなどを使って哺乳ビンを持ち，中身が完全に混ざるよう，哺乳ビンをゆっくり振るまたは回転させます．

step 8
混ざったら，直ちに流水をあてるか，冷水又は氷水の入った容器に入れて，授乳できる温度まで冷やします．このとき、中身を汚染しないよう，冷却水は哺乳ビンのキャップより下に当てるようにします．

step 9
哺乳ビンの外側についた水を，清潔なふきん，又は使い捨てのふきんでふき取ります．

step 10
腕の内側に少量のミルクを垂らして，授乳に適した温度になっているか確認します．生暖かく感じ，熱くなければ大丈夫です．熱く感じた場合は，授乳前にもう少し冷まします．

step 11
ミルクを与えます．

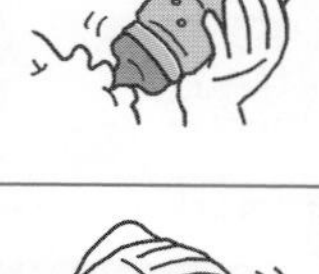

step 12
調乳後2時間以内に使用しなかったミルクは捨てましょう．

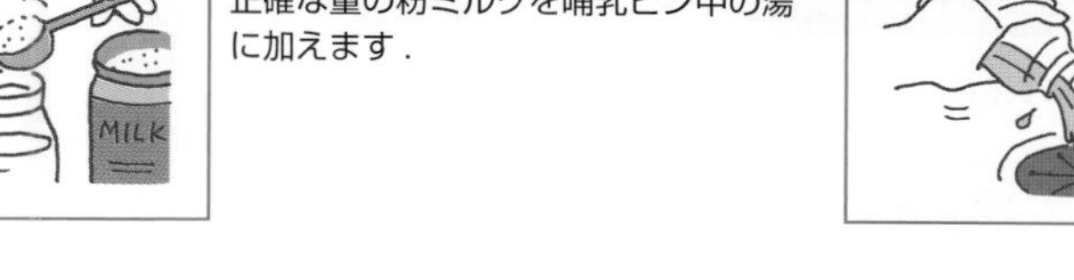

※①水道水②水道法に基づく水質基準に適合することが確認されている自家用井戸等の水③調製粉乳の調整用として推奨される，容器包装に充填し，密栓又は密封した水のいずれかを念のため沸騰させたものを使用しましょう．

注意：ミルクを温める際には，加熱が不均一になったり，一部が熱くなる「ホット・スポット」ができ乳児の口にやけどを負わす可能性があるので，電子レンジは使用しないでください．

図 5-6　乳児用調製粉乳の安全な調乳，保存および取扱いに関するガイドラインの概要

（資料：How to Prepare Formula for Bottle-Feeding at Home（FAO/WHO）より抜粋）

MEMO

授乳の間隔

生後1か月ぐらいまでは，母乳の分泌量が少ないこともあり，回数や間隔は不規則である．それ以降は，1日の回数や間隔が定まってくる．

授乳の回数や間隔は乳児の発育とともに変化するが，乳児が欲しがるときに与える自律授乳が望ましい．授乳後は溢乳（いつにゅう）を防ぐため，げっぷをさせる．

溢乳とは…乳汁が逆流すること．乳児は胃の入り口の筋肉が未発達であるため，乳汁を口からもどしてしまうこと．

Q　乳児期における乳汁栄養の管理について理解することができましたか？

4 離乳期の栄養

(1) 離乳の定義

厚生労働省の「授乳・離乳の支援ガイド」によると，**離乳**とは，母乳または育児用ミルクなどの乳汁栄養から幼児食に移行する過程と定義されている．この間に，乳児の食べる機能は発達し，食べられる量や食品の種類が多くなり，摂食行動も変化していく．また，生活習慣病の予防のためにも，この時期から望ましい食習慣の基礎の形成を目指す．

(2) 離乳の必要性と役割

生後5,6か月までは乳汁で発育していくが，そのうち乳汁だけでは必要なエネルギーや栄養素が不足してくる．また，乳汁のような液体だけでは，咀嚼・嚥下機能などの食べる機能や消化・吸収機能，精神面も発達しない．このような理由から，離乳をすすめる必要がある（**図5-7**）．

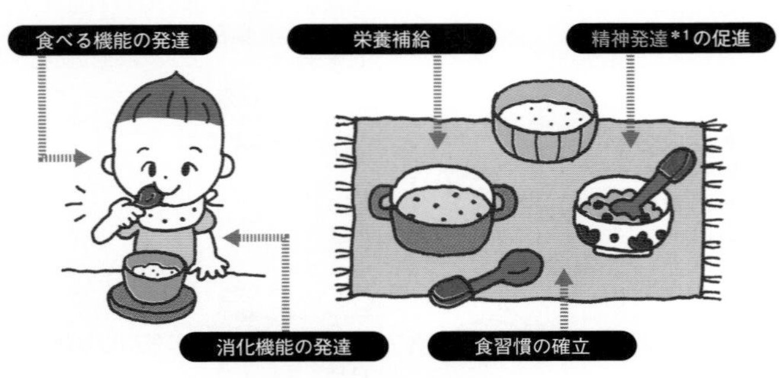

図5-7　離乳食の役割

＊1　精神発達
食べることから，食べ物への興味，食べ物の好き嫌い，食事の楽しみ，誰かと食べることの喜びなど，精神面においても発達がみられる．

(3) 離乳の開始

離乳の開始とは，なめらかにすりつぶした状態の食べ物を初めて与えた時をいう．その時期は生後5,6か月が適当である．発達の目安を**図5-8**に示した．乳児の体調のよい午前中のうちに1日1回与える．「つぶしがゆ」から始めるとよい．母乳やミルクは飲みたいだけ飲ませる．

(4) 離乳の完了

離乳の完了とは，形ある食べ物を噛みつぶすことができるようになり，エネルギーや栄養素の大部

図 5-8　離乳食の開始の目安

分が母乳または育児用ミルク以外の食べ物からとれるようになった状態をいう．その時期は生後 12〜18 か月ごろである．なお，咀嚼機能は奥歯が生えるに伴い，乳歯の生え揃う 3 歳頃までに獲得される．食欲を育み，規則的な食事のリズムで生活リズムを整え，食べる楽しさを体験していくことを目標とする．離乳の完了は，母乳または育児用ミルクを飲んでいない状態を意味するものではない．

(5) 離乳食の進め方の目安

離乳食の進行に関しても個人差があることを理解した上で，離乳食の量や食品の種類，固さ，大きさなどを変えていく．「授乳・離乳の支援ガイド」を参考に進めていく（巻末資料 3 参照）．

(6) 離乳食において気をつけること

離乳の進行には個人差があるため，乳児の食欲や発育・発達の状況に応じて，離乳食を調整する．食事量の評価は，成長の経過で成長曲線を用いて行う．衛生面に配慮しながら調理を行うとともに調理後は放置せずにすぐに与える．使用した器具類は消毒などを行い，衛生的に保管する必要がある．

離乳食の注意点

- 衛生面に十分配慮しながら調理し，できあがった離乳食は早く与える．
- 新しい食品は 1 日 1 種類ずつ与える．
- 離乳の開始頃は，調味料は不要である．素材そのものの味や，だしの味をいかす．離乳の進行に合わせて，少しずつ使用する．はちみつ，黒砂糖は，乳児ボツリヌス症（**図 5-9**）予防のため，満 1 歳までは使用しない．
- 生後 9 か月以降は鉄が不足しやすいため，鉄の多い食品（レバー，赤身の肉や魚，大豆製品，小松菜など）を積極的に取り入れる．

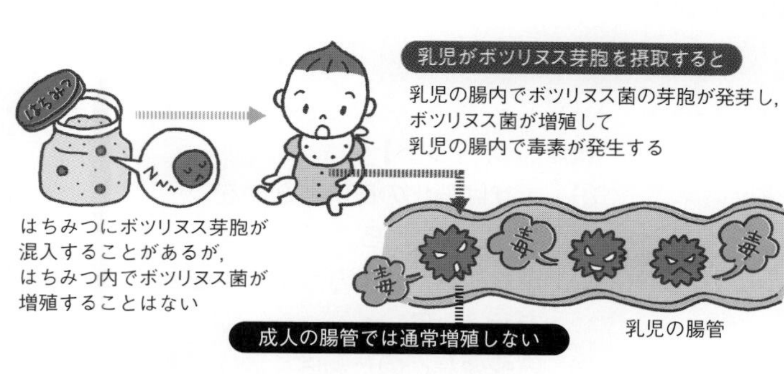

乳児ボツリヌス症
はちみつや黒砂糖に存在するボツリヌス芽胞が腸管内に定着・増殖して，産生された毒素によって発症する．便秘や哺乳力の低下，眼球運動麻痺，呼吸困難などの症状が起こる．1 歳を過ぎると，腸内環境が整い，発症しなくなる．

図 5-9　乳児ボツリヌス症

（資料：国立感染症研究所細菌第二部 HP を参照して作図）

離乳食支援のポイント

離乳食初期から完了期までのポイントについて示した．離乳食の支援には，発育・発達の状況に適した姿勢や支援方法がある．さらに摂食機能に応じた食品選択や調理のポイントがある．

【初期】（ごっくん期：5〜6 か月頃）

【食べ方の目安】
- 機嫌のよい午前中に
- 赤ちゃんの様子を見ながら１日１さじから
- 母乳やミルクは欲しがるだけ与える

支援のポイント
唇を閉じて「ごっくん」できるようになることを支援

食べさせ方
栄養補給が目的ではないので，食べる量を気にする必要はない．

姿勢 やや前かがみのぐらつかない姿勢（第５章 5.3 2（1）食べる姿勢について参照）
①腰が安定・固定する　②足がぶらぶらしない（補助台）③テーブルが肘の高さ
※身体がぐらつくと嫌がる．タオルなどで腰回りを固めてあげると安定する．

安定した姿勢，食べ物の確認，味わえる一口量，ゆっくりとした介助　に気をつける

支援のコツ！

食べ物をみせる

水平に引く

①目や鼻，唇で確認（食べ物の認知）
・皿の中を見せる
・指でちょっとお味見
②スプーンの先に食べ物を少しのせる
・スプーンが近づき上唇が食べ物を取ろうとひくひく動く
③スプーンを下唇に軽くふれ，上唇でアムっと口を閉じたら水平に引く
・赤ちゃんが自分の唇で取り込み，ごっくんする練習
④味わい，口を閉じてごっくんしたらほめる
・粒が残ったり，量が多かったりすると口から出す
・支援者は，一さじの量や形状が適切か検討する

それダメ！

ごっくんと飲めるように，口の奥までスプーンを入れ，なすりあげる．

金属製のスプーンは避け，ボウル部が浅く幅が広すぎない形のものが食べやすい．

【調理のポイント】
① 滑らかにすりつぶした状態にする（ポタージュ状）
② 素材の味を活かした調理をする（味付けをする必要がない）
③ ひと肌くらいの温かさが食べやすい

【献立のポイント】
① まずは消化の良いおかゆを１さじずつから
② 慣れてきたらおかゆに野菜をプラスしていく
③ 白身魚などのたんぱく源は離乳食を始めて１か月が経過してから

【中期】(もぐもぐ期：7～8 か月頃)

支援のポイント

舌を上下に動かし，食べ物をつぶせるように支援（動きを覚える）
唇が左右に伸び縮み（唇を観察しよう）･･･顔が引き締まる.

食べさせ方

栄養補給が目的ではないので，食べる量を気にする必要はない.

姿勢 やや前かがみのぐらつかない姿勢（初期と同様）

【食べ方の目安】
1日2回食へ
【母乳】食後＋欲しがるだけ
【ミルク】食後＋3回

食べる機能獲得のため，最も重要！ 押しつぶし食べをしっかりさせる！

支援のコツ！

ベビーチェアで
ゆったり食事を楽しむ

足が床や椅子の補助板に
つくような形で座る.
姿勢が安定することで
あごや下に力が
入るようになる.

上下の動き不足は，噛む発達の
つまずきの原因となるので
焦らずすすめる.

①初期の①～④と同じ
②舌を上あごに押し当てつぶす様子を観察する
・子どもと一緒にやってみせる.
・舌で押しつぶせる固さか再度確認する.
舌を上手に使って押しつぶす動きができないと，
噛まずに飲み込む癖がつく. 刻んで小さくする
だけの食事は，飲み込む癖をつけてしまうので
注意する.
③すすり飲みのトレーニングを始める
・スプーンを横にして上唇にあてがう
ように
・お椀で飲み練習（薄めの椀）
・コップ※で飲み練習（両手で持たせる）
→ **唇捕食**

上あごで硬さ，
舌で大きさが
分かるといわれている

それダメ！

ぱくぱく食べるわぁ～
スプーンを舌の真ん中より奥に入れる.
押しつぶさず，飲み込んでしまう･･･
子どもの飲み込みを確認せず，次の食べ
物を入れる.
子どもは飲み込むしかありません･･･
大きな勘違いです！

スプーンへの興味が湧いてくる．食事の時に用意してあげると，使えなくても自分から手をのばすようになる.

※マグカップだと顔が隠れてしまうのを怖がる子どもがいるため，コップ飲みはおちょこから始める.

【調理のポイント】
① 親指と薬指でつぶせる程度の固さ（豆腐くらい），初期食から徐々に水分を減らしていく.
② 小さなかたまりを意識して調理する，細かく切った食事ではつぶす練習にならない.
③ いろいろな素材を取り入れる.

【献立のポイント】
① ごはん・たんぱく類・野菜の入った献立を
② 少しずつ味付けの幅を広げ，
③ 風味豊かに
④ 献立のバリエーションを増やす

【後期】（かみかみ期：9～11か月頃）

【食べ方の目安】
1日3回食へ
【母乳の場合】　食後＋欲しがるだけ
【ミルクの場合】　食後＋2回

支援のポイント
舌の上下の動きは十分にできるようになったか観察する．
舌や顎を左右にも動かせるようになる（大人と同じ食べ方）．
右の歯ぐきでつぶすときは右の口元が伸縮する（唇を観察しよう）．

食べさせ方
母乳やミルクでは栄養が補えない⇒３食へ．食生活のリズムづくりを
姿勢 椅子に座らせる，足が床下につくよう配慮する（補助台を置くなど，第５章5.3 2 （1）食べる姿勢について参照）

支援のコツ！

①子どもの発達の状況に合わせる
・舌の上下の動きを再確認

②手づかみ食べの練習をする
・パンやスティック煮野菜を手に持たせる
・食べ物の大きさや固さ，一口量を子ども自ら手や唇や歯で感じ取る．
・前歯で噛み切る練習をする（前歯は敏感）．

③子どもの意思で選べる配慮
・自立食べへの一歩．
・自分の意志で食べるようにすると，食べる意欲が育つ．

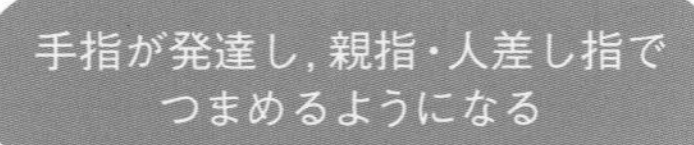

※こぼして汚しながら覚えるもの．
こぼすこと，手遊びすることが当たり前と思っておおらかに見守る．

かみかみ期のスプーンは，赤ちゃんが持つ用とお母さんが持つ用の２本準備しましょう．
始めはうまく使えませんが，持たせてあげるようにしましょう．

【調理のポイント】
①　食材の固さはバナナくらいを目安に
・歯ぐきでつぶせる固さ
・つぶして噛むと唾液と混ざっておいしくなる体験をさせる．
②　手づかみ食べがしやすい工夫を
・食パンをスティック状にして持たせる．
・一口大に食材を切るのではなく，子どもに握らせ前歯で切り取らせるよう工夫する．
③　大人の食事を薄味にすると取り分けも可能になる（塩分過剰に注意）．

【献立のポイント】
①　主食・主菜・副菜の入ったバランスの良い献立とする．
②　9か月から鉄が不足しやすいので，赤身魚や青魚の血合，赤身の肉などを取り入れる．
⇒離乳食が進まない場合は，フォローアップミルクを食後に飲ませる．
③　彩りの良い料理で食欲を引き出す．

【完了期】（ぱくぱく期：12〜18 か月頃）

【食べ方の目安】
1日3回食＋おやつ
離乳食から幼児食への本格的な移行へ
母乳やミルクは少しずつ減らしていく（断乳）

支援のポイント
歯ぐきで噛む，
頬を膨らませて食べる．口をすぼめたりして噛んで食べる．
少しずつ使用食品の幅を広げ，子どもが噛めるようになったら，
食材の切り方を少し大きめにする．
大人が一緒に噛んでみせる．
食事にムラがあったり，食べこぼす時期．見守ることが大事．

スプーンは自然に柄を上から持つようになり，
食べ物を自分で口に運べるようになります．

食べさせ方
3食＋間食（間食も食事の一環）で栄養素を補う．
姿勢 椅子に座らせる，背筋が伸びるよう配慮する（第5章5.3 2 (1) 食べる姿勢について参照）．
　⇒正しい姿勢が保てるテーブルが必要
　・子どもは背もたれに寄りかかっていないか
　・足は床か補助台にしっかりついているか
　・椅子とテーブルの高さは適切か

食事に興味を持つ会話を

「どれ食べる？」
「おいしいね」など，
話しかけ，食事に興味を持つ工夫を…

自分で食べる動きを助ける

肘がテーブルに着く高さに合わせ，足の裏が床または補助板につく姿勢で，背中をまっすぐ伸ばして座る．

子どもの食べる意欲を引き出す

手づかみ食べの全盛期．
スプーンをテーブルに出しておくと，自然と興味を持ち使うようになる．

哺乳瓶からコップに

コップを使えるようになるため，少しずつ哺乳瓶から切り替えていく．

【調理のポイント】
① 食材は，噛みとれる固さと大きさで．
　子どもの奥歯の大臼歯が生えるのは3歳頃．
　奥歯ですりつぶすような繊維質の食材は長さを短くするなどの配慮が必要（もやしなど）．
② 手づかみ食べをしやすい調理を．
③ 薄味ながらも味付けに変化を．
④ とろみをつけると，子どもがスプーンで食事をすくいやすくなる．

【献立のポイント】
① ごはん，おかず，汁物の三角食べを習慣づける．
② 和食を中心に，洋風や中華の献立も取り入れる．
③ 子どもの食事量は限られており，おやつ（間食）は食事でとりにくい乳製品やいも類，果物などを利用する．

(7) ベビーフード

ベビーフードとは，市販の離乳食である．そのまま与えられるウェットタイプと，お湯を加えて利用するドライタイプがある．

ベビーフードは手軽に利用でき．離乳食を手づくりする際の食材の大きさ，固さ，とろみ，味付けなどを参考にできる．一方，下表のような注意点もあるため，用途に合わせて上手に選択し，料理名や原材料が偏らないようにする．また，開封後の保存に注意する（**表 5-11**）．

表 5-11　ベビーフードの利点と注意点

利　点	注意点
・離乳食作りの見本となる． ・不足している栄養素を補うことができる． ・外出先で利用しやすい．	・複数の食材を使用した調味済みの商品は，それぞれの食材の味が味わいにくい． ・パッケージに記載されている月齢と，乳児の発育状態が必ずしも合うとは限らない．

(8) 食品の使い方

離乳食で最初に使用する食品は米であるが，乳児の発育・発達に伴い，食べられる食品が**表 5-13** のように増えていく．１日２回食に進む頃には，穀類，野菜・果物，たんぱく質性食品を組み合わせて使用する．また，離乳期から奥歯の萌出がみられない幼児期前期の子どもでは，摂食機能の発達において苦手な食材があるため献立作成の際に注意するとよい（**表 5-12**）．

表 5-12　離乳期から幼児期前期の子どもが苦手な食材

1）ぺらぺらしたもの	レタス，わかめ
2）皮が口に残るもの	豆，トマト
3）硬すぎるもの	かたまり肉，えび，いか
4）弾力があるもの	こんにゃく，かまぼこ，きのこ
5）口の中でまとまらないもの	ブロッコリー，ひき肉
6）唾液を吸うもの	パン，ゆで卵，さつまいも
7）匂いが強いもの	にら，しいたけ
8）誤飲しやすいもの	こんにゃくゼリー，もち

（資料：小児科と小児歯科の保健検討員会「歯からみた幼児食の進め方」，小児保健研究，2007 より引用）

Q　離乳期の食べる機能の発達と食事支援の方法など理解できましたか？

離乳期の食べる訓練が，食べる機能の基本となってきます．そういう意味で個々の発達に合った食事支援が非常に重要なんです！

表 5-13　食品の使い方

穀類

	5，6 か月頃	7，8 か月頃	9〜11 か月頃	12〜18 か月頃
米	10 倍がゆをすりつぶす	7 倍がゆ	5 倍がゆ〜軟飯	軟飯〜ごはん
パン	細かくちぎった食パンに，育児用ミルクやスープを加えて加熱する.	小さくちぎり，育児用ミルクや牛乳，スープでさっと煮る.	やわらかいパンは，小さくちぎってそのまま与える．トーストは，育児用ミルクや加熱した牛乳に浸してもよい.	持ちやすい大きさに切って与える.
いも	茹でて熱いうちにつぶし，茹で汁でゆるめる．（じゃがいも，さつまいも）	蒸したり，茹でたものをやや粗くつぶして湯でゆるめたりする．（+ さといも）	つぶし方を粗めにする	口に入れやすい大きさ，または持ちやすい形に切って調理する.
めん類	乾麺を茹で，よく水洗いして細かく刻む．だし汁で煮込む．（うどん，そうめん）	軟らかく茹で，米粒大に細かく刻む．（+ マカロニ，スパゲティ）	軟らかく茹で，1〜2cm くらいの長さに切る．手づかみができれば，少し長めに.	軟らかく茹で，2〜3cm くらいの長さに切る.
コーンフレーク	−	プレーンタイプを細かく砕き，牛乳を加えてひと煮立ちさせる.	砕いて，育児用ミルクまたは加熱した牛乳をかける.	育児用ミルクや牛乳をかける.
オートミール	−	湯に入れ，沸騰後弱火で 3 分ほど煮る．沸かした牛乳をかける.	7，8 か月頃を参照（煮る際に塩を少々入れてもよい）	
ホットケーキ	−	−	軟らかく焼いてちぎって与える．育児用ミルクや加熱した牛乳に浸してもよい.	持ちやすい大きさに切って与える.
クラッカー	−	−	細かく砕く．手づかみができれば，そのまま.	そのまま.

野菜・果物

	5，6 か月頃	7，8 か月頃	9〜11 か月頃	12〜18 か月頃
野菜類	かぼちゃ，かぶ，にんじん，大根，トマトなど．徐々に，ほうれん草の葉先，きゃべつ，白菜，たまねぎ，ブロッコリー（つぼみの部分）なども使用できる．トマトや大根おろし（辛くなければ）は生のままでよい.	なす，レタス，きゅうり，ピーマン，カリフラワー，ねぎ，にら，アスパラガス，さやいんげん，さやえんどうなども使用できる．軟らかく茹でる，煮る，炒めるなどして，刻んだり粗つぶしにして用いる．きゅうりは生でもよい.	食物繊維の多い野菜以外は，軟らかく煮れば，ほとんどの野菜を使うことができる．手づかみができれば，持ちやすい大きさで調理する.	
果物	りんごなどをすりおろす．バナナは新鮮なものをすりつぶす.	食物繊維の多い果物を除いて，舌でつぶせる固さであれば，小さめに切ってそのまま与える.	食物繊維の多い果物以外は，ほとんどの果物を使用できる.	
海藻類	−	細かくもんだのり，軟らかく煮て刻んだわかめなども使用できる.		

たんぱく質性食品

	5，6か月頃	7，8か月頃	9～11か月頃	12～18か月頃
大豆製品	豆腐は茹でたものをすりつぶす． きな粉は米がゆやマッシュポテトなどに加えて使用する．	納豆は細かく刻んで加熱する． 高野豆腐はそのまますりおろし，ほかの料理に入れ，加熱する．		生揚げ，がんもどき，油揚げ（油抜きして使用する）
魚	白身魚を加熱して，よくつぶして，おかゆや野菜と混ぜたり，汁ものに入れたり，とろみをつけるなどの工夫をする．しらす干しはよく水で洗って，すりつぶして加熱する．	加熱したものを細かくほぐす．（＋赤身魚，缶詰のさけやツナ）	青皮魚，貝の軟らかい部分を十分に加熱して与える．	ほとんどの食材を使用できる．
肉	－	鶏のささ身	豚や牛の赤身 レバー（少量）	ハンバーグなどの固めた料理を取り入れる．うす切り肉は細かく刻む．
卵	始めは固茹でにした卵黄を使う．	全卵を使うときは完全に火を通す．	卵アレルギーがなければ，全卵半熟状態やマヨネーズの使用も可能．	さまざまな料理に取り入れる
牛乳・乳製品	－	牛乳は調理に用いる． ヨーグルトはプレーンタイプ，チーズは塩分や脂肪分の少ないものを用いる．飲み物としては１歳を過ぎてからが望ましい．		

MEMO

鉄の吸収

鉄は全身に酸素を運ぶヘモグロビンや筋肉中の酸素を受け取るミオグロビンとして働くだけでなく，酵素の一部としてエネルギー産生，薬の代謝などに関与している．生後９か月以降は，母体で蓄積した鉄が不足するため，鉄の多い食品を積極的に取り入れる．特にレバーや肉などのヘム鉄は吸収率が高く，ビタミンＣやたんぱく質と組み合わせるとさらに吸収が高まる．鉄は，精神発達にとっても重要な栄養素で，脳の神経伝達物質の合成にも関与している．

料理に鉄が多く含まれるベビーフードやフォローアップミルクを利用することもできる．

ヘム鉄	非ヘム鉄
●肉や魚に含まれる レバー，赤身肉，あさり ●吸収率が高い（10～20%）	●野菜や穀類に含まれる 小松菜，大豆製品 ●吸収率が低い（2～5%）

MEMO

離乳期における食物アレルギーに対する対応（第９章参照）

食物アレルギーでも離乳食の開始や進行を遅らせる必要はない．食物アレルギーがある場合には，勝手な判断はせず，医師の指示のもとに適切な対応が必要である．離乳期における対応については，「授乳・離乳支援ガイド」（COLUMN）を参照するとともに，保育園においては平成23年「保育所におけるアレルギー対応ガイドライン（厚生労働省）」に準ずる．

(9) 保育園における離乳食の献立

保育園などの施設では，3歳未満児食の食材を活用した離乳食が提供されている．

保育園での離乳食の献立（3歳未満児食から離乳食への展開例）

未満児献立			初期 (飲み込む:マヨネーズ状)			中期 (舌で押しつぶす:豆腐状)			後期 (歯ぐきでつぶせる:バナナ状)			完了期 (歯ぐきで噛める:肉団子状)		
献立名	食品名	可食量	献立名	食品名	可食量	献立名	食品名	可食量	献立名	食品名	可食量	献立名	食品名	可食量
ごはん	精白米	40	つぶしがゆ	精白米	5	全がゆ 50 g	精白米	10	全がゆ 90 g	精白米	18	軟飯 80 g	精白米	30
	水			水	35		水	50		水	90		水	80
豆腐ハンバーグ	鶏ミンチ	20	豆腐と野菜ペースト	ほうれん草	5	豆腐と挽肉と野菜のくたくた煮	鶏ミンチ	5	豆腐ハンバーグ	鶏ミンチ	15	豆腐ハンバーグ	鶏ミンチ	20
	木綿豆腐	15		木綿豆腐	10		ほうれん草	10		木綿豆腐	12		木綿豆腐	15
	卵	3.5		たまねぎ	10		木綿豆腐	15		卵	2.5		卵	3.5
	パン粉	2		だし汁	30		たまねぎ	10		パン粉	1.5		パン粉	2
	米みそ	2					だし汁	50		たまねぎ	13		たまねぎ	18
	ごま油	0.3					しょうゆ	0.5		油	0.5		油	1
	こしょう	0.01					かたくり粉	1		だし汁	30		だし汁	40
	ナツメグ	0.01								しょうゆ	1		しょうゆ	2
	たまねぎ	18								みりん	1		みりん	2
	生しいたけ	4								かたくり粉	1		かたくり粉	1.5
	油	2								水	10		水	10
ほうれん草とベーコンのソテー	ほうれん草	30							ほうれん草(ゆで)	ほうれん草	10	ほうれん草おひたし	ほうれん草	20
	ベーコン	5											だし汁	5
	しめじ	10											しょうゆ	0.5
	しょうゆ	1												
かぼちゃのみそ汁	たまねぎ	25	かぼちゃのスープ(ペースト)	たまねぎ	5	かぼちゃのスープ(実入り)	たまねぎ	5	かぼちゃのみそ汁	たまねぎ	15	かぼちゃのみそ汁	たまねぎ	20
	かぼちゃ	20		かぼちゃ	10		かぼちゃ	15		かぼちゃ	15		かぼちゃ	20
	だし汁	100		だし汁	10		だし汁	30		だし汁	80		だし汁	100
	麦みそ	4					麦みそ	1		麦みそ	1.5		麦みそ	3
	小ねぎ	2												

★保育園給食では，未満児給食で利用する食材を用いて離乳食へと展開しています．
★子どもの摂食機能に合わせて食材や調理方法を選択し作成します．

【献立作成の方法】
①未満児献立の食材に離乳期で利用できるものについて印をつける．
②献立はできるだけ初期から完了期まで同じ食材・調理方法を用いて調理できるよう計画する．
③中期の献立を基本とし，初期ではそれをペースト状に，中期ではたんぱく源を加え舌で押しつぶせる固さに，後期ではさらに分量や食材の大きさなどを調整して提供する．
④中期には食塊の形成をしやすくするため，とろみをつける．また完了期は食の自立を支援するためにとろみをつけ，食材がスプーンにまとまりやすいように工夫する．
⑤離乳期は摂食機能獲得のための訓練食であり，子どもの発達状況を見極めながら段階を決定する．

【作り方】
全がゆ …洗米し，鍋に精白米と分量の水を入れ，強火で加熱する．沸騰したら，しゃもじで鍋底からかき混ぜ，弱火にして30分加熱する．
軟飯 …洗米し，炊飯器に精白米と分量の水を入れ，60分程度浸水し炊飯する．
豆腐ハンバーグ …豆腐はペーパーで絞り水気を切る．しいたけ，たまねぎはみじん切りにする．鶏ミンチ，豆腐，卵，パン粉の順で練り，米みそ，ごま油，こしょう，ナツメグで下味をつける．たまねぎ，生しいたけを入れて混ぜ合わせ，成形してフライパンで焼く．
ほうれん草とベーコンのソテー …ほうれん草を下茹でし2 cmくらいの長さに切る．ベーコンも同様に切り，しめじをさく．ベーコンをフライパンで炒め，しめじを炒める．火が通ったらほうれん草を入れ，軽く炒める．しょうゆを振り，味を調える．
かぼちゃのみそ汁 …たまねぎは2 cmの長さに薄くスライスする．かぼちゃは厚みを残していちょう切りにし，だしにたまねぎとかぼちゃを入れ，火を通す．かぼちゃがやわらかくなったら，みそを溶かし小口切りにしたねぎを入れる．

COLUMN

食物アレルギー児の離乳食のすすめ方

●食物アレルギーでも，離乳食の開始や進行を遅らせる必要はない．
●離乳食は，医師より指示された原因食物を除去しながら，厚生労働省策定「授乳・離乳の支援ガイド」にもとづいて，通常通り開始し，進行する．
●初めて食べ物を与えるときは，患者の体調の良いときに，新鮮な食材を十分に加熱し，少量から与える．平日の昼間に与えれば症状が出た場合に医師の診察を受けやすい．
●乳児期の原因食物は鶏卵，牛乳，小麦が90％を占める．離乳食開始時に利用しやすい米，野菜類（大根，にんじん，かぼちゃ，さつまいもなど）が原因食物となることは少ない．
●保護者が“念のため”に摂取開始を遅らせている食べ物がないか，摂取している食べ物の種類を確認する．
●患者にかゆみを伴う湿疹がある場合は，医師の指導のもとで早期に湿疹の改善を目指し，離乳食を開始する．

（厚生労働科学研究班による「食物アレルギーの栄養食指導の手引き2017」より）

5.3　幼児期

幼児期は，満1歳から小学校入学までの時期であり，運動機能や精神機能の発達は著しい．この時期の毎日の食事は，子どもの発育・発達だけでなく，基本的な生活習慣の確立にも大きな影響を及ぼす．

1 幼児期の発育・発達の特徴

(1) 幼児期の身体的・生理的特徴

幼児の生理的特徴と発育・発達について**図5-10**に示した．幼児期は，乳児期に引き続き，発育・発達のために十分なエネルギーや栄養素を摂取しなければならない．

図5-10　幼児の生理的特徴と発育・発達

図 5-11 のように，子どもの支援には，親・保育者と子どもと互いに情報の共有を図り，**信頼関係**を構築していくことが重要である．幼児期の発育・発達には個人差があるため，子どもの思いや興味を理解し，家庭環境・健康状態などの背景に合わせた声かけをしていく必要がある．また，社会的にも発育・発達していく時期であると同時に，食事・生活リズムの基礎の形成・味覚の形成・咀嚼機能の発達・食事マナーの基礎を形づくる重要な時期である（**表 5-14**）.

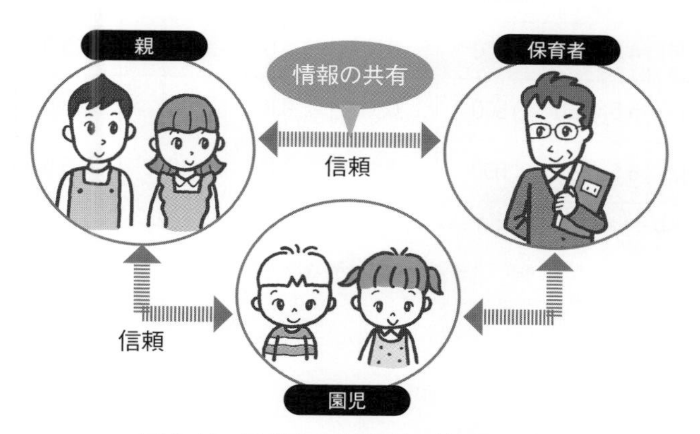

図 5-11　子どもと保護者，教員の連携

表 5-14　年齢別生活動作と食行動

1 歳前後	生活動作	歩き始める，押す，つまむ，めくる動作ができる
	食行動	話始め，自我の芽生え，自分 1 人で食べようとする
2 歳前後	生活動作	指先機能が発達し，模倣する，歩く・走る・飛ぶことができる
	食行動	自己主張が強くなり，好き嫌いがはじまる．自分のことを自分でしようとする
3 歳前後	生活動作	食事・排泄・衣類の着脱が自立できる
	食行動	社会性が芽生え，話し言葉の基礎ができ，友達と一緒に食べることができる
4 歳前後	生活動作	自分の思い通りに体を動かし，全身のバランスがとれる
	食行動	感情が豊かになり，友だちとコミュニケーションをとりながら食事を楽しめ，少しずつ自分の気持ちを抑えたり，我慢できたりする

（資料：厚生労働省「保育所保育指針」をもとに作成）

(2) 幼児期の栄養学的特徴　(栄養素については第 3 章を参照)

①栄養の特性

- 脳の発育・発達が目覚ましい（第 2 章 2.1 参照）.
- 体重 1kg 当たりのエネルギーや栄養素の必要量が高い．
- 胃の容量が小さく，消化機能が未熟であるため一度にたくさんの食事をとることができない．
- 免疫力が未熟で細菌に対する抵抗力が弱い．
- 食欲にムラがあり，偏食傾向がみられるが，無理をせずに良い食習慣を確立させていく．
- 体重当たりの水分量が大きく，1 日の水分出納も大きいため脱水に留意する．
- 歯の萌出と摂食・咀嚼機能の発達により，噛む習慣を身につけさせる（むし歯にも注意が必要）．

②食事摂取基準

幼児期は，発育に個人差があるため，食事摂取基準は弾力的に用いる．

表 5-15　幼児期の食事摂取基準（例：女性のみ）

年齢・性別	エネルギー (kcal/日) (※)	たんぱく質 (g/日(★))	脂質 (%)	カルシウム (mg/日 (★))	鉄 (mg/日) (★)	ビタミンA (μgRAE/日)	ビタミン B_1 (mg/日)	ビタミン B_2 (mg/日)	ビタミンC (mg/日)	食塩相当量 (g/日)
1～2歳（女性）	900 (80)	20 (1.8)	20～30	400 (36)	4.5 (0.4)	350	0.5	0.5	40	<3.0
3～5歳（女性）	1,250 (78)	25 (1.6)	20～30	550 (34)	5.5 (0.3)	500	0.7	0.8	50	<3.5
成人女性	2,000 (36)	50 (1.0)	20～30	650 (12)	6.5 (0.2)	650	1.1	1.2	100	<6.5

エネルギーは推定エネルギー必要量，脂質，食塩相当量は目標量，それ以外の栄養素は推奨量で示している．
※エネルギーの体重当たりのおおよその量　★体重当たりのおおよその推奨量
成人女性：18～29歳，身体活動レベル（ふつう）　（資料：厚生労働省「日本人の食事摂取基準（2020年版）」）

(3) 幼児期の食生活

①3食の食事と間食について

幼児期は，体重が年間約2kg増加するため，それに伴い食べる量が増加する．しかし，消化・吸収機能が未熟で，胃の容量も小さいため，3食の食事で足りない分を**補食**として**間食**で補う必要があることから，間食も食事の一部として考える．

幼児期の食事は，一汁三菜を基本として，**主食**（炭水化物）・**主菜**（たんぱく質）・**副菜**（ビタミン・ミネラル）・汁物（ビタミン・ミネラル）により組み合わせる．目安量としては，**表5-16**を参考にする．

間食については，栄養面だけでなく，食べる楽しみという情緒的な発達にも影響するため，親子でおやつ作りを行うことや，保育中にクッキングを入れることで，創造力の発達や指先の訓練にもつながる．

間食を与える場合は，**表5-16**を参考に，3食の食事に影響が出ない量を1日に1～2回に分け，時間を決めて与える．与える量は1日の推定エネルギー必要量の10～20%を目標とし，内容としては，いも類・乳製品・果物などを中心に与え，糖分や塩分・脂質が高いスナック菓子は控えるようにする．

MEMO

幼児期のう蝕（むし歯）（について

乳歯は永久歯よりう蝕（むし歯）になりやすいといわれているが，それは永久歯より石灰化度が低いことに加えて，乳児の口腔内清掃がむずかしいことが原因の1つである．

う蝕は，唾液の分泌が少ない就寝時に形成されることが多いと考えられるので，就寝前の口腔内清掃は特に重要である．乳幼児が口腔内に糖分が残った状態で寝てしまうことは危険であり，哺乳瓶をくわえたままで寝てしまう場合には「哺乳う蝕」もおきかねない．

乳歯はいずれ永久歯と交換されるためにう蝕があっても良いなどと粗末に考えることは誤りで，乳歯は永久歯が正しくはえる場所を確保している重要な歯であるという事ができる．幼児こそ，正しく口腔内清掃を行い，乳歯を守るべきである．

表 5-16　1 食の主食・主菜・副菜の目安と 1 回の間食例

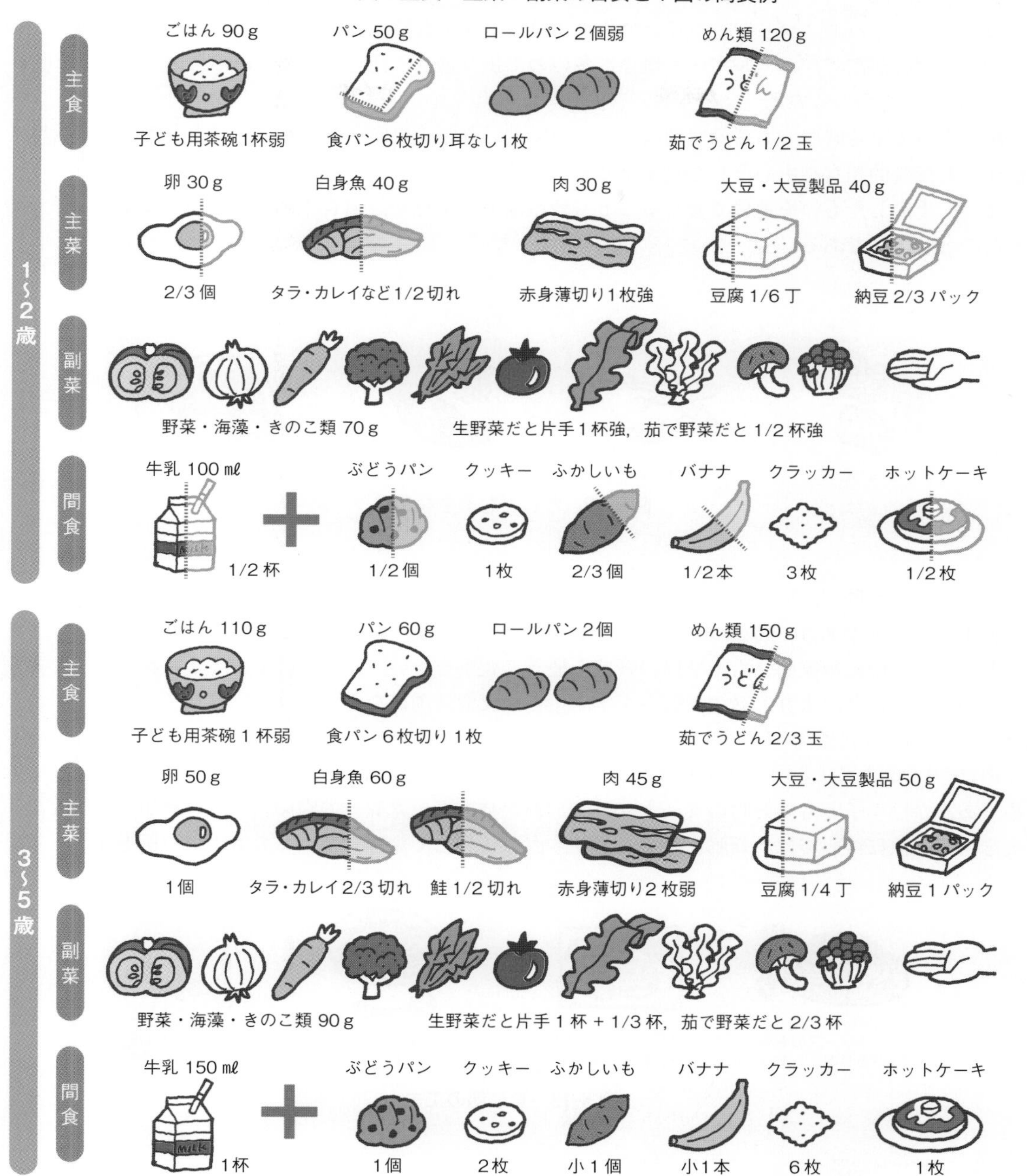

（資料：厚生労働省「日本人の食事摂取基準（2020 年版）」をもとに作成）

②食材を選ぶ時や献立を立てる時のポイント

献立作成のポイントについては，第 3 章 3.3「献立作成と調理の基本」を参考にする．ここでは，幼児の献立作成において特に気を付けたいポイントを示す．

安全な食べ物を選ぶ

ウインナーやハム，ソーセージなどの肉加工品は，味や食感はおいしいが，発色剤，保存料などの添加物の割合が高く，エネルギー・塩分も多いので摂り過ぎに注意が必要である．

伝統的和食を取り入れる

味覚を形成する時期である幼児期は，かつお節やいりこ・昆布・干ししいたけなどのだしの旨味を活かした伝統的和食を中心とした食事を基本とする．

また，生産したものを地域で食べること（地産地消）を行い，消費者と生産者がつながる関係をつくることが大切である．

図 5-12　だしとなる主な食材

旬の食材の活用する

日本には季節があり，特に旬の食材（第３章 3.3 参照）は，栄養価が高く，また価格も安い．子どもと一緒に，園庭や家庭でも，季節の野菜を植え，観察を行い，水をあげて育て，収穫，そして調理へとつなげることにより，命の大切さを学ぶ生きた食育活動になる．

発育・発達段階に合わせた食形態を工夫する

肉については，ひき肉や薄切り肉を使用して食べやすいようにする．食感がボソボソしやすいため，あんかけや子どもの好物のミートソース，ハンバーグ，カレーの肉の代わりに使用するなどの工夫をする．魚については，新鮮なものを選び，肉に代替して調理に用いるのもよい（図 5-13）．

図 5-13　食形態の工夫

気をつけたい食品

幼児期は，消化吸収機能が未熟であるため，油料理はできるだけ控えるようにし，刺し身などの生ものは鮮度の良いものを選択する．はちみつは，ボツリヌス症予防のため１歳を過ぎてから食べ始めるようにする（図 5-9）．また，窒息予防のため，ピーナッツなどのナッツ類は 3～4 歳までは与えないようにする．

「教育・保育施設等における事故防止及び事故発生時の対応のためのガイドライン（平成 28 年 3 月）」では，窒息を防ぐための安全な食べさせ方や食材の選択について表示している（表 5-17）．乳児期から幼児期にかけては，咀嚼・嚥下機能が未熟であるため，年齢に応じて細かく切ることや汁物と合わせて食べるなどの注意が必要である（第７章 7.3 参照）．

表 5-17　誤嚥・窒息につながりやすい食べ物の形状や性質

どんな食べ物でも誤嚥，窒息の可能性はあるが，特に誤嚥，窒息につながりやすい食材は以下のようなものである． ①弾力があるもの→こんにゃく，きのこ，練り製品など ②なめらかなもの→熟れた柿やメロン，豆類など ③球形のもの→プチトマト，乾いた豆類など ④粘着性が高いもの→餅，白玉団子，ごはんなど ⑤固いもの→かたまり肉，えび，いかなど ⑥唾液を吸うもの→パン，ゆで卵，さつまいもなど ⑦口の中でばらばらになりやすいもの→ブロッコリー，ひき肉など

（資料：「教育・保育施設等における事故防止及び事故発生時の対応のためのガイドライン（平成 28 年 3 月）」）

③お弁当を作る時のポイント

お弁当箱の選び方

大人のお弁当箱の大きさが 600mL ～ 1000mL 程度であるため，子どものお弁当箱は半分程度の 300mL ～ 400mL 程度を目安に選び，3～5 歳児になると，果物などのデザートは別の容器に入れ，子どもの成長や食欲および，食べ切れて達成感があじわえるように調整する．

図 5-14　お弁当の詰め方

主食・主菜・副菜のバランス

主食となるご飯・パン・いも類，主菜となる卵・肉・魚，副菜となる野菜類を**図 5-14** のように，3：1：2の割合になるように詰める．

調理時の注意

主菜・副菜が同じ味付けにならないようにするため，揚げ物・焼き物・和え物・煮物と調理の方法を工夫し，小分けカップを使用することで味が混ざらないようにする．また，お弁当箱を開けた時に，食欲が進む彩りにするために，5色（赤・黄・緑・白・黒）の色がそろうように食材を選ぶことで栄養バランスも良くなる．詰める時は，ご飯や形が崩れにくいものから詰め，すき間を作らず，料理が動かないようにする．

衛生上の注意

お弁当を作る前には，必ず手を洗い，おにぎりを握る場合は，ラップを使用し，詰める時は，はしまたは使い捨てのビニール手袋をつけて行う．お弁当に詰める食材には，必ず火を通し，前日に作っておいたものには，再加熱を行い，表面だけではなく，中心まで温まっていることを確認する．特に，卵・鶏肉料理には注意し，半熟では入れないようにする．生野菜はできるだけ避け，ミニトマトや果物を使用する場合も，ヘタを取りよく洗い，水気をきって入れる．ご飯は熱いうちに詰めるが，弁当のフタをご飯やおかずが熱いうちに閉めると，腐敗の原因となるため，冷ましてからフタを閉めるようにし，夏場は保冷剤を利用することも有効である．

遠足やその他の行事において，家庭からお弁当を持参してもらうこともあります．幼児期のお弁当づくりについて知っておくとよいですね．

2 幼児期の食事支援

(1) 食べる姿勢について

足の裏がきちんと地面についていることを確認し，テーブルの高さは，へそと胸の間になるように設定する．椅子の高さが高い場合は，踏み台・クッションなどで高さ調節を行う（図 5-15）．

図 5-15 食べる姿勢

(2) 年齢における食事動作の目安と食事支援

幼児期は，離乳食が完了し，徐々に大人と同じ味つけ・形態を食べられるようになる．食べたいものに手をのばして手づかみで食べることから始まり，スプーンやフォーク，はしなどの食具を使用して食事ができるようになる時期であるが，個人差が大きい．子どもが「自分で食べたい」という自発性を育てるためにも，子どもにとって食事が楽しい・おいしいものであるという認識を持つように進めることが重要となる．

①１歳前後

１歳前後では，おにぎりや野菜のスティックなど，手や指でつまんで食べられるものをメニューの中に入れたり，介助用スプーンを使用して，手づかみできないものは大人がスプーンで補助を行ったりする．スプーンで食材を口へ運ぶ動きに子どもが興味を持ち始めたら，介助用スプーンの下の部分を子どもが持ち，上の部分を大人が持つことで，スプーンを使用して食べるという動作が習得されていく．

・コップを両手で持って飲めるようになる．
・食べたいものに手をのばし，手づかみで食べる．
・前歯を使って，噛み切って食べる．
・スプーン・フォークを持ち始める．

口や舌の動きを
よく見ながら！
口の中に詰め
すぎないように
注意！！

②２歳前後

１歳の終わり頃から２歳にかけては，スプーンを上握りで持って食べられるようになるため，食べ物を一口量に切って準備しておくことで，スムーズに食事が進んでいく．手が止まる場合は，大人が介助用スプーンを口まで運び，下唇に介助用スプーンをのせ，子どもが口に取り込むのを待ち，飲み込むのを確認する．

・自分の席やコップ・茶碗がわかるようになる.
・スプーンを上握りで持って食べるようになる.

介助は先回りしないように気をつけ,
介助する場合も,「手伝おうか?」など
の声かけを行う!

上握りから，徐々に慣れていくと，下から握れるようになる．手首を返す動作ができるようになれば，食器の中のご飯やおかずをきれいに介助なしで食べられるようになる．

・スプーンを上握りから徐々に下から握れるようになり，手首を返す動作ができるようになり，はしへの関心が強まる.
・食材についての関心が出てくる.

左手はお皿を支え,食べこぼしも少なく
食べられるようになる.

③ 3 歳前後
下握りに慣れてきたら，鉛筆持ちができるようになり，その後，はしへの移行もスムーズになる．

・椅子に座って正しい姿勢で食べられる.
・スプーンを鉛筆握りで持てるようになり，はしを持とうとする.
・スプーン・フォーク・はしを持っていない手で食器を支えることができる.
・よく噛む習慣ができる.

スプーンにのせられるような大きさに切ることや，フォークで食べやすい長さにすることで，一口量の調整を行う.

④ 4 歳前後
・はしが上手に使えるようになる.
・苦手なものでも食べてみようとする.
・調理活動（混ぜる・こねるなど）が楽しめる.
・自分が食べられる量がわかるようになる.
・食事のお手伝いが進んでできる.

⑤ 5 歳前後
・食事でのルールやマナーが身につくようになる.
・野菜の栽培・成長，調理活動（子ども用包丁で切る）を楽しめるようになる

(3) スプーン・食器の選び方

介助用スプーンは，子どもが一緒に持てるように柄が長くできている．幼児用・乳児用スプーンは子どもの口の大きさに合わせた作りになっており，一口量の調節がしやすい（**表 5-18**）．

表 5-18　介助用・幼児用・乳児用スプーン（例）

離乳期介助用	唇が閉じやすく，食べ物を上唇で取り込みやい形状のスプーンを選択する．赤ちゃんの口の大きさに合わせたサイズで，浅いものがおすすめ．
離乳完了期（介助用）	手づかみ食べから自食の訓練時に右手でスプーンを握り，横から口に運びやすい形状．赤ちゃんの自分で食べられる喜び・楽しさをサポート．子どもの状況に合わせて選択する．左利き用もある．
0〜1（自食）歳用	離乳食から１歳児の自食に最適．子どもの小さな手になじみやすく適度な重さがあり，正しい位置で握りやすいように柄の形を工夫している．小さな口に合わせた細長い形状．
1〜2（自食）歳用	上からスプーンを握り，腕全体を使って食べる．持ち手が大きいものを選ぶことで力が入りやすく握りやすい．食事量や成長に合わせて幅広で深みが増したスプーンを選択する．
3 歳以上児用	人差し指，親指，中指の３本で下からスプーンを持つようになる．３本の指で持った際に力が入りやすいように握る部分が細いものを選択する，３本指のスプーンが持てるようになったらはしの練習を始めるのもよい．

また，**ユニバーサルデザイン**のスプーンやプレートを使用することで，子どもが「自分で食べることができた」という経験が増え，そのような経験を重ねていくことで，食事に対しての興味・関心が高まる（**図 5-16**）．

スプーンを選択する時は，スプーンに食べ物が残らないようにするため，すくう部分が浅く，大きすぎないもので，子どもにとって重たくないものを選ぶようにする．

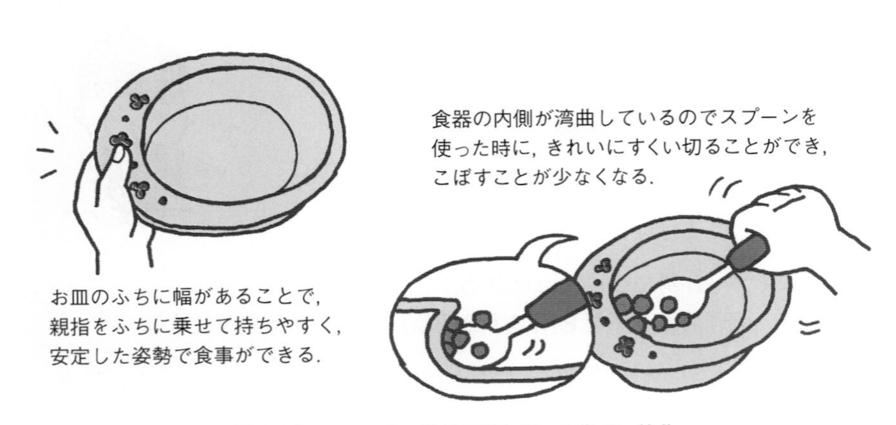

図 5-16　ユニバーサルデザインの食器（例）

(4) はしへの移行

2歳後半頃からスプーンが鉛筆握りできるようになり，親指，人差し指，中指ではしを支え，動かせるようになった時を目安とする（図5-17）.

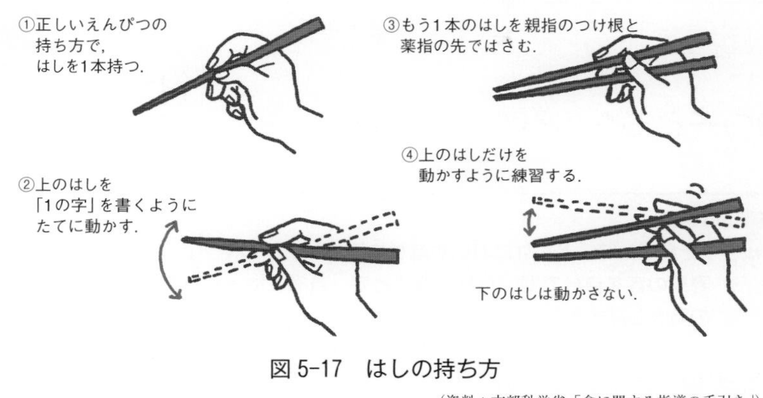

図5-17 はしの持ち方

（資料：文部科学省「食に関する指導の手引き」）

3 幼児期の食生活上の問題と支援

幼児期は，食べさせてもらう時期から自分で食べる時期となり，味覚が発達すると同時に，食事マナーを身につけていく時期でもあるため，この時期の母親や父親，保育者の支援や声かけの方法が学童期の子どもの姿にもつながる.

①遊び食べ

平成27年度乳幼児栄養調査では，現在の子どもの食事について困っている問題として，2～3歳児を中心に「遊び食べをする」ことがあげられている.

生後9か月前後から手づかみ食べが始まり，自分でスプーンを持って食べていく過程で，「食べ物をさわってみたい」，「食べてみたい」という食材や食器などへの好奇心や，自分で食べようとする意欲が高まっている．汚れるから介助するのではなく，見守ることも必要である．4歳前後からは，少しずつおさまっていく.

②食べるのに時間がかかる

3歳以上では，「食べるのに時間がかかる」という問題があげられている．間食の量が多いことや，お腹が減っていないことが原因として考えられるため，食事に集中できるように，間食量や運動量の調整を行うことでお腹がすくリズムが徐々にできるようになってくる.

また，ダラダラと食べさせるのではなく，15分～20分と時間を決めて行うようにする．時計の針が読めない子どもに対しては，時計にシールなどでしるしをつけて，子どもに対して「この長い針が3のここまでくるまでに食べようね」などの声かけを行う.

③偏食する

２歳前後から食べ物の好き嫌いがはっきりと出始め，この好き嫌いには，親や保育者，友達の影響も加わる．そのため，嫌いなものを食べるように促すより，親や保育者がおいしそうに食べている姿を見せることや励ますような声かけを行うことのほうが有効とされる．

4 食事の時の子どもへの声かけ支援例

●早食いの子どもに対して

（声かけ）「きゅうりを食べた時，どんなにおいや音がするかな？」

→ 野菜の音を自分で聞いたりすることで，自然とゆっくり食べるようになり，野菜に対しての興味も高まる．

●口にため，飲み込まない子どもに対して

（声かけ）「かみかみして，お茶を飲む時みたいにごっくんしようね．」

→ 肉や繊維がある野菜は，飲み込むタイミングがわからなくなってしまうことがあるため，唇を閉じ，飲み込むタイミングを声かけして促してあげる．

●口いっぱいに食べ物を入れてしまう子どもに対して

（声かけ）「かみかみ，ごっくんしたら，次食べようね．」

→ 食材を１口大にカットし，食べるタイミングを声かけする．

●食事が進まない子どもに対して

（声かけ○）「温かいうちに食べたらおいしいよ．」

（声かけ×）「早く，食べなさい！」

●苦手なものを少し食べた子どもに対して

（声かけ○）「すごいねぇ～！食べられるようになって，先生（お母さん），うれしい．」

（声かけ×）「あと少しだから，早く，全部，食べなさい！」

●食材に興味が出始めた 2～3 歳児に対して

（声かけ）「今日の昼ごはんは，お肉かな？お魚かな？何かな？」

→ ご飯がワクワクするような声かけ．

「今日のおかずの中にはどんなお肉や野菜何が入っているかな？」

→ 食材に関心を持つような声かけ．

●行儀が悪い子どもに対して

（声かけ○）「足・肘をたてて食べるのはどうかな？」

→ 子どもに少し考えてもらう．

（声かけ×）「こらっ！肘ついたらダメ！行儀が悪い！！」

→ 感情的に怒る．

Q 幼児期の発育・発達に合わせた食支援について理解できましたか？

5.4　学童期・思春期

1 学童期・思春期の心身の特徴と食生活

6 歳から小学校に通う 11 歳までを**学童期**，11 歳から 15 歳頃までを**思春期**という．乳児期に次いで成長発達が著しく，体の発達速度は**第二発育急進期**[*1] をむかえピークに達し，思春期に入ると**第二次性徴**[*2] が出現する（**図 5-18**）．急速な発育と活動に応じた各栄養素の需要が高く，人生で最も栄養必要量が多くなる時期であることから，食生活のあり方に気をつけるとともに望ましい生活習慣の確立が求められる．

図 5-18　第二次性徴の身体的変化

（資料：齋藤麗子，徳野裕子，布施晴美「イラスト女性と健康」，東京教学社，2017）

＊1　第二発育急進期
学童期後半から著しく発育する時期を示す．

＊2　第二次性徴
女子では 11 歳～ 14 歳頃に初潮，乳房の発達，脂肪の蓄積が始まり，男子では 12 歳～ 15 歳頃から筋肉質となり，生殖ホルモンの分泌が盛んになる．

＊3　第一発育急進期
胎児期から幼児期前半までの急激な発育する時期を示す．

学童期・思春期の身体的特徴

身長，体重の発育は，乳児期は急激な発育を示す**第一発育急進期**[*3] に対し，学童期前半（小学 3～4 年生頃まで）は，幼児期に引き続き穏やかな発育であるが，学童期後半（小学 5～6 年生頃まで）に向けて発育量が急増する．男女間の発育の差は女子が男子より 2 歳ほど早く第二発育急進期を迎え，その後男子は追い抜くように発育量が急増する（**図 5-19**）．

区分		身長（cm）		体重（kg）	
		男	女	男	女
幼稚園	5歳	110.4	109.4	18.9	18.5
小学生	6歳	116.5	115.5	21.3	20.8
	7歳	122.5	121.5	23.9	23.4
	8歳	128.1	127.3	26.9	26.4
	9歳	133.5	133.4	30.4	29.7
	10歳	138.9	140.1	34.0	33.9
	11歳	145.2	146.7	38.2	38.8
中学生	12歳	152.6	151.8	43.9	43.6
	13歳	159.8	154.9	48.8	47.3
	14歳	165.1	159.5	53.9	49.9
高校生	15歳	168.3	157.1	59.0	51.5
	16歳	169.8	157.6	60.6	52.6
	17歳	170.7	157.9	62.5	53.0

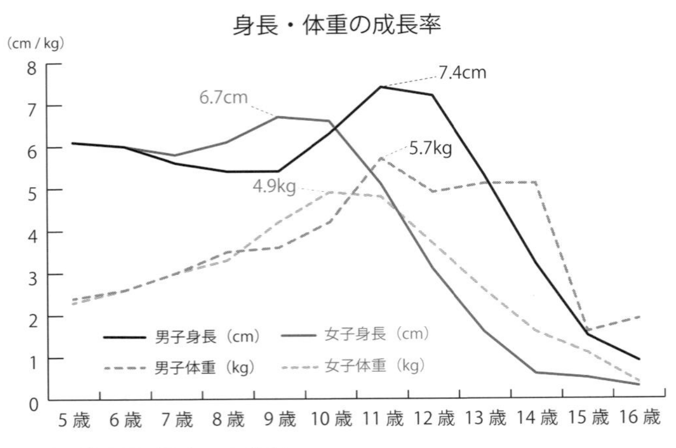

図5-19　年齢別身長と体重の平均値

（資料：文部科学省「平成27年度学校保健統計調査」より作成）

2 学童期・思春期の栄養上の問題と健康への対応

この時期は，子どもから大人へと移り変わる時期で，食行動や食習慣が確立されていくなかで，朝食の欠食や偏った食事，インスタント食品の摂取が多くみられる．るい痩願望（スタイル）を気にしての過酷なダイエットなどによる，栄養の偏りが目立つことから，貧血（鉄欠乏性貧血），脚気（ビタミン B_1 欠乏症），無月経（ホルモンバランスの乱れ），精神不安定などの障害が起こりやすい．

また食事の量や回数を減らしたり，まとめ食い，過食などによる肥満も増加していることから，自己意識で規則正しい食習慣を身につけることができるように**自己管理能力**を習得させることが必要である．

(1) 栄養摂取の問題

①貧　血

6歳～9歳の成長は緩やかであるが，10歳頃から筋肉や血液量，赤血球が急激に増加するため，多くの鉄の需要が高まってくる．欠食や偏食などが原因で鉄の摂取量が不足することで**貧血**[*1]に陥り，正常な発育の妨げになる．特に初潮を迎えた女子は貧血になりやすく，慢性化すると母性機能に悪影響を及ぼすことがある．

思春期は飛躍的に体が発達する時期で，血液の需要が増大する．また血液中の鉄不足から起こる**思春期貧血**が多くみられる．十分なエネルギーとたんぱく質や鉄をしっかり摂ることが貧血予防につながる．

＊1　貧血の原因
- 月経血による鉄の喪失
- 間違ったダイエットで減食，節食によるエネルギー摂取の不足
- 偏食による動物性たんぱく質の摂取不足や鉄の吸収不全

月経で失う血液中の鉄は，血液100mL中40～50mgともいわれていて，10mL出血すると5mgの鉄が失われ，これは通常の1日分の食事から吸収される鉄の5日分に相当します．そのため，特に女性では鉄を多く含む食品を毎日組み合わせて摂取する必要があります．

②肥　満

学童期の**肥満**は，主に偏食と運動不足が原因で増加傾向にあり，特に摂取エネルギーと消費エネルギーのバランスが悪く，単純性の肥満が多くみられる．肥満は生活習慣病の原因になるほか，運動機能の未発達により脳の正常な発育が阻害されやすい．また，自分の姿に強いコンプレックスを抱かせるので，精神面の発達にも悪影響を及ぼす．

思春期を過ぎる頃は，**脂肪細胞数増加型**[*2]と**脂肪細胞肥大型**[*3]の肥満が重なり，重度の肥満になることがある．この時期の肥満は成人期につながりやすく，心疾患や糖尿病などの生活習慣病を誘発する可能性が高くなるので適正な食事と運動が必要である．

＊2　脂肪細胞数増加型
脂肪細胞数の増加による肥満のこと

＊3　脂肪細胞肥大型
脂肪細胞の数自体は正常であるが，細胞の大きさが大きくなった肥満のこと

③思春期の拒食症

適正体重を20%以上下回っているやせでも，健康に発育している場合は特に問題はないが，極度に食べないことが原因で，思春期に急激に体重が減った場合は，拒食症の疑いがある．症状としては月経が止まる，便秘になる，肌が青白くなる，体毛が産毛のように細くなる，肝機能障害が起こるなどの症状があるほか，体重が30kg以下になることもある．重度の拒食症は，重篤になる場合もあるので早い段階で医師の治療を受ける必要がある．

(2) 食事摂取の問題

①朝食の欠食

近年，夫婦の共働きなど，家族が一緒に食事をする機会が少なくなってきている．また，夕食が遅い家庭では，**朝食の欠食**がみられる．学童期の成長は著しいことから栄養素が不足しないように家族で一緒に食事をとる機会をつくることが大切である．

②間　食

間食は，1日の栄養量を充足させるための栄養補給だけでなく，子どもの楽しみや期待，また親や家族，友達とのふれあいの場となる．厚生労働省で提案されている食事バランスガイドにおいても，間食の重要性は認められており，「楽しく適度に」と，量と内容次第では健康管理に役立つとされている．しかし，間食の時間，質や量が不適切であれば生活習慣病をまねく要因になるため，計画的に進めていく必要がある．

③偏食（好き嫌い）

偏食は幼児期に形成されることが多い．偏食を矯正するには，根気と時間が必要であり，また無理な矯正は逆効果になることもあるため，無理に強要しない，調理方法を工夫する，食べたらほめるといったことを根気強く行うことが大切である．

④孤　食

家族それぞれの生活スタイルが変容してきており，まちまちの時間に1人で食事をとる子どもが増えてきた．1人食べを**孤食**という．

最近の子どもの食生活をみるとき，**図 5-20** のようないくつもの「こ」食がみられる．孤食は家庭生活や家族関係の一面を表しており，生活リズムや睡眠など基本的な生活習慣などとも大きく関わっている．「こ」食をできるだけ減らせるように支援する必要がある．

図 5-20　さまざまな「こ」食

3 学校給食

(1) 学校給食の目的と目標

学校給食は，戦後，困難な食糧事情の下で，主として経済的困窮と食糧不足から，児童生徒を救済するための措置として実施された．現在は学校教育活動の一環として実施されており，1954（昭和29）年に小学校を対象に，1956（昭和 31）年には中学校も対象に含めた**学校給食法**が制定された．

> 学校給食の目的（学校給食法　第１条）
>
> 「学校給食が児童及び生徒の心身の健全な発達に資するものであり，かつ，児童及び生徒の食に関する正しい理解と適切な判断力を養う上で重要な役割を果たすものであることにかんがみ，学校給食及び学校給食を活用した食に関する指導の実施に関し必要な事項を定め，もつて学校給食の普及充実及び学校における食育の推進を図ることを目的とする」

学校給食の目標（学校給食法　第2条）

- 適切な栄養の摂取による健康の保持増進を図ること.
- 日常生活における食事について正しい理解を深め，健全な食生活を営むことができる判断力を培い，及び望ましい食習慣を養うこと.
- 学校生活を豊かにし，明るい社交性及び協同の精神を養うこと.
- 食生活が自然の恩恵の上に成り立つものであることについての理解を深め，生命及び自然を尊重する精神並びに環境の保全に寄与する態度を養うこと.
- 食生活が食にかかわる人々の様々な活動に支えられていることについての理解を深め，勤労を重んずる態度を養うこと.
- 我が国や各地域の優れた伝統的な食文化についての理解を深めること.
- 食料の生産，流通及び消費について，正しい理解に導くこと.

(2) 学校給食での食に関する指導の目標

学校給食を生きた教材として活用した食育の推進として文部科学省は，「食に関する指導の目標」を設定している（図 5-21）

「食事の重要性」
食事の重要性，食事の喜び，楽しさを理解する.

「心身の健康」
心身の成長や健康の保持増進の上で望ましい栄養や食事のとり方を理解し，自ら管理していく能力を身に付ける.

「食品を選択する能力」
正しい知識・情報に基づいて，食物の品質及び安全性等について自ら判断できる能力を身に付ける.

「感謝の心」
食物を大事にし，食物の生産等にかかわる人々へ感謝する心をもつ.

「社会性」
食事のマナーや食事を通じた人間関係形成能力を身に付ける.

「食文化」
各地域の産物，食文化や食にかかわる歴史等を理解し，尊重する心をもつ.

（文部科学省「食に関する指導の手引第2次改訂版」平成31年3月）

図 5-21　食に関する指導の目標

(3) 衛生管理

1996（平成8）年7月13日，大阪府堺市で学校給食による学童のO-157集団感染が発生し，社会的に大きな影響を与えた．患者数9,000名以上（2次感染含む），死者3名（児童）であった．疫学調査により原因食材として，かいわれ大根が疑われたが，最終的に汚染源は特定されていない.

この大規模食中毒事故発生をきっかけに，集団給食施設などにおける食中毒を予防するために，HACCP*1 の概念に基づき，調理過程における重要管理事項をまとめたマニュアルが厚生省（現厚生労働省）より通知された（「大量調理施設衛生管理マニュアル」施行）.

＊1 HACCP
食品を製造する際に，工程上の危害を起こす要因を分析（Hazard Analysis）し，それを最も効率よく管理できる部分（Critical Control Point；重要管理点）を連続的に管理して安全を確保する工程管理システム.
1993年に国連食糧農業機関（FAO）と世界保健機構（WHO）の合同機関である，食品規格（Codex）委員会から発表され，食品の安全性をより高めるシステムとして国際的に推奨されている.

Q　学童期の特性と学校給食の役割について理解できましたか？

5.5　生涯発達と食生活

1 生涯発達

人間が生まれてから死ぬまで，生涯を通して発達・変化していくことを**生涯発達**という．誕生から死に至るまでのライフサイクルは乳児期，幼児期，児童期，学童期，思春期・青年期，成人期，壮年期，老年期と発達段階的に区分され，各期の発達段階の中で特有の成長（発達）と喪失（衰退）がおこなわれながら生涯を通して発達していく．

2 成人期の生活と食生活

(1) 成人期の身体・精神的特徴

思春期を過ぎた18歳頃から高齢期の前段階である64歳までを**成人期**という．一般に青年期，壮年期，中年期または実年期の3期に区分される（**表5-19**）．成人期は**生活習慣病**である肥満，糖尿病，高血圧などが多発する時期である．

表5-19　成人期の身体・精神的特徴

区分	特徴
青年期 (18歳～29歳)	身体的成長はほぼ完成している．精神的成長は自立への第一歩を歩みだす時期である．
壮年期 (30歳～49歳)	身体的にも精神的にも充実し，社会では中心的役割を担うことができる．一方，すべての臓器は衰退していく．40歳を過ぎると体力や筋力の低下，疲労の蓄積がみられる．生活習慣病の発症も多くなる．女性は個人差があるものの40歳半ばより更年期が始まる．
中年期または実年期 (50歳～64歳)	中年期は初老期ともいう．身体的に体力は衰え，筋肉や臓器諸器官の機能も衰えが始まる．

①肥満予防

摂取エネルギーが消費エネルギーを上回るために起こる肥満を**単純性肥満**（内臓脂肪蓄積）といい，肥満全体の約95%といわれている．内臓脂肪の蓄積はメタボリックシンドロームに進みやすく，動脈硬化を引き起こすので注意が必要である．食生活や運動習慣など，肥満になりやすい生活習慣を見直すことで，単純性肥満は予防できると考えられる．

②糖尿病予防

糖尿病は発症要因から大きく１型，２型に分けられ糖尿病患者の約95％が**２型糖尿病**である．「ストレス」，「肥満」，「運動不足」，「暴飲暴食」などのライフスタイルのみだれが主な原因といわれており，生活習慣病の１つである．

糖尿病治療の基本は食事療法で，適正なエネルギーとバランスのとれた栄養摂取は，糖尿病でない人も糖尿病の効果的な予防法となる．食事療法をはじめる際に医師から渡される**食事指示票**[*1]にしたがって１日の総エネルギーをきちんと守った，バランスのとれた食生活をおくることが望ましい．

＊1　食事指示票
糖尿病患者が１日３食の食事を，食品交換表を用いて「どの表」から食品を，「何単位」とればよいのかがわかるように，医師の指示が記載されている票である．

③高血圧予防

高血圧は，正常値である最高血圧130mmHg未満，最低血圧85mmHg未満に対し，常に最高血圧140mmHg以上，あるいは最低血圧90mmHg以上である状態と定義している．高血圧を放置すると動脈が硬化し血管がもろくなり，心疾患や脳血管疾患を引き起こす可能性があるため，食事療法が必要である．高血圧予防は塩分の摂取量に注意する．現在，食事摂取基準における１日に望ましい食塩摂取の目標量は男性7.5g，女性6.5g未満である．

(2) 成人期の食生活

成人期の生活習慣病は，健康長寿の最大の阻害要因となるだけでなく，国民医療費にも大きな影響を与えているといわれている．その多くは，不健全な生活の積み重ねによる内臓脂肪型肥満，高血圧症，動脈硬化，糖尿病，骨粗鬆症などの**慢性疾患**である．これは個人が日常生活の中での適度な運動，バランスのとれた食生活，禁煙などを実践することによって予防することができる．

①食生活指針と食事バランスガイドの実践

慢性疾患などの対策として2000（平成12）年３月に**食生活指針**[*2]が表明された（巻末資料４参照）．食事バランスガイド[*3]は，食生活指針をより具体的な行動に結びつけるための，何をどれぐらい食べたらよいのかを示す視覚的ツールとして，2005（平成17年）に公表された．

②健康日本21（栄養，運動，休養，たばこ，アルコール）の実践

健康日本21[*4]は，2000（平成12）年度～2012（平成24）年度までは「健康日本21（21世紀における国民健康づくり運動）」が行われ，2013（平成25）年～2022（令和4）年までは「健康日本21（第２次）（21世紀における第二次国民健康づくり運動）」が行われた．また，2024年（令和6）年～2035（令和17）年には「健康日本21（第３次）（21世紀における第三次国民健康づくり運動）」が推進されている．

＊2　食生活指針
文部省，厚生省（現厚生労働省）および農林水産省が連携して策定．食生活に関する幅広い分野での動きを踏まえて，2016（平成28）年６月に改定している．

＊3　食事バランスガイド
厚生労働省，農林水産省合同で作成された．

＊4　健康日本21
国民の高齢化の進展に伴い，疾病の治療や介護に係る社会的負担が過大となることが予想されることから，健康を増進するため，疾病の発病を予防する１次予防に重点を置いた対策である．
・１次予防：健康増進・発病予防
・２次予防：病気の早期発見・早期治療

3 高齢期の生活と食生活

日本人の平均寿命は，厚生労働省が発表した「令和元年簡易生命表の概況」によれば，男性 81.41 歳，女性 87.45 歳で男女差は，6.03 年である（**図 5-22**）．日本は世界トップクラスの長寿国である（**表 5-20**）．しかし長生きしても病気や不調と闘う期間が長くなれば，**QOL（Quality of Life：生活の質）**は大きく損なわれることから，WHO（世界保健機関）が 2000 年に「健康寿命」という概念を提唱したことに続き，厚生労働省も健康寿命を「健康上の問題で日常生活が制限されることなく生活できる期間」と定義づけ，平均寿命と健康寿命の差をできるだけ小さくすることを目標に掲げている．

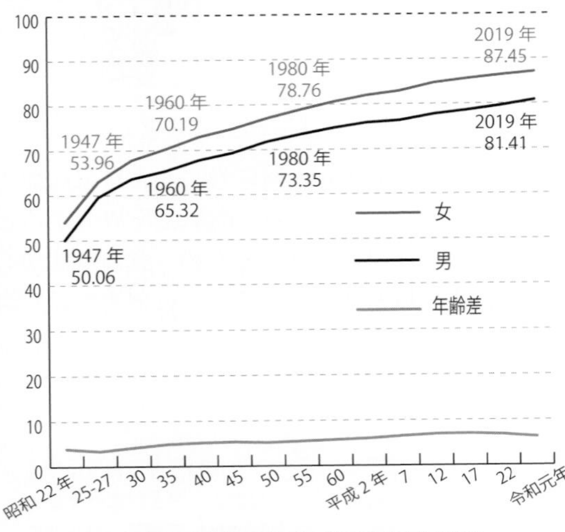

図 5-22　日本の男女別平均寿命推移

表 5-20　先進国の男女別平均寿命の比較

	男（歳）	女（歳）	作成期間（年）
日本	81.41	87.45	2019
アイスランド	81.0	84.1	2018
スウェーデン	81.34	84.73	2019
スイス	81.7	85.4	2018
イギリス	79.25	82.93	2016-2018
フランス	79.7	85.6	2019
ドイツ	78.48	83.27	2016-2018
アメリカ合衆国	76.1	81.1	2017

（資料：厚生労働省「平均寿命の国際比較」より作成）

高齢期の身体・精神的特徴

国連では 60 歳以上，世界保健機関（WHO）では **65 歳以上を高齢者**[*1] という．

◆ 前期高齢者（65 ～ 74 歳）
まだ社会的に活躍できる時期である．特徴は特に身体面にあらわれることが多く，白髪が増える，腰が曲がる，筋力や持久力が落ちる，骨や関節など何らかの問題が生じる，聴力・視力が落ちる，免疫や抵抗力が低下し病気にかかりやすくなる．

◆ 後期高齢者（75 歳以上）
老化が進み適応力が減退していく時期で前期高齢期に起こる変化に加えて，生理的な機能の低下があげられる．骨量が減ることによる骨粗鬆症，骨折により骨が潰れる脊椎圧迫骨折，腎機能の濃縮力の低下による頻尿があげられる．

＊1　日本の保険制度では
前期高齢者は 64 歳までのときと変わらずに国民健康保険による給付を受けることができる．
75 歳以上の後期高齢者は，75 歳の誕生日を迎えると，それまで加入していた国民健康保険や会社の保険の資格は喪失し，後期高齢者医療制度に加入することになる．
84 歳以降の高齢者を末期高齢者という．

食生活では，食べすぎ，運動不足，飲酒過多などによる生活習慣病，メタボリックシンドローム（内臓脂肪症候群）にならないように，栄養摂取と適度な運動をすることが望まれる．

精神的変化では，心理的な変化をおこす特質がある．老年期に入り，定年退職，配偶者の死，身体面の老化といった社会的，心理的，肉体上の喪失体験からうつ状態になることが多い．精神症状としては，抑うつ，せん妄，不眠症，さらには認知症を伴う疾患もみられる．

加齢による心身の変化

加齢によって，関節，筋肉，骨などが弱り，身体的機能が低下する．また，個人差が大きくなる．また，病気になりやすくなる一方で，病気の症状が現れにくくなり，病気の発見が難しくなる．

また，**せん妄**がみられ，会話の中で，ちぐはぐな事を言い出したり，記憶力，計算力，判断力などの知的能力が低下したりする．短時間の間に急性に発症することが多く，その間の記憶を失うなど，記憶が不正確であるなどの症状が現れる．**認知症**もみられ，物忘れがひどくなり，また同じことを何度も言ったり聞いたりするようになる．さらに，時間や日付が不確かになり，以前はあった興味や関心が失われるなどの症状が現れる．

高齢期の食生活

加齢につれて身体にさまざまな変化が生じ，食事がうまくとれなくなるなどによって低栄養をまねき，食生活にも影響を及ぼす．身体の変化を正しく理解して，身体の状態に合わせた食の提供が望まれる．

高齢者の好みや食習慣は長年にわたり形成されたもので，簡単に変えることはできない．食欲が落ちたり食べる量が減ったりしている時には，少しでもおいしく食べられるように，食べ慣れた食材，調理方法，好みの味付けにして，低栄養にならないように気をつける．ただし，糖尿病や高血圧などで食事制限をしている場合は，医師の指示に従う．

COLUMN

メタボリックシンドローム

メタボリックシンドロームとは，内臓脂肪型肥満に加え，①脂質異常，②高血糖，③血圧高値のうち，2つ以上を併せもった状態をいいます．それぞれの危険因子がまだ病気でない軽い状態であっても，それらが重なることで，命に関わる虚血性心疾患（主に心筋梗塞）や脳血管疾患（主に脳梗塞）を引き起こすリスクが高くなります．

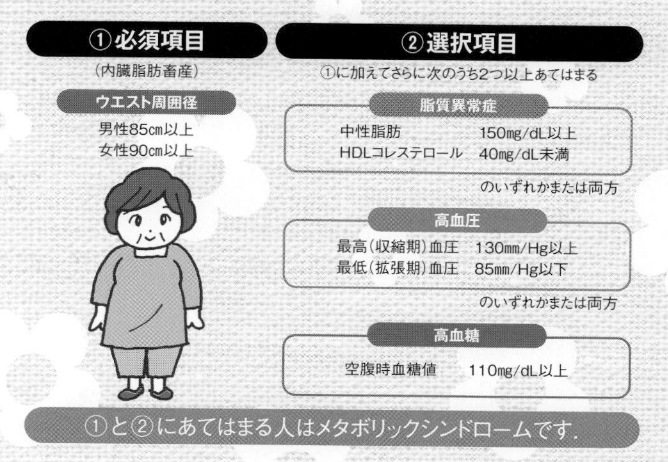

Q 成人期や高齢期の食生活について理解することができましたか？

本章では，各ライフステージにおける栄養と食生活について学びました．子どもの発育・発達状況に応じて配慮すべき点は変化していきますが，少しずつ登る階段のように毎日の食事が１人ひとりの身体や精神の基礎になっているように思います．「3つ子の魂百まで」といいますが，子どもの頃の食習慣や味覚・嗜好の形成というのは，幼い時期から記憶として培われています．これらが，毎日のそして子どもの将来の食品選択や健康状態に関わることは想像できます．保育園や幼稚園などの施設で提供している給食は，これらの視点を大事にしながら栄養士が提供するとともに，保育士が互いに連携しながら食育活動にも取り組む必要があります．

第6章 食育の基本と内容

この章で学んでほしいこと！

幼少期の食習慣は，子どもの健全な発達や将来の健康に影響を及ぼすとされています．そのため，保育者は，保育の一環として「食育」を推進していくことが求められます．

この章では，保育者として，子どもが食に関する体験を積み重ねることができる環境づくりのための，食育の基本と内容について学びます．また，食育計画を作成するための知識とスキルの修得をめざします．

この章で学ぶこと	この章での到達目標
食育における養護と教育の一体性	食育における，養護的側面と教育的側面について理解できた
食育の計画および評価	食育の計画から評価までの流れを理解できた
食育のための物的・人的・自然環境の活用	食育のために物的･人的･自然環境を活用することの重要性が理解できた
食を通した保護者への食育支援	保護者への食育支援について理解できた

MEMO

さつまいも掘り

さつまいもの収穫は1年を通じた食育活動として，芋づる植えから畑の観察，秋のいも掘り遠足，その後の「収穫祭」では園庭で焼きいもを焼いて食べるなど食べ物への感謝を育てます．このような体験を通じて自然と親しむことを学んだり，「おいしいね」「大きいね」などの自分の気持ちを表現するなどの心の育ちにも展開していきます．食育計画ではさらに，さつまいもが出てくる絵本や紙芝居，歌，手遊び，図鑑を読んだり，1人ひとりが主体的に楽しく活動に参加できたりするような環境構成を取り入れます．

6.1　食育における養護と教育の一体性

1 食育とは

我が国では，2005（平成17）年に**食育基本法**が制定された．食育基本法では，食育を『生きる上での基本であって，知育，徳育及び体育の基礎となるべきものと位置づけるとともに，さまざまな経験を通じて「食」に関する知識と「食」を選択する力を習得し，健全な食生活を実践することができる人間を育てること』としている．

食育の起源は明治時代まで遡るといわれているわ．昔から大切にされてきたものなのね！

食育に関しては，保育所保育指針などの各施設・教育機関の指針や要領の中でも推進していくよう明記されている．このことからも，子どもが発育・発達していく過程において，食育が重要であることがわかる．

食育の推進

①食育基本法

国民が生涯にわたって健全な心身を培い，豊かな人間性をはぐくむことを目的として，2005（平成17）年に制定された．

②食育推進基本計画

食育基本法に基づき食育を推進するための基本方針を定めた**食育推進基本計画**が2006（平成18）年に策定され，以降5年ごとに見直しがなされている．食育推進基本計画では，具体的な施策として7つの事項が定められており，その1つに**学校・保育所等における食育の推進**がある．（**図6-1**）．

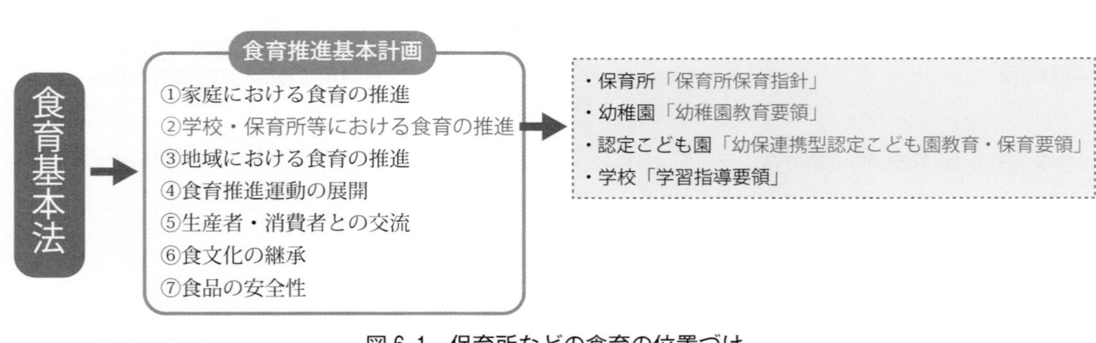

図6-1　保育所などの食育の位置づけ

③食育白書

食育白書とは，「食育の推進に関して講じた施策に関する報告書」であり，政府が毎年公表しているものである．食育推進基本計画に基づいて，その年度に講じられた食育推進施策が具体的に解説されている．食育白書が公表されたら目を通し，各施設の食育推進の参考にしてもらいたい．

食育推進の背景には，小児肥満の増加や生活習慣病の若年化などの食と健康に関する問題があるんだって！

2 食育における養護と教育の一体性

(1) 養護と教育の一体性とは

保育所保育指針では，保育所の特性として，**養護**および**教育**を一体的に行うことが明記されている．保育所における養護とは「子どもの**生命の保持**及び**情緒の安定**を図るために保育士等が行う援助や関わり」である．また，教育とは「子どもが健やかに成長し，その活動がより豊かに展開されるための発達の援助」であり，**健康・人間関係・環境・言葉・表現**の５領域から成る．(**図 6-2**)．

養護と教育を一体的に行うということは，保育者が子どもを主体として受けとめ，その生命を守り，情緒の安定を図るとともに，子どもが自発的に活動し，さまざまな経験を積み重ねられるように援助することである．したがって，保育者には，養護と教育が切り離せるものではないことを理解した上で保育を行うことが求められている．

◇子どもの生活やあそびを通して◇

相互に関連させ
総合的に保育を
行います。

養　護
（生命の保持・
情緒の安定）

＋

教　育
（健康、人間関係、
環境、言葉、表現）

図 6-2　養護と教育の一体性

(2) 食育における養護と教育の一体性

保育所における食育においても，養護と教育が切り離せるものではないことを保育者は十分に理解し，養護と教育の一体性を重視して，子どもが生涯にわたって健康でいきいきとした生活を送る基礎となる**食を営む力**を培うことができるように援助していくことが重要である．

食育における養護的側面および教育的側面の詳細を以下に示す．

①食育の養護的側面～生命の保持

生命の保持のためには食事が必要不可欠である．乳幼児期は身体の発育が盛んであるため，この時期の栄養状態の良否が子どもの成長に大きな影響を及ぼす．エネルギーの摂り過ぎや運動不足は小児肥満につながり，長期にわたる栄養不良は低身長や低体重などの原因となる．適正なエネルギーや栄養素を摂取できるように食事を食べさせることが，子どもの生命を保持し，健康を保つことにつながる．

②食育の養護的側面〜情緒の安定

子どもの情緒の安定のためにも，食事は重要である．子どもは，欠食などで栄養が不足すると，情緒が安定せず，イライラしたり，物事に集中することができなかったり，活動への意欲が衰えたりする．

そこで保育者は，

・清潔で心地よく，安心して食事を食べることができる環境づくり

・「お腹が空いたかな」や「おいしいね」などの言葉がけや応答など

子どもの生理的欲求を満たし，情緒の安定を図ることができるよう，きめ細やかな対応が必要となる．

③食育の教育的側面〜健康

健康で安全な生活に必要な習慣や態度には，

・食事前の手洗い・うがい，食後のはみがきをする

・好き嫌いせず，なんでも食べる

などがあげられる．これらの大切さを保育者が丁寧に子どもに伝えることで，子どもは，それらが自らの健康を守るために重要であることに気づくことができる．また，子どもが苦手な食材を食べられるように声掛けをしたり，頑張りを認めたりすることも大切である．

④食育の教育的側面〜人間関係・環境

適切な食環境を整備することで豊かな人間関係を築いていくことができる．例えば，

・ランチルームの活用（なければ机を食卓のようにする）

・担任以外の保育者，栄養士や調理員，異年齢の子どもとのふれあいの場を提供する

などである．食環境を整備することで，「これからごはんを食べるんだ！」という気持ちに切り替わり，楽しく食事ができる環境では，良好な人間関係を築きやすい．

さらに，調理室の前やランチルームなどに食育教材のパネルや当日の給食などを展示することによって，子どもと調理室とのつながりを深め，子どもの食事に対する興味や関心を引き出すことにつながる．

⑤食育の教育的側面〜言葉・表現

食事は，「いただきます」から始まり，「ごちそうさま」という挨拶で終わる．「いただきます」には，ただ「食べます」という意味だけではなく，さまざまな動物や植物の「命をいただきます」という意味が込められている．また，「ごちそうさま」には，食べ物を育てる人や収穫する人，運搬する人，料理を作る人などに対する「ありがとう」の気持ちが込められている．

保育者は，これらの言葉に込められた意味を伝えることが大切である．そうすることで，子どもは食事のたびに，感謝の気持ちをこめて「いただきます」と「ごちそうさま」を表現することができるようになる．また食事中には，他の子どもとの関わりのなかで言葉を交わし，感じたことを自分なりに表現するようになる．そして，食べることを楽しみ合い，豊かな食経験を重ねていくことができる．

6.2　食育の内容と計画および評価

1 食育の目標

保育所における具体的な食育の目標については，「楽しく食べる子どもに～保育所における食育に関する指針～（食育指針）」に示されており，**図 6-3** に示す 5 つの子ども像の実現をめざして食育を行うこととされている．

乳幼児期の食育では，食を営む力は生涯にわたって育成される力であることをふまえ，その基礎として小学校への就学前までに，これら 5 つの子ども像を育成しておくことが期待されている．

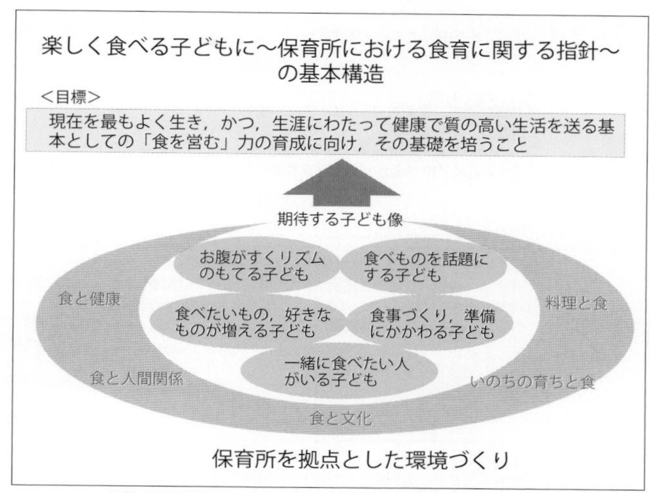

資料：厚生労働省「楽しく食べる子どもに～保育所における食育に関する指針～」より作成

図 6-3　保育所における食育の目標（保育所を拠点とした環境づくり）

2 食育のねらいおよび内容

(1) 食育のねらい

保育所における具体的な食育のねらいは，食育指針の目標を具体化したものであり，「食を営む力の基礎を培う観点」の 5 項目から成る（**図 6-4**）．そして，それぞれの項目ごとに，子どもが身につけることが望まれる心情・意欲・態度の 3 つが示されている．

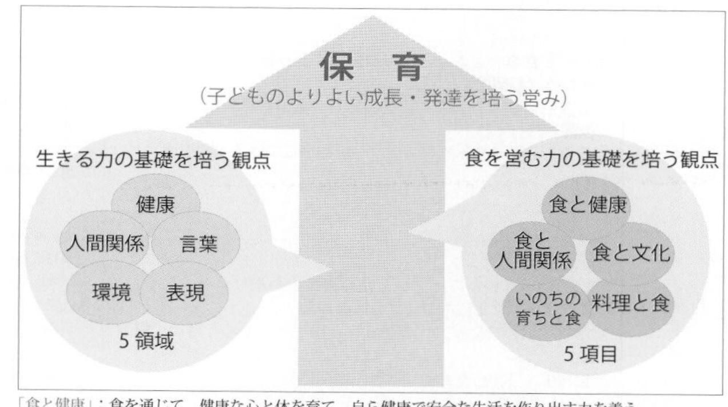

「食と健康」：食を通じて，健康な心と体を育て，自ら健康で安全な生活を作り出す力を養う
「食と人間関係」：食を通じて，他の人々と親しみ支えあうために，自立心を育て，人とかかわる力を養う
「食と文化」：食を通じて，人々が築き，継承してきた様々な文化を理解し，作り出す力を養う
「いのちの育ちと食」：食を通じて，自らも含めたすべてのいのちを大切にする力を養う
「料理と食」：食を通じて，素材に目を向け，素材にかかわり，素材を調理することに関心を持つ力を養う

資料：保育所における食育計画研究会「保育所における食育の計画づくりガイド」，児童育成協会児童給食事業部，2008 をもとに作成

図 6-4　食育の内容「5 つのねらい」

(2) 食育の内容

食育の内容には，食育のねらいの 5 項目が達成できるように，保育者が援助する事項が具体的に示されている．なお，3 歳未満児では，その発達特性から食育のねらいの 5 項目を明確に区分することが困難であるため，食育の内容は，5 項目に配慮しながら一括して示されている（**表 6-1**）．

表 6-1　食育のねらいおよび内容

月・年齢	ねらい	内容
6か月未満児	①お腹がすき，乳（母乳・ミルク）を飲みたい時，飲みたいだけゆったりと飲む（**心情面**）. ②安定した人間関係の中で，乳を吸い，心地よい生活を送る（**心情面**）.	①よく遊び，よく眠る. ②お腹がすいたら，泣く. ③保育士にゆったり抱かれて，乳（母乳・ミルク）を飲む. ④授乳してくれる人に関心を持つ.
6か月～1歳3か月未満児	①お腹がすき，乳を吸い，離乳食を喜んで食べ，心地よい生活を味わう（**心情面**）. ②いろいろな食べ物を見る，触る，味わう経験を通して自分で進んで食べようとする（**意欲面**）.	①よく遊び，よく眠り，満足するまで乳を吸う. ②お腹がすいたら，泣く，または，喃語によって，乳や食べ物を催促する. ③いろいろな食べ物に関心を持ち，自分で進んで食べ物を持って食べようとする. ④ゆったりとした雰囲気の中で，食べさせてくれる人に関心を持つ.
1歳3か月～2歳未満児	①お腹がすき，食事を喜んで食べ，心地よい生活を味わう（**心情面**）. ②いろいろな食べ物を見る，触る，噛んで味わう経験を通して自分で進んで食べようとする（**意欲面**）.	①よく遊び，よく眠り，食事を楽しむ. ②いろいろな食べ物に関心を持ち，手づかみ，または，スプーン，フォークなどを使って自分から意欲的に食べようとする. ③食事の前後や汚れたときは，顔や手を拭き，きれいになった快さを感じる. ④楽しい雰囲気の中で，一緒に食べる人に関心を持つ.
2歳児	①いろいろな種類の食べ物や料理を味わう（**心情面**）. ②食生活に必要な基本的な習慣や態度に関心を持つ（**意欲面**）. ③保育士を仲立ちとして，友達とともに食事を進め，一緒に食べる楽しさを味わう（**態度面**）.	①よく遊び，よく眠り，食事を楽しむ. ②食べ物に関心を持ち，自分で進んでスプーン，フォーク，箸などを使って食べようとする. ③いろいろな食べ物を進んで食べる. ④保育士の手助けによって，うがい，手洗いなど，身の回りを清潔にし，食生活に必要な活動を自分でする. ⑤身近な動植物をはじめ，自然事象をよく見たり，触れたりする. ⑥保育士を仲立ちとして，友達とともに食事を進めることの喜びを味わう. ⑦楽しい雰囲気の中で，一緒に食べる人，調理をする人に関心を持つ.
3歳以上児	「食と健康」 ①できるだけ多くの種類の食べ物や料理を味わう（**心情面**）. ②自分の体に必要な食品の種類や働きに気づき，栄養バランスを考慮した食事をとろうとする（**意欲面**）. ③健康，安全など食生活に必要な基本的な習慣や態度を身につける（**態度面**）.	①好きな食べ物をおいしく食べる. ②さまざまな食べ物を進んで食べる. ③慣れない食べ物や嫌いな食べ物にも挑戦する. ④自分の健康に関心を持ち，必要な食品を進んでとろうとする. ⑤健康と食べ物の関係について関心を持つ. ⑥健康な生活リズムを身につける. ⑦うがい，手洗いなど，身の回りを清潔にし，食生活に必要な活動を自分でする. ⑧保育所生活における食事の仕方を知り，自分たちで場を整える. ⑨食事の際には，安全に気をつけて行動する.
	「食と人間関係」 ①自分で食事ができること，身近な人と一緒に食べる楽しさを味わう（**心情面**）. ②さまざまな人々との会食を通して，愛情や信頼感を持つ（**意欲面**）. ③食事に必要な基本的な習慣や態度を身につける（**態度面**）.	①身近な大人や友達とともに，食事をする喜びを味わう. ②同じ料理を食べたり，分け合って食事することを喜ぶ. ③食生活に必要なことを，友達とともに協力して進める. ④食の場を共有する中で，友達との関わりを深め，思いやりを持つ. ⑤調理をしている人に関心を持ち，感謝の気持ちを持つ. ⑥地域のお年寄りや外国の人などさまざまな人々と食事を共にする中で，親しみを持つ. ⑦楽しく食事をするために，必要なきまりに気づき，守ろうとする.
	「食と文化」 ①いろいろな料理に出会い，発見を楽しんだり，考えたりし，さまざまな文化に気づく（**心情面**）. ②地域で培われた食文化を体験し，郷土への関心を持つ（**意欲面**）. ③食習慣，マナーを身につける（**態度面**）.	①食材にも旬があることを知り，季節感を感じる. ②地域の産物を生かした料理を味わい，郷土への親しみを持つ. ③さまざまな伝統的な日本特有の食事を体験する. ④外国の人々など，自分と異なる食文化に興味や関心を持つ. ⑤伝統的な食品加工に出会い，味わう. ⑥食事にあった食具（スプーンや箸など）の使い方を身につける. ⑦挨拶や姿勢など，気持ちよく食事をするためのマナーを身につける.
	「いのちの育ちと食」 ①自然の恵みと働くことの大切さを知り，感謝の気持ちを持って食事を味わう（**心情面**）. ②栽培，飼育，食事などを通して，身近な存在に親しみを持ち，すべてのいのちを大切にする心を持つ（**意欲面**）. ③身近な自然にかかわり，世話をしたりする中で，料理との関係を考え，食材に対する感覚を豊かにする（**態度面**）.	①身近な動植物に関心を持つ. ②動植物に触れ合うことで，いのちの美しさ，不思議さなどに気づく. ③自分たちで野菜を育てる. ④収穫の時期に気づく. ⑤自分たちで育てた野菜を食べる. ⑥小動物を飼い，世話をする. ⑦卵や乳など，身近な動物からの恵みに，感謝の気持ちを持つ. ⑧食べ物を皆で分け，食べる喜びを味わう.
	「料理と食」 ①身近な食材を使って，調理を楽しむ（**心情面**）. ②食事の準備から後片付けまでの食事づくりに自らかかわり，味や盛りつけなどを考えたり，それを生活に取り入れようとする（**意欲面**）. ③食事にふさわしい環境を考えて，ゆとりある落ち着いた雰囲気で食事をする（**態度面**）.	①身近な大人の調理を見る. ②食事づくりの過程の中で，大人の援助を受けながら，自分でできることを増やす. ③食べたいものを考える. ④食材の色，形，香りなどに興味を持つ. ⑤調理器具の使い方を学び，安全で衛生的な使用法を身につける. ⑥身近な大人や友達と協力し合って，調理することを楽しむ. ⑦おいしそうな盛り付けを考える. ⑧食事が楽しくなるような雰囲気を考え，おいしく食べる.

※ 3 歳以上児の「ねらい」に設けられている食育の 5 項目を赤字で示している.
※「ねらい」①②③の文末に，（**心情面**）（**意欲面**）（**態度面**）を加筆している.

配慮事項
①一人一人の子どもの安定した生活のリズムを大切にしながら，心と体の発達を促すよう配慮すること． ②お腹がすき，泣くことが生きていくことの欲求の表出につながることを踏まえ，食欲を育むよう配慮すること． ③一人一人の子どもの発育・発達状態を適切に把握し，家庭と連携をとりながら，個人差に配慮すること． ④母乳育児を希望する保護者のために冷凍母乳による栄養法などの配慮を行う．冷凍母乳による授乳を行うときには，十分に清潔で衛生的に処置をすること． ⑤食欲と人間関係が密接な関係にあることを踏まえ，愛情豊かな特定の大人との継続的で応答的な授乳中のかかわりが，子どもの人間への信頼，愛情の基盤となるうに配慮すること．
①一人一人の子どもの安定した生活のリズムを大切にしながら，心と体の発達を促すよう配慮すること． ②お腹がすき，乳や食べ物を催促することが生きていくことの欲求の表出につながることを踏まえ，いろいろな食べ物に接して楽しむ機会を持ち，食欲を育むよう配慮すること． ③一人一人の子どもの発育・発達状態を適切に把握し，家庭と連携をとりながら，個人差に配慮すること． ④子どもの咀嚼や嚥下機能の発達に応じて，食品の種類，量，大きさ，固さなどの調理形態に配慮すること． ⑤食欲と人間関係が密接な関係にあることを踏まえ，愛情豊かな特定の大人との継続的で応答的な授乳及び食事でのかかわりが，子どもの人間への信頼，愛情の基盤となるように配慮すること．
①一人一人の子どもの安定した生活のリズムを大切にしながら，心と体の発達を促すよう配慮すること． ②子どもが食べ物に興味を持って自ら意欲的に食べようとする姿を受けとめ，自立心の芽生えを尊重すること． ③食事のときには，一緒に噛むまねをして見せたりして，噛むことの大切さが身につくように配慮すること．また，少しずついろいろな食べ物に接することができるよう配慮すること． ④子どもの咀嚼や嚥下機能の発達に応じて，食品の種類，量，大きさ，固さなどの調理形態に配慮すること． ⑤清潔の習慣については，子どもの食べる意欲を　損なわぬよう，一人一人の状態に応じてかかわること． ⑥子どもが一緒に食べたい人を見つけ，選ぼうとする姿を受けとめ，人への関心の広がりに配慮すること．
①一人一人の子どもの安定した生活のリズムを大切にしながら，心と体の発達を促すよう配慮すること． ②食べ物に興味を持ち，自主的に食べようとする姿を尊重すること．また，いろいろな食べ物に接することができるよう配慮すること． ③食事においては個人差に応じて，食品の種類，量，大きさ，固さなどの調理形態に配慮すること． ④清潔の習慣については，一人一人の状態に応じてかかわること． ⑤自然や身近な事物などへの触れ合いにおいては，安全や衛生面に留意する．また，保育士がまず親しみや愛情を持ってかかわるようにして，子どもが自らしてみようと思う気持ちを大切にすること． ⑥子どもが一緒に食べたい人を見つけ，選ぼうとする姿を受けとめ，人への関心の広がりに配慮すること．また，子ども同士のいざこざも多くなるので，保育士はお互いの気持ちを受容し，他の子どもとのかかわり方を知らせていく． ⑦友達や大人とテーブルを囲んで，食事をすすめる雰囲気づくりに配慮すること．また，楽しい食事のすすめ方を気づかせていく．
①食事と心身の健康とが，相互に密接な関連があるものであることを踏まえ，子どもが保育士や他の子どもとの暖かな触れ合いの中で楽しい食事をすることが，しなやかな心と体の発達を促すよう配慮すること． ②食欲が調理法の工夫だけでなく，生活全体の充実によって増進されることを踏まえ，食事はもちろんのこと，子どもが遊びや睡眠，排泄などの諸活動をバランスよく展開し，食欲を育むよう配慮すること． ③健康と食べ物の関係について関心を促すに当たっては，子どもの興味・関心を踏まえ，全職員が連携のもと，子どもの発達に応じた内容に配慮すること． ④食習慣の形成に当たっては，子どもの自立心を育て，子どもが他の子どもとかかわりながら，主体的な活動を展開する中で，食生活に必要な習慣を身につけるように配慮すること．
①大人との信頼関係に支えられて自分自身の生活を確立していくことが人とかかわる基盤となることを考慮し，子どもと共に食事をする機会を大切にする．また，子どもが他者と食事を共にする中で，多様な感情を体験し，試行錯誤しながら自分の力で行うことの充実感を味わうことができるよう，子どもの行動を見守りながら適切な援助を行うように配慮すること． ②食に関する主体的な活動は，他の子どもとのかかわりの中で深まり，豊かになるものであることを踏まえ，食を通して，一人一人を生かした集団を形成しながら，人とかかわる力を育てていくように配慮する．また，子どもたちと話し合いながら，自分たちのきまりを考え，それを守ろうとすることが，楽しい食事につながっていくことを大切にすること． ③思いやりの気持ちを培うに当たっては，子どもが他の子どもとのかかわりの中で他者の存在に気付き，相手を尊重する気持ちを持って行動できるようにする．特に，葛藤やつまずきの体験を重視し，それらを乗り越えることにより，次第に芽生える姿を大切にすること． ④子どもの食生活と関係の深い人々と触れ合い，自分の感情や意志を表現しながら共に食を楽しみ，共感し合う体験を通して，高齢者をはじめ地域，外国の人々などと親しみを持ち，人とかかわることの楽しさや人の役に立つ喜びを味わうことができるようにする．また，生活を通して親の愛情に気づき，親を大切にしようとする気持ちが育つようにすること．
①子どもが，生活の中でさまざまな食文化とかかわり，次第に周囲の世界に好奇心を抱き，その文化に関心を持ち，自分なりに受け止めることができるようになる過程を大切にすること． ②地域・郷土の食文化などに関しては，日常と非日常いわゆる「ケとハレ」のバランスを踏まえ，子ども自身が季節の恵み，旬を実感することを通して，文化の伝え手となれるよう配慮すること． ③さまざまな文化があることを踏まえ，子どもの人権に十分配慮するとともに，その文化の違いを認め，互いに尊重する心を育てるよう配慮する．また，必要に応じて一人一人に応じた食事内容を工夫するようにすること． ④文化に見合った習慣やマナーの形成に当たっては，子どもの自立心を育て，子どもが積極的にその文化にかかわろうとする中で身につけるように配慮すること．
①幼児期において自然のもつ意味は大きく，その美しさ，不思議さ，恵みなどに直接触れる体験を通して，いのちの大切に気づくことを踏まえ，子どもが自然とのかかわりを深めることができるよう工夫すること． ②身近な動植物に対する感動を伝え合い，共感し合うことなどを通して自からかかわろうとする意欲を育てるとともに，さまざまなかかわり方を通してそれらに対する親しみ，いのちを育む自然の摂理の偉大さに畏敬の念を持ち，いのちを大切にする気持ちなどが養われるようにすること． ③飼育・栽培に関しては，日常生活の中で子ども自身が生活の一部として捉え，体験できるように環境を整えること．また，大人の仕事の意味が分かり，手伝いなどを通して，子どもが積極的に取り組めるように配慮すること． ④身近な動植物，また飼育・栽培物の中から保健・安全面に留意しつつ，食材につながるものを選び，積極的に食する体験を通して，自然と食事，いのちと食事のつながりに気づくように配慮すること． ⑤小動物の飼育に当たってはアレルギー症状などを悪化させないように十分な配慮をすること．
①自ら調理し，食べる体験を通して，食欲や主体性が育まれることを踏まえ，子どもが食事づくりに取り組むことができるように工夫すること． ②一人一人の子どもの興味や自発性を大切にし，自ら調理しようとする意欲を育てるとともに，さまざまな料理を通して素材に目を向け，素材への関心などが養われるようにすること． ③安全・衛生面に配慮しながら，扱いやすい食材，調理器具などを日常的に用意し，子どもの興味・関心に応じて子どもが自分で調理することができるように配慮すること．そのため，保育所の全職員が連携し，栄養士や調理員が食事をつくる場面を見たり，手伝う機会を大切にすること．

資料：厚生労働省「楽しく食べる子どもに～保育所における食育に関する指針～」より作成

3 食育の計画

(1) 保育課程における食育の位置づけ

食育の計画[*1]は，保育所保育の全体像を描いた保育課程[*2]と，保育課程に基づいて保育実践を具体的に示した指導計画[*3]の中に，保育の一貫として食育を位置づけて作成する（**図 6-5**）.

＊1　食育の計画
食育の計画は，「保育所保育指針」および「幼保連携型認定こども園教育・保育要領」では，“乳幼児期にふさわしい食生活が展開され，適切な援助が行われるよう，食事の提供を含む食育の計画を作成し，保育の計画（認定こども園では，教育及び保育の内容に関する全体的な計画並びに指導計画）に位置づけるとともに，その評価及び改善に努めること”とされている.

＊2　保育過程
保育所保育の根幹を成すもの．施設の保育理念，保育方針，保育目標などに基づいて子どもの育ちを示している．食育のための保育過程を編成する場合には，全職員が参画して取り組み，食育の基本的な方向性を示す道しるべとなるように作成する必要がある.

＊3　指導計画
1人ひとりの子どもが発達に応じた生活を送る中で，必要な体験を積み重ねていく過程の見通しを示すもの．子どもの実態に即した食育の計画としても活用できるように，栄養士や調理員などと連携しながら，食育の視点を取り入れて作成する.

(2) 指導計画の作成

食育活動は，マネジメントサイクル（**PDCA サイクル**）に基づいて，指導計画を作成し実施する．PDCA サイクルは，栄養アセスメントにより対象者の実態を把握し，問題点や課題の抽出を行い，改善すべき目標を設定する．このことにより食育活動は，計画（Plan）→実践（Do）→評価（Check）→改善（Action）の順に完結する（**図 6-6**）.

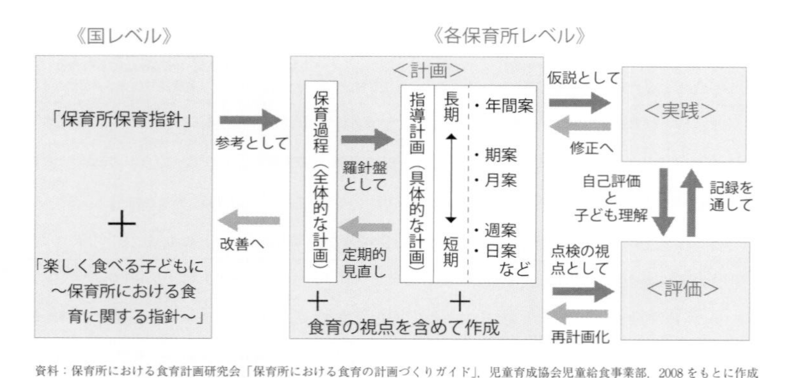

図 6-5　食育の視点を含めた保育者の保育活動の位置づけ

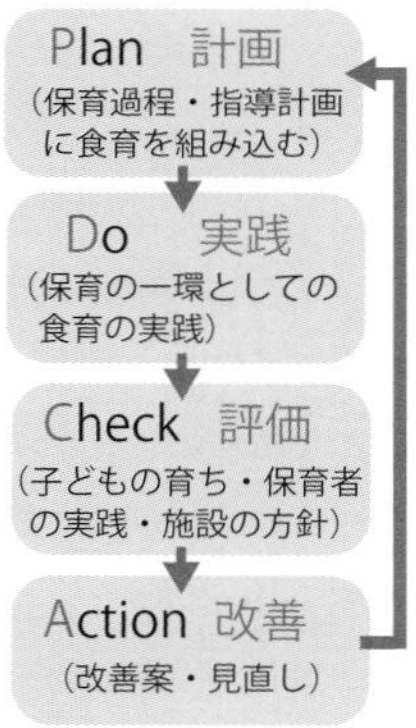

Plan　計画
（保育過程・指導計画に食育を組み込む）
Do　実践
（保育の一環としての食育の実践）
Check　評価
（子どもの育ち・保育者の実践・施設の方針）
Action　改善
（改善案・見直し）

図 6-6　PDCAサイクル

(3) 食育の視点を含めた指導計画

指導計画には，子どもの発達や生活を見通した年間計画などの長期的な指導計画と，子どもの日々の生活や実態に即した週案・日案などの短期的な指導計画があり，子どもの活動のねらいや内容を，それぞれの指導計画の単位に即して具体的に示す（**図 6-7，8**）．詳しくは**「保育所における食育の計画づくりガイド」**（保育所における食育計画研究会／編，児童育成協会発行）を参考にされたい.

年間食育計画

【食育目標】1人ひとりの子どもの食を営む力を育み，豊かな心と体を育てる.　　○○組　　担任：△△△△△

3歳児〈子どもの姿〉
○一緒に食べたい友だちを選び，食事中の会話が活発になる.
○手をつけなかった食べ物も少しずつ食べてみようとする.
○食事中にはマナーがあることに少しずつ気づいてきている.
○好きな食べ物は喜んで食べようとする.
○給食に使われている食材に興味・関心を持っている.
○箸を使おうとする姿が見られるが上手な箸の使い方には個人差がある.

	ねらい	内容	保育者の援助	栄養士・調理員との連携	家庭・地域との連携
Ⅰ期（4・5月）	・みんなと一緒に楽しく食べる. ・できるだけ多くの種類の食べものや料理を味わう.	・身近な大人や友達とともに，一緒に食事をする喜びを味わう. ・好きな食べものをおいしく食べる. ・慣れない食べものや嫌いな食べものにも挑戦する.	・友だちとの食事を楽しく進められるような声かけや環境面での配慮を行う. ・食べものには，さまざまな味，におい，食感，色など違いがあることを伝えて，子どもの興味を引き出す.	・旬の食材を使用する. ・多様な食材を活用し，調理方法や味付け，盛りつけなどに工夫をこらす. ・食事の時間に，子どもたちにその日の食事に使用した食材について，お話をする.	・家庭での食事の様子や子どもの好き嫌いをあらかじめ聞いておく. ・子どもが嫌いな食べものに挑戦したら，十分にほめてもらう.
Ⅱ期（6～8月）	・食事の流れやマナーがわかるようになる. ・いろいろな料理に出会い，発見を楽しみ，様々な文化に気づく.	・元気な声で食事の挨拶をし，美しい姿勢で食事を食べることの心地よさを感じる. ・日本の年中行事や季節のイベントを体験する. ・行事食や郷土料理などを食べる.	・元気よく食事の挨拶が言えるように促し，気持ちのいい挨拶ができたら十分にほめる. ・椅子に座り，足が床につかない子どもには台を用意する. ・日本の年中行事や季節のイベントに関連した活動や環境を準備する.	・「いただきます」の挨拶のときには，子どもの顔を見に行き，一緒に声出しをする. ・行事食や郷土料理を提供する. ・食事の時間に，子どもたちに行事食や郷土料理の説明をする.	・家庭でも家族そろって食事の挨拶をいうようにしてもらう. ・子どもの体格にあったテーブルや椅子で食事をするようにしてもらう. ・園で行った行事やイベントについて話題にしてもらう.
Ⅲ期（9～12月）	・食事に必要な基本的な習慣や態度を身につける. ・自然の恵みといのちの大切さを知り，感謝の気持ちを持って食事を味わう.	・うがい，手洗いなど，身の回りを清潔にし，食生活に必要な活動を自分でする. ・自分たちで野菜を育てる. ・自分たちで育てた野菜を食べる.	・うがいや手洗いなどを怠ると病気になることを伝え，食事の前に声かけを行い，子どもたちに習慣づくようにする. ・野菜の栽培を通して，命の大切さに気づかせ，食事に対して感謝することを伝える.	・子どもたちが育てた野菜を給食に使用する. ・子どもたちが育てた野菜を使用した日には，給食の時間にそのことを紹介する.	・うがいや手洗いなど，園で取り組みについて，家庭でも実施してもらう. ・散歩に出かけ，地域の畑や田んぼを見学する.
Ⅳ期（1～3月）	・食べ物は，口から取り入れて，体の中で働き，便となって体の外に出ていくことを学ぶ. ・食事の準備から後片付けまでの食事づくりに自らかかわる.	・食べ物をよく噛んで，しっかり飲み込む. ・食べ物と便の関係に興味を持つ. ・食事づくりの過程の中で，大人の援助を受けながら，自分でできることを増やす.	・絵本などを活用し，よく噛んで食べることや，排便することの大切さを伝える. ・子どもが食事の片付けをしやすいように，場所を分かりやすく設置する.	・給食に「かみかみメニュー」を取り入れる. ・子どもに食事をつくる場面を見せたり，手伝う機会を準備したりする.	・保護者に「早寝早起き朝ごはん」の大切さを理解してもらい，家庭で朝食と排便の習慣を身につけてもらう. ・家庭でも食事の準備の手伝いをさせて，それをほめるようにしてもらう.

❶食育目標
「楽しく食べる子どもに～保育所における食育に関する指針～」を参考にして，各施設の保育目標に沿った目標を考えましょう.

❷期間（Ⅰ～Ⅳ期）
期間の設定は，施設によってさまざまです．各施設で設定している期間に準じて食育計画も作成しましょう.

❸子どもの姿
子どもの育ちがわかるような，目に見える行動を書きます．特に，子どもが何に興味を持ち，何に取り組んでいるのかを書くと良いでしょう．担任が変わる場合には，十分に引き継ぎを行いましょう.

❹ねらい
「ねらい」には，子どもを主体として，子どもの中に育てたい姿を書きます．保育者の「こう育ってほしい」という願いを文にするイメージです.
「楽しく食べる子どもに～保育所における食育に関する指針～」に書かれている食育のねらいを参考にすると良いでしょう.

❺内容
「内容」には，「ねらい」を実現させるためにはどうすればいいのかを考え，毎日の食事や食に関わる活動の中で，具体的に経験させたいことを書きましょう.
「楽しく食べる子どもに～保育所における食育に関する指針～」に書かれている食育の内容を参考にすると良いでしょう.

❻保育者の援助
子どもが「内容」にあげた事柄を十分に経験できるようにするための，保育者の働きかけを考えます．特に，子どもがどのように動くのかを考えて，良くない反応や行動に対する対策を講じておくと，援助の幅を広げることができるでしょう.

❼栄養士・調理員との連携
食育は，保育者と栄養士・調理員のチームプレーです.
食に関する活動と子どもが実際に食べる食事に関連性を持たせ，そのつながりに子どもが気づくことができるような援助を栄養士・調理員とともに考えましょう．食育計画を作成する際には，栄養士・調理員と一緒に考えると良いですよ.

❽家庭・地域との連携
食育は，家庭と連携して進めていくことで効果がより大きくなります．連絡帳などを活用して，保護者との情報交換を積極的に行いましょう.
また，地域の資源を活用したり，地域の人材の協力を得たりすることで，食育はより充実したものになります．ぜひ，地域の資源や人材を活用できるよう連携を図りましょう.

図 6-7　年間食育計画（参考例）

❸ねらい
子どもを主体として，具体的に書きましょう．
「楽しく食べる子どもに〜保育所における食育に関する指針〜」に示されたねらいの5項目のうち，どれに対応するのかを表記しておくと良いです．

食育指導案「食べ物の大切な働き」

❶タイトル
食育の内容が，他の保育者や栄養士などにも伝わるような具体的なタイトルにしましょう．

実施日時：　　年　　月　　日（11：00〜12：30）
対象者　：4歳児（　　　名）　　　組
実施者　：○○○○○（保育者），△△△△△（栄養士）

❷実施者
栄養士（または調理員）と連携して実施しましょう．食育指導案も一緒に作成すると良いでしょう．

〈ねらい〉

・食べることの楽しさ・おもしろさを知る（食と健康）
・食べ物は，赤・黄・緑の3つのグループに分けられることを知る（食と健康）
・自分の体の健康とバランスのとれた食事の大切さを知る（食と健康）

〈展開〉

時間	活動内容	活動目的	指導上の注意点
11:00	絵本「つよいちからがでるたべもの」を見る．	・元気に生きていくために，食べることがいかに大切かを知る． ・食べ物がその栄養や働きによって，赤・黄・緑の3つに分けられることを知る．	・保育士：朝ごはんに何を食べてきたのかを子どもに問いかけ導入とする． ・栄養士：事前にランチルームにある3色分類パネルを確認しておく． ・栄養士：当日の給食に使用される食材の食材カード（マグネット付き）を準備しておく．
11:15	今日の給食のメニューを見る． 栄養士から今日の給食のメニューの説明を聞く．	・今日の給食のメニューに興味を持つ． ・給食に使われている食材の種類の豊富さに気づく．	・保育士：子どもが興味を抱くようにメニューを伝える． ・栄養士：1品ごとに料理の説明をする．
11:30	ランチルームにある3色分類パネルに，その日の給食に使われている食材カードをはる．	・活動を通して食材に興味を持ち，食材の3色分類ゲームを楽しむ． ・給食には，赤・黄・緑の3つ食材がバランスよく使われていることを知る．	・保育士：答え合わせをするときに，子どもが一目で正解がわかるように，食材カードを裏返すと赤・黄・緑になるようにしておく． ・栄養士：赤・黄・緑の働きも交えながら，食材カードをはっていく．
11:45	身だしなみを整えて，正しい手洗いを行う．	・食材の3色分類について話題にしながら，楽しく食事をする．	・保育士：子どもが実際に正しく手を洗えているのかを確認する． ・保育士：正しい手洗いができていない場合には援助する．
12:00	給食を食べる．	・食材の3色分類について話題にしながら，楽しく食事をする．	・保育士&栄養士：子どもの喫食状況を見守りながら，どの食べ物に何色の食材が入っているかを聞くなどして，子どもの理解を深める．

❹活動内容
子どもを主体として，子どもが実際に行う行動を書きます．

❺活動目的
活動を通して，子どもに与えたい気づきや理解を書きます．

❻指導上の注意点
保育士の役割と栄養士の役割がわかるように書きます．
子どもの反応を予測しながら，いくつかの対応を考えておくと，援助の幅が広がります．

〈評価〉

・積極的に食育活動に参加し，食べることへの興味・関心を深めることができたか．
・食べ物は，赤・黄・緑の3つのグループに分かれることを知ることができたか．
・赤・黄・緑の3つの食材をバランス良く食べる大切さを知ることができたか．
・赤・黄・緑の3つの食材について話題にしながら給食を食べることができたか．

❼評価
「ねらい」を評価の観点として，子どもの育ちに着目して書きます．
この評価を次の食育にフィードバックしていきます．

〈使用する教材〉

・保育室：絵本「つよいちからがでるたべもの」（黄色の食べ物についてのお話）
・給食室：給食の見本（展示）
・ランチルーム：3色分類パネル，食材カード

図6-8　食育指導案（参考例）

4 食育の評価

(1) 評価の流れ～ PDCA サイクル

保育課程および指導計画に基づいて，保育実践は毎日進んでいくが，もっとも重要なのは，それをふり返ることである．食育の評価は，食育の計画に基づいて実践が適切に進んでいるかどうかを記録し，その過程や結果をふり返り，次の実践にむけて食育の計画を改善するために行う．

食育の評価を行う際には，計画には位置づけられていなかったことや，日々の活動のなかで気づきにくくなっていることにも目をむけながら，**PDCA サイクル**が循環するように取り組む．そして，それを全職員で共有することが大切である．

(2) 評価の方法

評価の方法には，**量的評価**と**質的評価**がある．

量的評価：	身長，体重，食べ残し量，提供献立のエネルギーや栄養素摂取量などの数値で表せるもの
質的評価：	心情・意欲・態度などの子どもの育ちからみえるもの

(3) 評価の対象

評価の対象としては，子どもの育ちの評価と，保育者の自己評価がある．子どもの育ちの評価を行うためには，食育の様子を筆記・写真・録音・映像などによって**記録**しておく必要がある[*1]．

さらに，保育所には，保育の質の向上を図るために，保育者の自己評価を積み上げて，施設としての自己評価を行うことが求められている．つまり，保育課程と指導計画に基づく保育実践が，どのように展開されたのかを職員で共有し，そこで生まれた課題を解決するための計画作成へとつなげることが大切である．

＊1　保育者自身が自らの保育実践をふり返るときにも，記録は重要な資料となる．PDCA サイクルを循環させるためには，子どもの育ちの評価以上に，保育者の自己評価を重視する必要がある．

(4) 評価の観点

指導計画や施設の保育課程に位置づけた食育の目標や，「楽しく食べる子どもに～保育所における食育に関する指針～」に示された発達過程ごとのねらいを評価の観点に用いる．適切な評価項目を設定して評価を行うことで，保育者自らの保育の力と，施設全体の保育の質の向上につなげる．

- 日常的な評価の観点は，指導計画の「ねらい」を用いる．
- 長期的な子どもの評価は，保育計画（食育計画含む）および「楽しく食べる子どもに～保育所における食育に関する指針～」に示された各年齢の「ねらい」における心情・意欲・態度の 3 側面を活用する（表 6-1 参照）．
- 計画の評価・改善にあたっては，記録を通した実践の丁寧な把握が必要となる．

6.3　食育のための環境

1 食環境の重要性

子どもが日々の生活と遊びのなかで，意欲を持って食に関わる体験を積み重ね，食事を楽しみ，心身ともに豊かに育つためには，食育のための**環境**を整えることが重要である[*1]．

食環境には以下の 3 点がある．

物的環境	：絵本，保育室，調理室，生活用具など
人的環境	：保育者，栄養士，調理員，友だちなど
自然環境	：植物，生物の発見，田植え，いも掘りなど

これらの食環境を通して，子どもの食に関わる体験が豊かに展開していくように食育を実施することが望まれる．

＊1　保育所保育指針および幼保連携型認定こども園教育・保育要領では，食育のための環境として「子どもが自らの感覚や体験を通して，自然の恵みとしての食材や調理する人への感謝の気持ちが育つように，子どもと調理員との関わりや，調理室など食に関わる環境（保育環境）に配慮すること」と示されている．

2 食育における物的環境

子どもが主体的に食に関わる体験ができるようにするためには，子どもに興味や関心を抱かせて，やってみたいこと（意欲・動機）を実現することができる**物的環境**を用意する必要がある．

(1) 食育のための教育媒体

①視聴覚教材（絵本，紙芝居，エプロンシアター・ペープサート，DVD など）

絵本や紙芝居などの読み聞かせは，豊かな感受性や想像力を育むことができるため，食育の場として大いに活用したい．子どもの発達にあったものであり，子どもが食に対して興味や関心を持つことができるような内容の教材を選ぶことが大切である．

②ままごと遊びの道具（キッチン・調理器具・食材などの玩具，人形・ぬいぐるみなど）

ごっこ遊びとは，何かになったつもりで行う遊びであり，その 1 つであるままごと遊びは，家庭の食事や炊事，買い物などを模倣して遊ぶので，食育として効果的である．

実物の食器や食具を用いることもでき，道具を子ども自身につくらせることで子どもの発想力を引き出すことにもつながる．

③食事そのもの（食事・食材・給食など）

子どもが食べる食事は，そのものが食育の教材としての役割を担っている．季節の食材や盛りつけの仕方・量などから，旬や自分にとっての適切な食事量を学ぶことができる．子どもは視覚などの五感を使って，目の前にある料理を食べるか否か，どの程度食べるのかなどを判断しており，食欲や食事量などを左右する要因となる．

また，食事を食べることに関連して，食事の準備や後片付け（手伝い）の大切さ，食べ方や食事マナーを学ぶことができる．さらに，日本の年中行事や節句で食べられる行事食やクリスマス料理など多彩な料理を食べる機会は，**食文化**を学ぶ機会にもなる．

(2) 食育のための施設・設備

①食事をする場所（ランチルーム・保育室など）

食事をする場所では，子どもが心地よく食べることができる空間の演出が不可欠である．室内の適切な明るさや温度，子どもの発育にあったテーブルや椅子などに配慮するほか，情緒の安定のためのゆとりある時間などにも気をつける．他にも机にテーブルクロスをかけたり，ランチョンマットを敷いたりするなど，食事をするのにふさわしい空間づくりも大切である．

②施設の設備・給食提供の体制

保育園では外部搬入などによる給食提供も行われているが，自園調理で食事を提供することのメリットは多い．例えば，地域の食材や，子どもが栽培して収穫した食物を献立に取り入れるなど，各施設の特色を活かした食事の提供ができる．また，離乳食やアレルギー対応食，発達段階に応じた食事の提供など，子ども1人ひとりへの個別対応も可能となる．

さらに，食事づくりに関する一連の過程が，子どもや保育者に見えるところで展開されるため，食事づくりのすべてを五感で感じることができる．このような設備があれば，食育を取り入れた保育実践を進めやすい．

3 食育における人的環境の連携

人的環境とは，施設長をはじめ，保育者，栄養士や栄養教諭，その他の職員，保護者などを指し，それぞれの役割を明確にして，食育を推進していくための連携体制を構築する必要がある（図 6-10）．

(1) 人的資源の役割

①保育者

子どもの主体的な活動として食育を推進していくためには，保育者が適切な援助を行い，物的環境を有効利用する必要がある．そのため，食育の人的環境として，保育者の担う役割は大きい．保育者は自らが子どもにとって重要な人的環境の1つであることを意識し，保育者としての資質向上に努める必要がある．

②栄養士や栄養教諭，調理員

保育所では，保育の一環として食育を推進していくために，栄養士が，また認定こども園においては，食育の専門家として，栄養士資格に加えて教員免許を合わせ持つ栄養教諭の存在が求められている．施設に栄養士や栄養教諭が配置されている場合は，食育推進において有力な人材となる．

栄養士や栄養教諭の役割については図 6-9 の通りである．

〈栄養士・栄養教諭の役割〉
・食育の計画・実践・評価
・授乳，離乳食を含めた食事・間食の提供と栄養管理
・子どもの栄養状態，食生活の状況の観察及び保護者からの
　栄養・食生活に関する相談・助言
・地域の子育て家庭からの栄養・食生活に関する相談・助言
・病児・病後児保育，障がいのある子ども，食物アレルギーの子どもの
　保育における食事の提供及び食生活に関する指導・相談
・食事の提供及び食育の実践における職員への栄養学的助言 等
〈調理員の役割〉
・食事の調理と提供
・食育の実践 等

（資料：保育所保育指針解説書より）

図 6-9　栄養士や栄養教諭，調理員の役割

③子ども同士

子どもの主体的な活動は，他の子どもとの関わりによって深まり，豊かになる．食事の場面においては，**子ども同士**が集まり食事の時間を共有することから，自由で楽しい会話がはずむとともに，お互いから影響を受け，**共に学びあう**ことができる．また，同じクラスの友だちだけではなく，他クラスや異年齢の子どもとのふれあいも大切な人的環境となる．

④保護者

１日のうちで，子どもが保育所などで食べる食事は昼食の１回のみである．そのため食事の比重は家庭のほうが大きく，家庭での食事のあり方が子どもの成長に大きく影響する．効果的に食育を進め，保護者の食育に対する関心も高めていくためには，**保護者との連携**が必要不可欠である．

子どもの送迎時の応対や，おたより，連絡帳，施設内の掲示，給食参観や試食会，保護者が参加する行事などは貴重な情報提供の場である．保育者は，食育のアドバイスや献立提供など，保護者への支援に取り組み，保護者との連携・協力体制が構築できるようにすることが求められる．

⑤地域の人々

地域には，さまざまな経験や技能を持つ人たちが暮らしている．特に**地域の高齢者**は，昔から生活を通して積み重ねてきた知恵や知識をたくさん持っている．地域の高齢者に力を貸していただくことで，食育の活動がより充実したものになる．

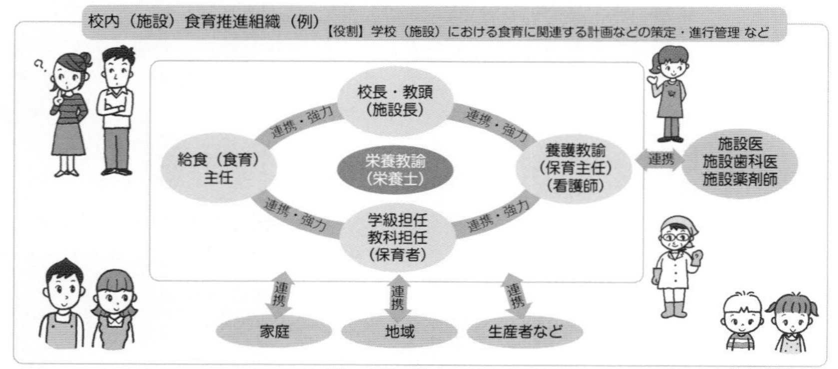

（資料：文部科学省「栄養教諭を中核としたこれからの学校の教育」一部改変）

図 6-10　食育における連携

(2) 職員間の連携や地域の関係機関

保育所で食育を実施するためには職員間の連携はもとより，地域の関係機関や地域住民との連携を図ることが重要である．食育推進のためには，**図 6-11** にあるようなその他関係機関と食育の目標を共有し，それぞれの地域の特色に合わせた食育を展開していくことが重要である．特に食に関する子どもの連続的な発達については小学校と連絡・協議する場を設けて，互いに理解を深めることが大切である．

保育所から発信する食を通じた子どもの健全育成について**図 6-12** に，具体的な実践例を**図 6-13** に示す．

≪日頃から協力すべき関係機関≫
・他の保育所などの保育関係施設
・小学校などの教育機関
・保健所などの医療・保健関係機関
・子育て支援センター
・食糧生産流通関係機関　　など

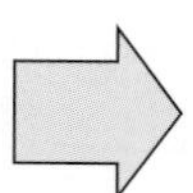

≪協力体制から得ることができるもの≫
・食に関する子どもの連続的な発達支援
・食育に関する情報の入手
・給食試食会や食育についての講演会
・食に関する保護者の悩み相談
・子どもの発達に見合った献立提案　など

図 6-11　地域関係機関との連携

保育所からの発信
ー考えよう！食を通じた乳幼児の健全育成を
支えよう！保育所，そして家庭，地域とともにー

保育所

☆遊ぶことを通して
楽しく，そして思い切り遊ぶことで，子どもはお腹がすきます．まさに，健康でいきいきと生活するためには遊びが不可欠です．さまざまな遊びが，食の話題を広げる機会になるでしょう．

☆食文化との出会いを通して
人々が築き，継承してきた様々な食文化に出会う中で，子どもは食生活に必要な基本的習慣・態度を身につけていきます．自分たちなりに心地よい食生活の仕方をつくりだす姿を大切にしましょう．

☆食べることを通して
おいしく，楽しく食べることは「生きる力」の基礎を培います．食をめぐる様々な事柄への興味・関心を引き出すことを大切にしましょう．

☆人とのかかわり
誰かと一緒に食べたり，食事の話題を共有することが，人とのかかわりを広げ，愛情や信頼感を育みます．また，親しい人を増やすことが，食生活の充実につながることを気づかせていきましょう．

☆料理づくりへのかかわり
調理を見たり，触れたりすることは食欲を育むとともに，自立した食生活を送るためにも不可欠です．「食を営む力」の基礎を培うためにも，自分で料理を作り，準備する体験を大切にしていきましょう．

☆自然とのかかわり
身近な動植物との触れあいを通して，いのちに出会う子どもたち．自分たちで飼育・栽培し，時にそれを食することで，自然の恵み，いのちの大切さを気づかせていきましょう．

・子どもの生活，食事の状況を共有し，家庭での食への関心を高め、協力しあって「食を営む力」の基礎を培いましょう．
・食に関する相談など，保護者への支援を行いましょう．

食に関わる産業や，地域の人々との会食，行事食・郷土食などとの触れ合いを通して，地域の人々との交流を深めましょう．

保健所や保健センターなどと連携し，離乳食をはじめとする食に関する相談・講習会など，未就園の地域の子育て家庭への支援を行いましょう．

家　庭

地　域

資料：厚生労働省「楽しく食べる子どもに～食からはじまる健やかガイド～」
「食を通じた子どもの健全育成（いわゆる「食育」のあり方に関する検討会）」報告書，2004 より

図 6-12　保育所における食を通した乳幼児の健全育成

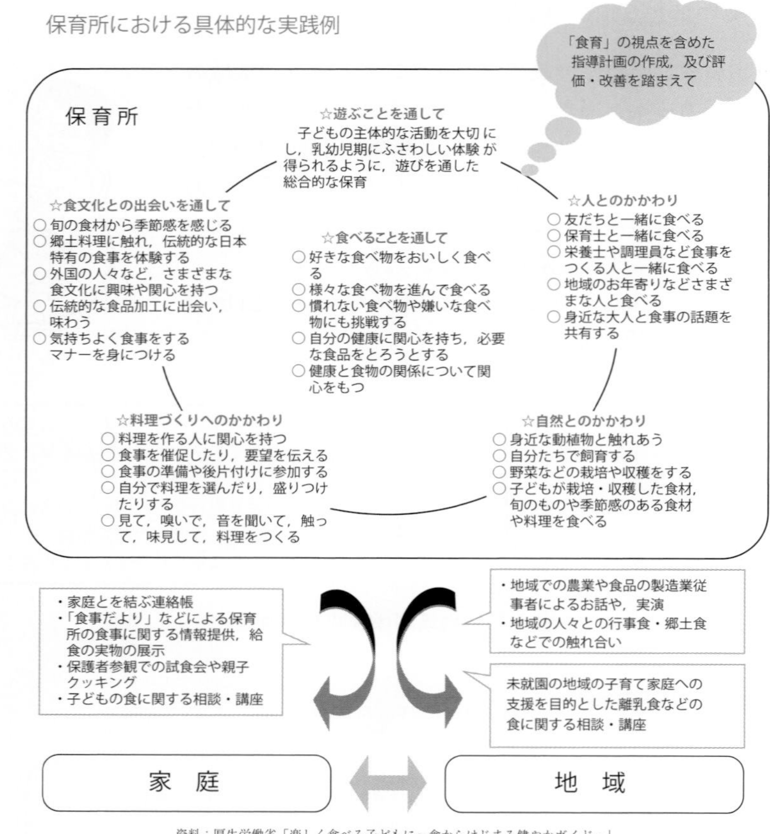

資料：厚生労働省「楽しく食べる子どもに～食からはじまる健やかガイド～」
「食を通じた子どもの健全育成（いわゆる「食育」のあり方に関する検討会）」報告書，2004より

図 6-13　保育所における具体的な実践例

4 食育における自然や地域の環境

子どもは，土にふれ，自らの手で植物を育て，収穫する喜びを味わうことで，食べ物や生き物の大切さを実感することができる．子どもにとって自然とふれあうことは，貴重な食育の体験となる．子どもが自然にふれる機会を積極的に増やすことで，子どもの食べ物に対する関心は，食事そのものから，調理前の食材，食材の産地，産地の人々へと広がっていく．

(1) 施設内での活動（野菜の栽培）

施設内で野菜を栽培することで，野菜の成長を間近で観察できる．自分で育てた野菜に対しては，子どもは親しみを感じ，普段食べないものであっても「おいしそう」と感じたり，「食べてみよう」という意欲が高まったりする．

《食育の場の様子》
・保育室の前にプランターを置く．
・施設内の畑で野菜を植える．
・水やりなどの仕事をする．

(2) 施設外での活動（農作物の体験活動）

地域の人との交流になるとともに，作物を生産する一連の体験を通して，生産者の苦労を味わい，自然や生命の大切さを学ぶことにつながる．

また，一緒に活動した地域の人々の顔写真や名前を掲示したり，施設に招いたりすることで，さらに地域を身近に感じることができる．自分たちの食事が，地域の人のおかげで成り立っていることを実感できるような食育に取り組んで行くことが大切である．

このように自然とのふれあいは，施設内だけの活動にとどめるのではなく，地域に出向いて体験することによって，食育の活動はさらに充実したものになる．

≪食育の場の様子≫
・近隣の田んぼで田植えや稲刈りを手伝わせていただく．
・畑でいも掘り体験をする．
・野菜の販売体験をする．

5 食育活動例

(1) 保育者の食育活動

①絵本などの読み聞かせ

食材や栄養の話が物語になっている絵本などは，子どもの興味をひきやすい．多数ある食育についての絵本や紙芝居などから子どもたちの発育や施設のねらいにあったものを選択することが大切である．

≪食育の場の様子≫
・発達やねらいにあった媒体を用意する．
・絵本に登場する食べ物を実際に給食で提供する．
・食材や栄養のことがわかりやすく伝わる．

②ままごと遊びの援助

保育者は，子どもの発想を妨げないように活動を見守り，展開に行き詰まったら新しい展開のきっかけを投げかけるなどの援助を行う．

≪食育の場の様子≫
・食卓や台所などをイメージしやすい空間をつくる．
・必要とされている道具を準備するなど，環境を整える．
・道具を準備する際には，安全性，材質，色，デザインなどにも十分に配慮する．

(2) 栄養士や栄養教諭，調理員の食育活動

①食事をつくる人との交流

食事をつくる人の存在を身近に感じるとともに，栄養士や栄養教諭，調理員は，子どもの食への関心度や食事の進み具合，料理の食べ具合を把握でき，次の食事づくりに反映させることができる．このような活動を通して，子どもは，食事の受け手としてだけではなく，主体的に食に関わる存在になる．子どもにとって食事をつくる人の存在が身近であると，安心して楽しく食べることができる．

《食育の場の様子》
- 調理室で食事がつくられる様子を見せたり，食事の準備を子どもに手伝わせたりする．
- 子どもに食べ物の話をしたり，食事をする様子や喫食状況を観察したりする．

②クッキング

子どもはクッキングを通して，食品衛生の知識や調理器具の安全な使い方を学んでいく．また，友だちと協力することの大切さに気づき，料理が完成した喜びを友だちと分かち合うことができる．また，クッキングや献立に行事食を取り入れるのもよい．このような体験を通して，食に対しての興味や関心も深まり，食事を楽しく意欲的に食べる子どもに育つ．

《食育の場の様子》
- 大人が調理している様子を見せて，子どもにクッキングに対して関心を持たせる．
- 食材を洗う・むく・ちぎる・こねる・丸めるなどの簡単な作業をさせて，クッキングの楽しさを体験させる．
- 4・5歳児になれば，子ども用の包丁を使って食材を切ったり，ホットプレートで焼いたりすることもできるようになる．

(3) 子ども同士の食育活動

苦手な食べ物であっても，友だちがおいしそうに食べていたり，食べたことをほめられたりしているのを見ると，自分も食べてみようという気持ちが芽生えることがある．保育者は，子ども同士の関わる力が育つように配慮して声かけや援助を行うことが大切である．

《食育の場の様子》
- 年上の子どもが年下の子どもに，食事の仕方や食事中のルールなどを教えたり，格好いい姿を見せようと苦手な食べ物を口にしたりする姿を見せることがある．
- 年下の子どもは年上の子どもの姿を見て，自分もできるように真似をしたり，自ら意欲的に食べようとしたりすることが期待できる．

(4) 保護者の食育活動

①共食

家庭での食事の際に，家族が一緒に食卓を囲む共食が食育の第一歩である．家族の絆が深まるだけでなく，食事のリズムを獲得したり，食事マナーを学んだりすることができる．

≪食育の場の様子≫
・家族が食事の時間を共有し会話をする.
・保護者が食事の食べ方や食べるときの姿勢，食器や食具の持ち方などの手本を見せる.

②お手伝い

子どもの発達段階によって取り組みやすいお手伝いをさせ，それを十分にほめるようにする．そうすることで，子どもは意欲的に食に関わり，楽しく食事をするようになる．

≪食育の場の様子≫
・食器や食具の準備や片付けをする.
・買い物のお手伝いをする.
・台所に入って料理のお手伝いをする.
・ゴミをまとめたり捨てに行ったりする.

COLUMN

3歳からのお手伝い

3歳前後から，母親や先生のお手伝いを進んで行うようになるため，料理を一緒に行うことで，「自分が作ったもの」となり，好き嫌いの軽減や食への感謝の気持ちが生まれる．また，自分が作ったものを誰かに食べてもらい「上手だね」,「おいしいね」とほめてもらうことで，子どもの自己肯定感を高めることにつながる．

（3歳～4歳前後のお手伝い）

① 巻く・にぎる サンドイッチ・おにぎり・巻き寿司など 	② むく・つぶす・混ぜる ポテトサラダを作る時，卵の殻やたまねぎの皮をむくこと，じゃがいもをつぶす時など 
③ ちぎる サラダを作る時にレタスなどをちぎること，ヘタをとることなど 	④ する ゴマや豆腐，味噌をするなど 

（4歳～5歳前後のお手伝い）

① こねる ハンバーグ，ミートボールのミンチやパン生地をこねるなど 	② むく・きる 皮むき器を使用，子ども用の包丁を利用するなど ～包丁を使うまでに～ テーブルナイフ ↓ ペティナイフ ↓ 刃渡り15cm程度包丁 

(5) 地域の人々との食育活動

地域の人々（特に高齢者）を招いて，一緒に食事をつくったり食べたりすることは，都市化や核家族化が進行し，世代間の交流ができにくくなった現代の日本の子どもにとって，高齢者との貴重なふれあいの場となる．このような世代間交流は，子どもが社会性を身に付けることができるほか，さまざまな食文化に出会い，日本の食に興味や関心を持つきっかけとなる．保育所や認定こども園などにおいては，地域社会との交流や連携を図り，子どもが地域の人と関わり合うことができる環境を構成していくことが求められる．

≪食育の場の様子≫
・地域の郷土料理や日本の伝統食について話をしてもらう
・餅つきやそうめん流しなどの行事に参加してもらう．

MEMO

主な行事食

暦・時期	日本の節句・年中行事・イベントなど	行事食	暦・時期	日本の節句・年中行事・イベントなど	行事食
1月1日	正月	おせち料理，雑煮，お屠蘇	7月中旬頃	土用の丑の日	うなぎ
1月7日	人日（じんじつ）の節句	七草がゆ	8月13日〜15日	お盆	精進料理，白玉団子，そうめん，型菓子
1月11日	鏡開き	ぜんざい，お汁粉，雑煮	8月1日（旧暦）	八朔の祝い（田実の節句）	黒ごま粥
2月3日	節分（豆まき）	福豆，恵方巻き，鰯	9月9日	重陽（ちょうよう）の節句	菊飯，菊酒
2月最初の午の日	初午（はつうま）	いなり寿司，小豆ご飯	秋分の日前後（9月）	十五夜（中秋の名月）	月見団子
2月14日	バレンタイン	チョコレート	秋分の日を中心とした7日間（9月）	秋の彼岸（ひがん）	おはぎ
3月3日	桃の節句	ひなあられ，菱餅，ちらし寿司，はまぐりの吸物，白酒	10月10日（旧暦）	十日夜（とおかんや）	十六団子
春分の日を中日とした7日間（3月）	春の彼岸（ひがん）	ぼた餅	10月31日	ハロウィン	かぼちゃ（ジャック・オー・ランタン），ハロウィンおばけなど
4月8日	花祭り（灌仏会）	甘茶，草団子	11月1日	神迎えの朔日（ついたち）	赤飯
4月（桜の開花時期）	お花見	花見団子	11月15日	七五三	千歳飴
5月5日	端午の節句	柏餅，ちまき	12月下旬頃	冬至	かぼちゃ
6月1日（旧暦）	氷室（ひむろ）の節句	あられ	12月25日	クリスマス	チキン，クリスマスケーキなど
6月30日（旧暦）	夏越し（なごし）の節句	水無月（小豆入りういろう），酒まんじゅう	12月31日	大晦日	年越しそば
7月2日頃（夏至から数えて11日目）	半夏生（はんげしょう）	たこ（近畿地方），うどん（讃岐地方）	毎月	お誕生日	子どもに人気のあるメニュー
7月7日	七夕	そうめん			

COLUMN

おせち料理

おせち料理は，正月に食べるお祝いの行事食です．「御節（おせち）」とは，もともと季節の変わりである節句（せっく）のことを表す言葉でした．そして，そのときに神様にお供えした食べ物を「御節料理」と呼んでいました．現在では，節句の一番目にあたる正月に食べる料理を「おせち料理」と読んでいます．

「おせち料理」には，その年の豊作や家内安全，子孫繁栄を願う気持ちが込められています．そして，めでたいことが重なるように願いを込めて，段重ねの重箱に詰められます．

また，正月に台所の神様である荒神を休ませるために火を使わないようにするという風習や，正月の三が日に主婦を休ませるといった理由から，日持ちする濃い味付けの料理が多いのも特徴です．

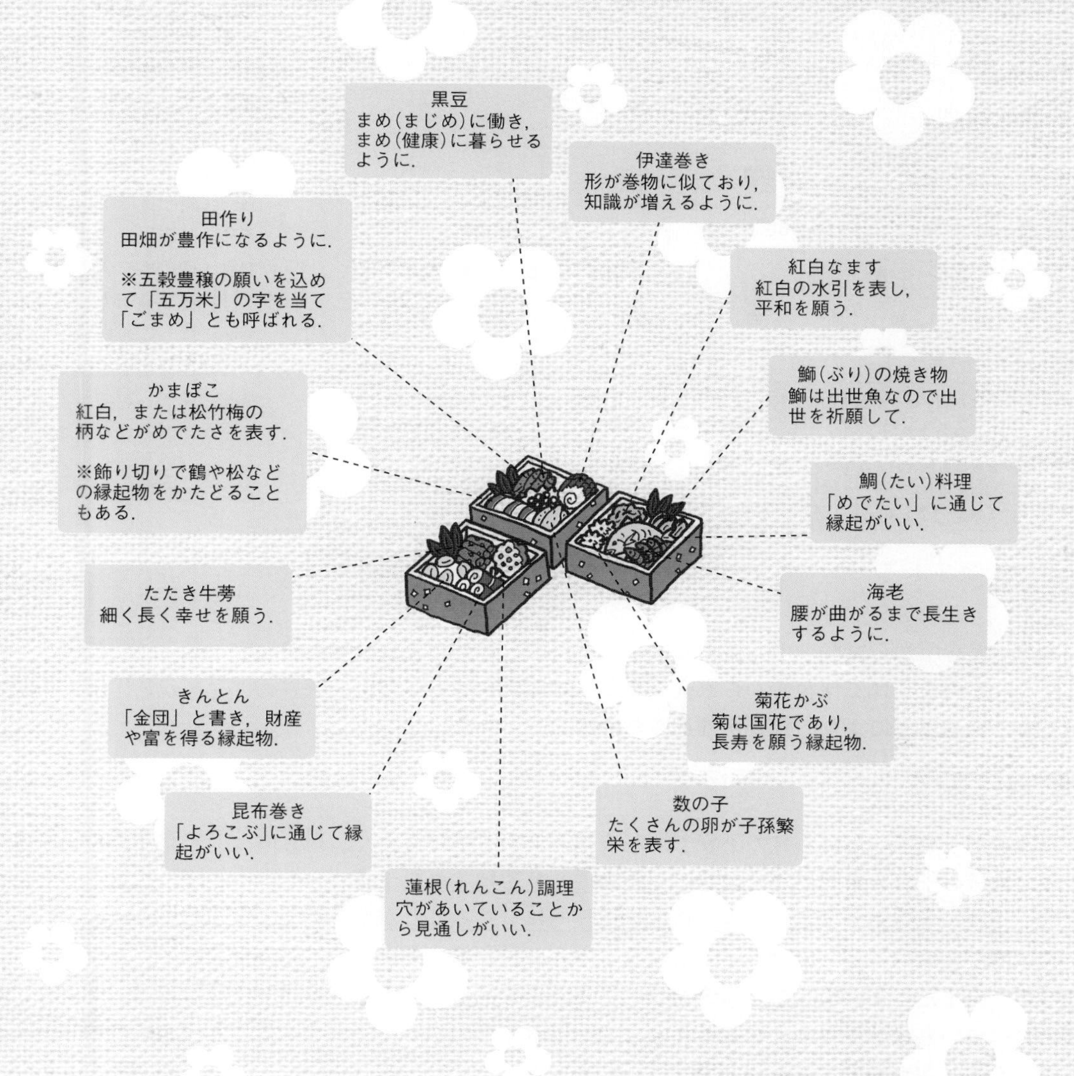

6.4　食生活指導および食を通した保護者への支援

1 食に関する指導

子どもだけでなく，保護者の食育への関心度を高めるためには，食を通した保護者への支援が必要である．子どもの食事の様子や食に関する取り組みを園だよりや連絡帳（図 6-14）で伝えることが，家庭での食育の関心度を高めることにつながる．献立表の掲示や食育だよりによる食の情報の伝達，さらに離乳食や幼児給食の実物を展示することで，離乳期や幼児期の食事量や食事バランスのとり方を示す指導媒体とする．

〇〇年　〇月　〇日　〇曜日　　天気　晴れ

	家庭より	園より
食事	夕食　19：00　~~（ミルク　cc）~~ ・ごはん　・ハンバーグ ・トマトサラダ　・りんご	12：00　お弁当　~~（ミルク　cc）~~ ・ふりかけごはん・ミートボール ・ほうれん草とベーコン・みかん 1/2 （完食）
	朝食　7：00　~~（ミルク　cc）~~ ・納豆ごはん　・みそ汁 ・たまご焼き　・のり　・牛乳	15：00　おやつ　~~（ミルク　cc）~~ ・パンケーキ・バナナ 1/2
睡眠	就寝　21：00　起床　6：30	午睡　13：00 ～ 15：00
機嫌	普通　・　良　・　悪	普通　・　良　・　悪
排便	普通　・　軟　・　固　　回	普通　・　軟　・　固　　回
入浴	有　・　無　　検温　7：00　36.0 ℃	沐浴　有　・　無　　検温　9：30　36.2 ℃
連絡事項	最近はおかずはよく食べるのですが、ごはんがなかなか進まないので、改善していきたいです。 夕食後にも保育園で覚えた歌や踊りを披露し、元気があり余っている様子です。 お迎え予定　17：30 頃（母）　記入者〇〇	今日のお弁当では、ごはんも残さずに食べることができ、本人もうれしそうに空のお弁当箱を保育士に見せてくれました。 午前中に外でたくさん遊んで汗をかいて、いつもよりも早く、ぐっすりと眠っていました。 記入者△△

連絡帳の活用

連絡帳は家庭と保育園を結ぶ大切なものです．近年では，保育時間の長期化による保育士のシフト交替により，登園時とお迎え時の保育士が異なることもあります．この場合，連絡帳を通じての状況把握や情報の共有が大切になってきます．

この連絡帳により 24 時間の見通しを持っての保育が可能となります．

図 6-14　連絡帳

また，保育所から家庭への支援として，**保育参観**，**給食試食会**，**親子クッキング**などの行事が考えられる．このように，保育所から家庭，また反対に家庭から保育所へ喫食状況などの食に関する情報が交換されることにより，食育が推進される．

2 食に関する相談・支援

保護者が子育てにおける食の不安や問題を抱えている場合も多く，保育所での食育が持つ役割は大きい．地域の子育て家庭に対しても，保育を通じて蓄積された子育ての知識や経験，技術などを活かして，相談・支援することができる機会を積極的につくることが望まれる．

具体的な相談内容としては，子どもの食事内容や食事量，調理方法，好き嫌いが多いなどの食べ方について，また，子どもへの食事介助などさまざまである．このような相談に対しては，子どもが実際に食べている様子を参観させることなどで，子育てへの不安を軽減させることが望ましい．

子どもは，保育所で学んだことを家庭で披露したいという気持ちを持つので，その気持ちを利用して，保育所での食育を家庭へ広めていくことも可能である．食に関する相談は，生活リズムなどに関係することも多いので，生活全般を見通しての指導・助言が必要となる．指導・助言に関しては，必ず内容の記録をして，必要な場合は保育所内で事例検討を行う．保育所内で解決できないものは，保護者の了解を得てその他の関係機関への紹介・斡旋を行う．

保育所が地域の子育て支援センターとしての役割を担っている現在，保育所が地域全体の子育て家庭への食育の発信拠点，食育推進の核（センター）の1つとなることが期待される．

Q 食育の基本と具体的な取り組み内容について理解できましたか？

保育所に通う子どもたちにとって保育所は，生活の場であり育ちの場です．その過程で培われる身体や心の育ちとそれらを支える食事はとても重要です．食育は，改めて取り組むものではなく，毎日の保育の中に丁寧に定着させるものです．食事前の手洗いや「いただきます」や「ごちそうさま」，食べる姿勢や給食室から漂うおいしい給食のにおいも，その1つです．この章を通じて保育者も楽しみながら食育活動に取り組めたらと願います．

第7章 家庭や児童福祉施設における食事と栄養

この章で学んでほしいこと！

家庭や児童福祉施設での食事の役割は，子どもの発達に合った安全で必要な栄養補給を行い，健康に生きるための食習慣を身につけさせることです．食を通じて子どもたちが肉体的にも精神的にも豊かに成長し，社会的自立を目指しながら，自分らしい食生活を営む力を身につけるための環境づくりをすることが重要です．

この章では，生活の現状を把握し，子どもにとって望ましい食生活の意義について学びます．さらに児童福祉施設の特徴を捉えたうえで，各施設における栄養・食生活のあり方や家庭との連携について学びます．

この章で学ぶこと

- 家庭における食事と栄養
- 児童福祉施設における食事と栄養
- 子どもと保護者の支援，連携

この章での到達目標

- 家庭での食生活の問題を知り，子どもの発育・発達に応じた食支援のポイントについて理解できた
- 児童福祉施設の食事提供の意義と留意点について学び，保育者としての子どもの食支援を考えることができた
- 家庭，地域，児童福祉施設との情報共有・連携の必要性について理解できた

MEMO

保育士による子どもの家庭支援は法律でも規定されている

児童福祉法第18条の4で，保育士とは第18条1項の登録を受け，保育士の名称を用いて，専門的知識及び技術をもって，児童の保育及び児童の保護者に対する保育に関する指導を行うことを業とする者をいう．

<保育者による子どもの家庭支援の方法>

子どもへの支援のためには，保育の専門性を高めていくことが重要である．
保護者や親子関係の支援では，相談援助技術を高める必要がある．
子育て家庭をとりまく地域社会へのアプローチとして，子育てしやすい地域社会づくりを通して，子育て家庭が地域の中で自立することを支援する．そのためには地域社会資源の活用と関連機関の相互連携が必要である．

保育活動は，食事の提供を軸として生活のリズムを調整しています．子どもの喫食状況を保護者に伝えたりする中で，家庭での食事の状況についても相談を受けることが多くあります．

7.1　家庭における食事と栄養

核家族化が進行する現代においては，母親は子育てに関して孤立しがちで相談できる場所・人を必要としている．児童福祉施設において保育者には，このような保護者の支援が求められている．

1 家庭における「食生活の現状と課題」

○食・ライフスタイルの多様化（洋風化，多様化し，便利さや嗜好性の重視）
○乳幼児の保護者の就労と食事の選択・質の変化
○乳幼児の保護者の「食」に対する考え方や意識の変化
○生活時間帯の夜型化や食事に対する価値観の多様化
　⇒**朝食の欠食，食事を共にする（共食）機会の減少**
　おやつの与え方への配慮不足，偏食，生活習慣病の若年化など

(1) 朝食欠食の問題・・・「起床，朝食，昼食，夕食，就寝」の時間を一定に！

子どもの健やかな成長には，適切な運動，栄養バランスのとれた食事，睡眠が必要である．しかし，最近の子どもの食生活は大きく乱れ，**朝食の欠食**が問題となっている．

平成27年度の乳幼児栄養調査によると，毎日朝食を食べる子どもの割合は93.3%で，朝食習慣と就寝時刻，起床時刻との関連では，欠食する子どもは就寝時刻が10時台以降，起床時刻は8時台以降で多くなった（図7-1）．

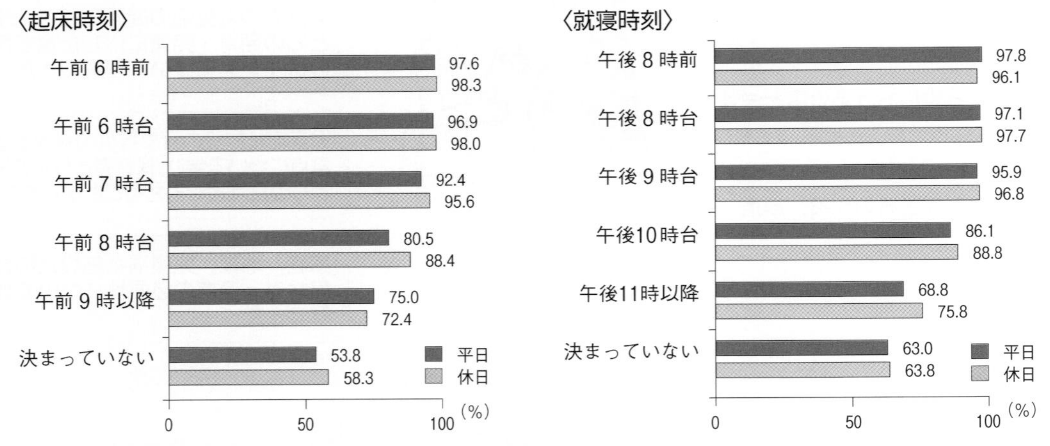

※起床時刻「午前9時以降」は「午前9時台」と「午前10時以降」の合計．就寝時刻「午後11時以降」は，「午後11時台」と「深夜12時以降」の合計．（回答者：2〜6歳児の保護者）

図7-1　子どもの起床時刻・就寝時刻（平日，休日）別，朝食を必ず食べる子どもの割合

（資料：厚生労働省「平成27年度乳幼児栄養調査結果の概要」）

朝食の欠食の理由として，食べる時間がないことや食欲がないことなどが挙げられる．朝食を食べるためには，生活における5つの定点「起床，朝食，昼食，夕食，就寝」を一定の時間に固定し，生活リズムを整えることが大切である．朝食の欠食がある家庭では母親も欠食習慣があり，朝食を食べている家庭でも朝食を「菓子」だけですませる場合もあり，育児で多忙とはいえ，その内容に配慮が求められる．

(2) 食事を囲む親子の関わりの減少 … できるだけ「共食」の機会を増やす！

食事は家族団らんの時である．しかし，近年は労働環境の変化，家族の生活時間帯の夜型化，食事に対する価値観の多様化などにより，家族と食事を共にする**共食**の機会が減少している（第1章1.2参照）．共食と朝食摂取率にも関連がみられ，朝食を「家族揃って食べる」で96.8％と最も高く，「ひとりで食べる」では76.2％であった（図7-2）．

家族一緒の食事では，子どもの心身の成長・発達の変化を日々観察することが可能であるため，その変化に合った食事内容にしたり，食材料や食文化のことを話したり，食事のマナーを教えたりすることが毎日の食卓で自然にでき，食事作法を含めた食べ方や社会性を身につけることが大切である．社会環境が変化する中で，家族揃っての食事の機会を増やすことが求められる。

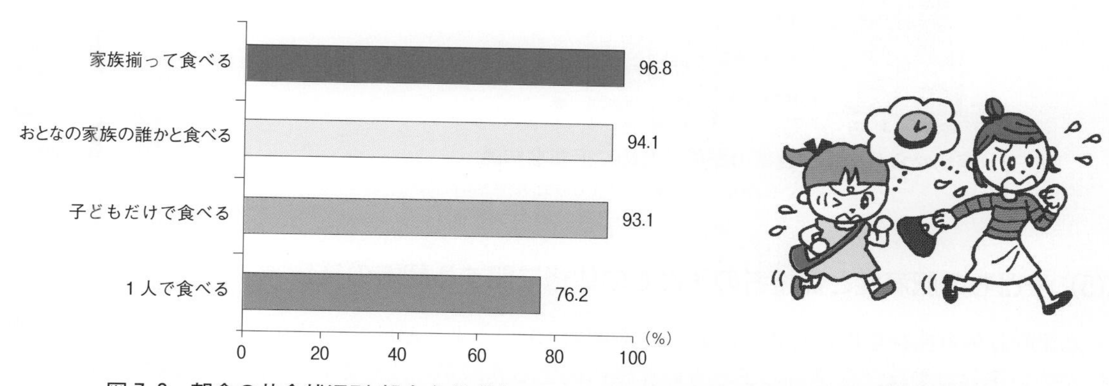

図7-2　朝食の共食状況別 朝食を必ず食べる子どもの割合（回答者：2～6歳児の保護者）

（資料：厚生労働省「平成27年度乳幼児栄養調査結果の概要」）

(3) 女性の職場進出，子育てと仕事の両立の難しさ … 保護者の育児への負担感の増大

現代の保護者は，子どもとゆっくり過ごせる時間が減少している．子どもの食事の困りごとも増えており，その内容は遊び食べやむら食い，偏食などである．

母親の職場進出による子育てと仕事の両立の難しさから，母親は食事作りを敬遠しがちで，子どもの嫌がる食品を利用した料理を避ける傾向があるため，母親への適切な支援が大切になる．

MEMO

保護者の困りごと … 相談できる場所が必要！

① 乳児期：授乳について困ったこと

「母乳が足りているかどうかわからない」40.7%，「母乳が不足ぎみ」20.4%など，保護者は多くの不安を抱えている（第5章5.2参照）．医療機関などで，母乳育児に関する指導を「妊娠中に受けた」と回答した者の割合は59.3%，「出産後に受けた」と回答した者の割合は73.9%であった（平成27年度乳幼児栄養調査）．

② 離乳期：離乳食について困ったこと

「作るのが負担」33.5%，「もぐもぐ，かみかみが少ない」28.9%など，約75%の保護者が，離乳食について何らかの困りごとを抱えていた（第5章5.2参照）．

③ 幼児期：子どもの食事で困っていること

2歳～3歳未満では「遊び食べをする」が41.8%と最も高く，3歳～5歳以上では「食べるのに時間がかかる」と回答した者の割合が最も高かった．約8割の保護者が子どもの食事について困りごとを抱えている（第5章5.3参照）．

(4) 保護者の食に関する知識や技術の不足

子育て世代の食に関する知識や技術の不足が問題となっている．子どもの親世代で，適切な食品選択や食事の準備のために必要な知識・技術が不足していると感じている者が男性で約 7 割，女性で約 5 割にみられ（図 7-3），生活するための技術としての食に関する知識・技術を誰がどう伝えていくのかが大きな課題となっている．

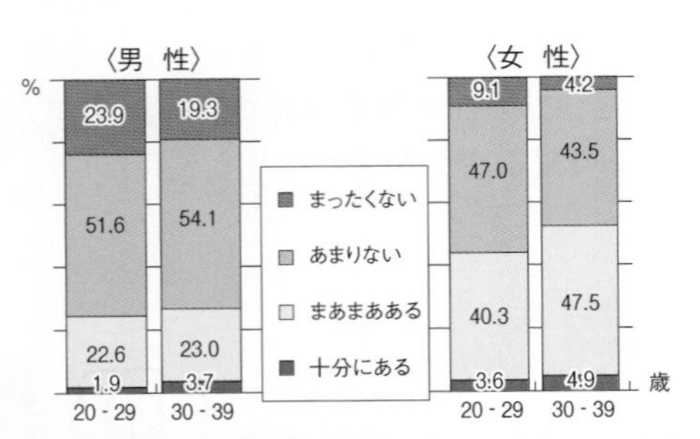

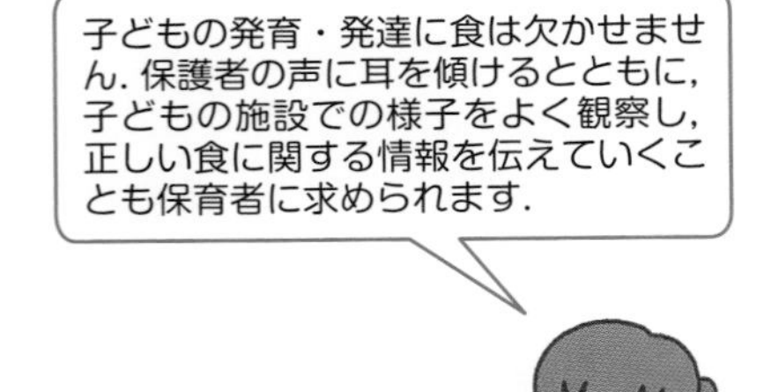

図 7-3　適切な食品選択や食事の準備のために必要な知識

（資料：厚生労働省「平成 11 年度国民栄養調査」）

(5) 子どもの肥満度と保護者の子どもの体格に関する認識のズレ

幼児身長体重曲線を用いた評価による肥満度は，ふつうより肥満度が高い子ども，ふつうより肥満度が低い子どもでは，保護者の子どもの体格に関する認識が一致している割合は，63.4%，60.3% であり，約 4 割に相違があった（図 7-4）．

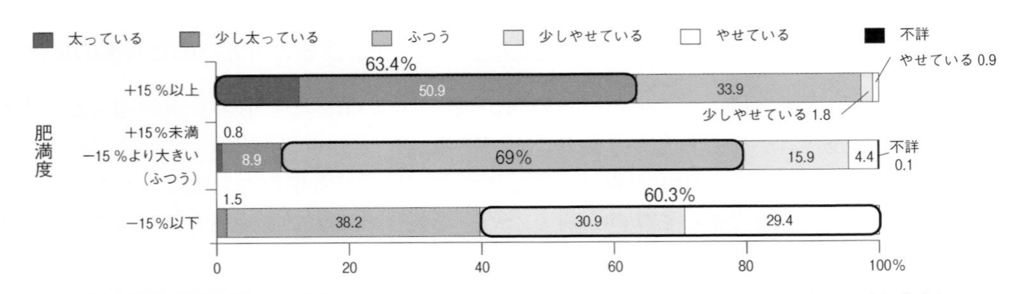

図 7-4　肥満度別 保護者の子どもの体格に関する認識（回答者：2～6 歳児の保護者）

（資料：厚生労働省「平成 27 年度乳幼児栄養調査結果の概要」）

(6) 社会経済的要因と食物の摂取頻度に関する状況

経済的な暮らし向き，生活の中の時間的なゆとり，総合的な暮らしなどの社会経済的要因と食物摂取頻度に関する状況では，魚，大豆・大豆製品，野菜，果物は，経済的な暮らし向きが「ゆとりあり」で摂取頻度が高い傾向がみられ，菓子（菓子パン含む），インスタントラーメンやカップ麺は，経済的な暮らし向きが「ゆとりなし」で摂取頻度が高い傾向がみられた．社会経済的要因が，乳幼児の食物摂取に影響を与えることがうかがえる．

以上のようなさまざまな要因が，子どもの発育・発達や健康状態に影響を与えている．

2 家庭における食事と栄養

(1) 年齢に合わせた食事

年齢に合わせた食事の目安量や調理法，調理形態を知り，保育所給食を参考とした献立を作成する．離乳食は，離乳の進め方の目安（巻末資料３参照）を参考に，幼児は，３歳未満と３歳以上に分けて献立を考える（第５章5.2参照）．

献立は，栄養素摂取の偏りを防ぐため，多様な食品を利用する．多様な食品の利用は，現代の食品が持つリスクである農薬汚染や食品添加物の軽減にもつながる．特に子どもは，身体が小さく感受性も高く影響を受けやすいので，注意したい．

献立をたてるときは（第３章3.3参照），１食の目安量を参考に，主食・主菜・副菜を組み合わせたて，バラエティーに富んだ献立にすると，栄養バランスのとれた食事を実践しやすい[*1]．

＊1　子どもの料理の味付け
子どもの料理の味付けは，塩味で0.4%とし，大人の味の約半分とする．実際に料理を作るときは，大人の料理を味付けする前に，取り分けてから調味をする方法や，汁物を同量の湯で薄めるなどの工夫をする．

(2) 和食を中心とした食事作り

和食は，米を中心に，魚，大豆，野菜，海藻，きのこなどを，蒸す，茹でる，煮るなどの調理法で調理し，発酵食品である味噌や醤油で味付けをしている．和食の特徴は，油脂が少ないため，比較的低エネルギーで栄養素のバランスをとりやすい．また，だしを利用することで材料の持ち味を活かすことができ（第５章5.3参照），薄味にすることもできる．さらに，食材の旬を取り入れやすく，季節ごとの行事やお祝いの日に食べる行事食があることも和食の特徴である．

和食は健康的！

(3) 調理法の工夫

同じ食材を使用しても料理法によって食感が変わり，子どもの多様な味覚が育てられる．料理法によって，油や調味料の使用量が変わるなど，それぞれの特徴を活かして，栄養バランスの良い食事を心がけたい．

■調理方法は大きく７つに分類される

❶焼く　❷茹でる　❸炒める　❹揚げる　❺煮る　❻和える　❼蒸す

子どもの食事作りは，育児をする保護者に負担になる場合も少なくない．そのため，食事を最初から作るのではなく，大人のものを取り分けることやフリージング（冷凍）しておいたもの，ベビーフード（第５章5.2参照）などを上手に利用することも勧めたい．

(4) 不足しがちなミネラルの補給

国民健康・栄養調査結果によると，幼児期より鉄やカルシウム不足がみられる．鉄不足は，貧血を招くので，鉄と共に貧血予防に有効なたんぱく質やビタミン類などの摂取も勧めたい．また，鉄の吸収を妨げるタンニンやシュウ酸塩などを含む食品にも注意をする（図7-5）．

鉄を多く含む食品

レバー（鶏・牛・豚）
いわし・カツオ・あさり・赤貝・牡蠣
ほうれん草・小松菜など
ひじきなど

※鉄の吸収を高めるビタミンＣと合わせて摂る（いちご，みかん，柿，ブロッコリー，キャベツ，じゃがいもなど）

タンニン含む食品

緑茶・コーヒーなど

シュウ酸塩を含む食品

葉菜類野菜
たけのこ
緑茶・コーヒー
チョコレート
バナナなど

図 7-5　鉄を多く含む食品と，タンニン・シュウ酸塩を含む食品

カルシウムは，幼児の骨形成に大切な栄養素であるため，カルシウムを含む牛乳・乳製品，大豆・大豆製品，海藻，緑黄色野菜などの摂取を心がける．また，カルシウムの吸収を妨げるリンを含む，加工食品の摂取を控えることも大切である（図 7-6）．

カルシウムを多く含む食品

リンを含む加工食品

無機リン（食品添加物）
・ソーセージ，ハム
・インスタント麺
・清涼飲料水
・魚介練り製品
・ファストフード

※無機リンは，腸から吸収されやすく血液中のリン濃度を上昇させる

図 7-6　カルシウムを多く含む食品と，リンを含む加工食品

7.2　児童福祉施設における食事と栄養

1　児童福祉施設の種類と特徴

児童福祉施設とは，児童福祉に関する事業を行う施設であり，児童福祉法をはじめとする法令に基づいて国，都道府県，市町村や社会福祉法人により設置されている．

「児童福祉施設の設備及び運営に関する基準」では，児童福祉施設において食事を提供するときは，その献立はできる限り変化に富み，入所している者の健全な発育に必要な栄養量を含有すること，食事は，食品の種類および調理方法について栄養並びに入所している者の身体的状況および嗜好を考慮すること，児童の健康な生活の基本としての「食を営む力」の育成に努めることなどを規定している．**表 7-1** に児童福祉施設の主な栄養士配置基準を抜粋し記載した．「食事摂取基準」を活用した食事計画を基本として取り組まれている．

表 7-1 「児童福祉施設の設備及び運営に関する基準」による主な児童福祉施設の種類と栄養士配置基準

施 設	根拠法	栄養士配置基準	栄養士配置規定
乳児院	児童福祉法	右記条件により必置	乳児 10 人以上の施設は必置
児童養護施設		右記条件により必置	児童 41 人以上の施設は必置
児童心理治療施設※1		必置	
児童自立支援施設		右記条件により必置	児童 41 人以上の施設は必置
障害児入所施設※2（福祉型，医療型）	児童福祉法（医療型は医療法も含む）	右記条件により必置	福祉型：児童 41 人以上の施設は必置 医療型：「医療法」の規定に従う
児童発達支援センター※3（福祉型，医療型）		右記条件により必置	福祉型：児童 41 人以上の施設は必置 医療型：「医療法」の規定に従う

※1 2017 年の児童福祉法改正に伴い，「情緒障害児短期治療施設」から名称が変更された．
※2 知的障害児施設，盲ろうあ児施設，肢体不自由児施設，重症心身障害児施設などの各障害別に分かれていた入所施設については，2012 年から「障害児入所施設」として一元化し，福祉型・医療型に分類された．
※3 知的障害児通園施設，難聴幼児通園施設，肢体不自由児通園施設，重症心身障害児通園施設などの通所施設については，2012 年から「児童発達支援センター」として一元化された．

（資料：「児童福祉施設の設備及び運営に関する基準」（平二三厚労令一二七・改称）より抜粋）

児童福祉施設における「食事摂取基準」を活用した食事計画（一部抜粋）

1 児童福祉施設における「食事摂取基準」を活用した食事計画の基本的考え方
(1)「食事摂取基準」の各栄養素及び指標の特徴を十分理解して活用すること．
(2) 個々人の発育・発達状況，栄養状態，生活状況などに基づいた食事計画を立てること．
(3) 子どもの健康状態及び栄養状態に特に問題がないと判断される場合であっても，基本的にエネルギー，たんぱく質，脂質，ビタミン A，ビタミン B_1，ビタミン B_2，ビタミン C，カルシウム，鉄，ナトリウム（食塩），カリウム及び食物繊維について考慮するのが望ましい．
(4) 一定期間ごとに摂取量調査や対象者特性の再調査を行い，食事計画の見直しに努めること．その際，管理栄養士などによる適切な活用を図ること．

2 児童福祉施設における「食事摂取基準」を活用した食事計画の策定に当たっての留意点
(1) 子どもの発育・発達状況，栄養状態，生活状況などを把握・評価し，エネルギー及び給与栄養量の目標を設定するよう努めること．
(2) エネルギー摂取量の計画に当たっては，定期的に身長及び体重を計測し，個々人の成長の程度を評価すること．
(3) たんぱく質，脂質，炭水化物の総エネルギーに占める割合（エネルギー産生栄養素バランス）については，たんぱく質 13%～ 20%，脂質 20%～ 30%，炭水化物 50%～ 65%の範囲を目安とすること．
(4) 1日のうち特定の食事（例えば昼食）を提供する場合は，1日全体の食事に占める特定の食事から摂取することが適当とされる給与栄養量の割合を勘案し，その目標を設定するよう努めること．
(5) 給与栄養量が確保できるように，献立作成を行うこと．
(6) 献立作成に当たっては，季節感や地域性などを考慮し，また，子どもの 咀嚼や嚥下機能，食具使用の発達状況などを観察し，その発達を促すことができるよう，食品の種類や調理方法に配慮するとともに，子どもの食に関する嗜好や体験が広がりかつ深まるよう，多様な食品や料理の組み合わせにも配慮すること．また，特に，小規模グループケアやグループホーム化を実施している児童養護施設や乳児院においては留意すること．

3 児童福祉施設における食事計画の実施上の留意点
(1) 子どもの状況の把握により，給与栄養量の目標の達成度を評価し，その後の食事計画の改善に努めること．
(2) 定期的に施設長を含む関係職員による情報の共有を図り，食事の計画・評価を行うこと．
(3) 施設や子どもの特性に応じて，将来を見据えた食を通じた自立支援にもつながる「食育」の実践に努めること．
(4) 保健衛生に万全に期し，食中毒や感染症の発生防止に努めること．

（資料：児童福祉施設における「食事摂取基準」を活用した食事計画について（令和 2 年 3 月 31 日）より抜粋）

2 児童福祉施設における食事の提供

(1) 栄養管理の考え方

児童福祉施設の食事の提供は，「児童福祉施設における食事の提供に関する援助及び指導について」と「児童福祉施設における「食事摂取基準」を活用した食事計画について」（厚生労働省：令和2年3月31日通知）に基づいて実施されている．具体的には，「児童福祉施設における食事の提供ガイド」[*1]を活用して，子どもの食事・食生活の支援を行う（図7-7）．

栄養管理とは，子どもの健やかな発育・発達，健康状態・栄養状態の維持・向上およびQOL（Quality of life：生活の質）の向上を目的として，食事提供を軸とし栄養教育の手法を用いて子どもおよび保護者を支援していくことである．

1日の食事摂取量に占める施設での食事量および回数の割合が多ければ多いほど，健康状態・栄養状態への影響は大きくなる．また，施設で食べる食事そのものが栄養教育（食育）につながる．

＊1 「児童福祉施設における食事の提供ガイド」
子どもの健やかな発育・発達を支援する観点から，児童福祉施設における食事の提供及び，栄養管理を実施するにあたっての考え方を提案したもの．（厚生労働省，2012（平成22）年）

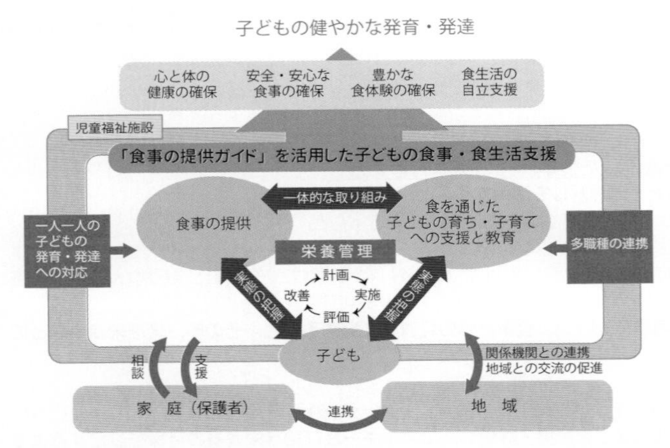

図7-7　子どもの健やかな発育・発達を目指した食事・食生活支援

（資料：厚生労働省「児童福祉施設における食事の提供ガイド」より抜粋）

児童福祉施設の食事には，食育の役割がある．食事の提供は，子どもの発育・発達状況，健康状態・栄養状態と合わせて，養育環境も含めた実態把握を行い，食事計画をたてるとともに，摂食・嚥下機能や食行動の発達を促すような食品選択や料理方法に配慮した献立作成を行う．
児童福祉施設における栄養管理は，給食すなわち食事を提供することを軸とし，施設で食べる食事そのものを栄養教育（食育）につなげることで，子どもと保護者を支援していく過程そのものが栄養管理であるといえる．

(2) 1人ひとりの子どもの発育・発達への対応

「児童福祉施設における食事の提供ガイド」より各ライフステージの子どもの発育・発達への対応について表7-2にまとめた．

(3) 多職種の連携

1人ひとりの子どもに応じた食事を提供するためには，さまざまな職種の職員が子どもへの支援について考え，これを情報として共有していくことが大切である．

保育士・看護師…発育・発達の状況，毎日の健康状態，施設での生活状況，喫食状況
栄養士　　　　…食事の提供，喫食状況の観察
施設長　　　　…多職種連携が可能な職場環境の整備

表 7-2 ライフステージ別における子どもの発育・発達への対応

	留意点	支援のポイント
乳汁の与え方	○集団においても個別対応が大切	「授乳・離乳の支援ガイド」を参考に進める（第5章5.2 および巻末資料3参照）.
離乳食の進め方	○1人ひとりの子どもの発育･発達に合わせる	
幼児期の食事	○精神面の発達および食行動にも配慮 ○咀嚼機能により食品の種類や調理形態に配慮 ○味覚の発達 ○3回の食事とおやつで生活リズムを整える	食べたい気持ちを引き出し食べる楽しさを育てる．手づかみ食べから食具で扱いやすい大きさなど形態に配慮する．薄味にするなど味付けの仕方に配慮し，多様な食品を経験させる．食事時間を決め，空腹・満腹の感覚を覚える．
学童期の食事	○望ましい食習慣・生活習慣を形成し，確立できるよう配慮，給食が望ましい食事の例となり，学習機会となるように配慮する． ○食事の準備や後片付け，調理などを通し，食生活や調理に興味や関心を持ち，発達に応じて食事や調理の基本的な知識や技術を学んでいけるよう支援する．	食事・栄養バランスや自分に合った食事量が分かり，自分の食生活を振り返り，改善できる力を育む． 食事のマナー，季節や行事に合わせた食事など，食文化などについても習得できるような配慮および支援をする．
思春期の食事	○自分の身体の成長や体調の変化や，食事と健康，運動について知り，食生活や生活リズムなどを自己管理できるように支援する．	自分に見合った食事量や食事・栄養バランスについて理解し実践できること，食材の購入から，調理，後片付けまで食生活全般について実践できるように，食生活の自立に向けて支援する．
特別な配慮を含めた子どもへの対応	体調不良の子ども（第8章8.1参照）	家庭との連絡を密にし，必要に応じて医師の指導・指示に基づき食事を提供する．
	食物アレルギーのある子ども（第9章参照）	医師の指導・指示に基づき食事を提供する．事故を防止するための決まりごとを施設内で決めておく．
	障がいのある子ども（第8章8.2参照）	療育機関，医療機関などの専門職の指導・指示に基づき適切な支援を行う．
	虐待を受けた子ども	「衣食住」の安定を図り，発育・発達段階に応じた食習慣など基本的な生活習慣を，時間をかけて形成するよう支援を行う．

（資料：厚生労働省「児童福祉施設における食事の提供ガイド」より作成，一部加筆）

(4) 家庭や地域との連携

食事の「場」は，児童福祉施設のみならず，家庭も重要となることから，家庭の食に関する情報を発信することはもとより，家庭からの食に関する相談に応じ積極的に支援を行うことも重要である．

施設…家庭への通信（おたより），毎日の連絡帳への記入，保育参観，給食やおやつの試食会，保護者参加による調理実践，行事など

さらに，関連する近隣の児童福祉施設，小・中学校，高等学校などの教育機関，地域の保健センター・保健所，医療機関などと密接な連携をとることも大切である．

(5) 食事の提供における食事摂取基準の活用

子どもの特性に合わせた食事摂取基準を活用し，1人ひとりの発育・発達状況・生活状況などより**給与栄養目標量**[*2]を算出する．食事内容や衛生管理についての配慮もしながら，食事を生きた媒体として食べることへの意欲や関心を高め，望ましい食態度の形成を目指す．

また，さまざまな食材を体験させることで味覚の幅を広げることや，食事中の姿勢やマナーなどを学ぶ．これらの継続的な経験で発達を促し，望ましい食習慣を形成させる．さらに，季節感や地域性を考慮することや郷土料理，行事食（巻頭カラーページ，第6章6.3参照）などを取り入れることで日本文化にふれ，食への感謝の気持ちを育む．

＊2　給与栄養目標量
日常生活や保育所での活動などを考慮して，年齢区分ごとに「食事摂取基準」を用いて1人1日当たりの推定エネルギー必要量などを求めたもの．

(6) 食事の提供における衛生管理

乳幼児は，いったん食中毒に罹ると重症化しやすいことから，児童福祉施設における食事の提供にあたっては，衛生管理を向上させ，食中毒の発生防止に努める必要がある．

給食の提供…大量調理施設衛生管理マニュアルに基づく衛生管理に努めることが望ましい．

乳汁栄養　…調乳，冷凍・冷蔵母乳の取扱いについて，関連する職員の間で認識を共有し，衛生的な取り扱いについての体制を整えることが重要である．

クッキング保育ほか…計画の段階から，衛生面・安全面への配慮が必要であり，施設の職員全体の合意と連携を図る必要がある．

MEMO

ジャガイモの喫食によるソラニン類食中毒について

小学校内で栽培されたジャガイモを喫食したことによるソラニン類食中毒＊事件が発生している．ソラニン類食中毒を防止するために，次のような点に留意が必要である．

～天然毒素の特徴と食中毒予防のポイント～
- イモに光（日光，蛍光灯）が当たると増える
  ⇨ポイント① イモに光を当てない
- 未熟なイモでは，濃度が高いことがある
  ⇨ポイント② イモは大きく育て，熟してから収穫する
- イモを傷つけると増える
  ⇨ポイント③ 収穫，保管時にイモを傷つけない
- 芽とその周辺や緑色の部分では，濃度が高い
  ⇨ポイント④ 芽とその周辺や緑色の部分は除く
- 皮では，内側の部分より濃度が高い
  ⇨ポイント⑤ 皮はできるだけむく
- 濃度が高いとイモが苦くなる
  ⇨ポイント⑥ 苦味やえぐみのあるイモは食べない

＊ジャガイモ中のソラニン類とは主にソラニンとチャコニンであり，天然毒素の一種で，ジャガイモの芽や緑色になった部分に多く含まれる．ソラニンやチャコニンを多く含むジャガイモを食べると，食後 8～12 時間で吐き気や下痢，嘔吐，腹痛，頭痛，めまいなどの症状が出ることがある．

（資料：農林水産省 HP「ジャガイモによる食中毒を予防するために」参照）

3 保育所給食の概要

(1) 保育所給食の役割

保育所は，児童福祉法に基づき保護者が働いているなどの何らかの理由によって保育を必要とする乳幼児を預かり，保育することを目的とする児童福祉施設である[*1]．成長が激しい時期にある子どもが１日の大半を過ごす場であるため，食事は栄養摂取面や，好ましい食習慣，給食を通じての豊かな人間関係や情操面の発達を促す上からも重要である．

2017（平成 29）年に告示された新たな「保育所保育指針」では，食育は保育の一環として位置付けられ，子どもの育ちを支える食育の重要性が示され，食育推進に関する記載の充実などが図られた（第６章参照）．保育所給食は，食物アレルギーや宗教上の理由による代替食や除去食など，多様なニーズに対応していく必要があり，保育所が家庭に代わる役割は大きい．

＊1　保育所
保育所の利用形態は，休日保育，夜間保育，延長保育，一時的保育，障害児保育，病児保育などいろいろな子育て支援が行われている．

(2) 保育所における給与栄養量の目標

入所児は，年齢や発育・発達状況が異なり，食事内容や食べ方にも相違がある．それぞれの子どもの発達段階に合わせた給食であることが望ましい．そのため保育所では，乳児食と幼児食に大別し，

乳児食は，乳汁と離乳食に，幼児食は1～2歳児食と3～5歳児食に区別される．給与栄養目標量は，食事摂取基準を用いて2段階の設定[*2]とし，0歳児は個人差が激しいため個別対応とする．

食事形態は，「昼食 ＋ 間食」とし，1日の給与栄養量に対する割合は，1～2歳児が50%，3～5歳児が45%を目安とする（**表7-3**）．給与栄養目標量は，子どもの性・年齢・栄養状態・生活状況などを把握し，定期的に見直すことが望ましい．

＊2　給与栄養目標量の2段階設定

日常生活や保育所での活動などを考慮して，1～2歳児，3～5歳児の年齢区分ごとに「日本人の食事摂取基準」を用いて，1人1日当たりの推定エネルギー必要量などを求めたもの．

表7-3　保育所における給与栄養目的量の例

1～2歳児の給与栄養目標量（男子）

	エネルギー(kcal)	たんぱく質(g)	脂質(g)	炭水化物(g)	食物繊維(g)	ビタミンA(μgRE)	ビタミンB_1(mg)	ビタミンB_2(mg)	ビタミンC(mg)	カルシウム(mg)	鉄(mg)	食塩相当量(g)
食事摂取基準(A)(1日当たり)	950	31~48	22~32	119~155	7	400	0.5	0.6	40	450	4.5	3.0
昼食＋おやつの比較(B%)＊	50%	50%	50%	50%	50%	50%	50%	50%	50%	50%	50%	50%
1日の（昼食）の給与栄養目標量(C=A×B/100)	475	16~24	11~16	60~78	3.5	200	0.25	0.30	20	225	2.3	1.5
保育所における給与栄養目標量(Cを丸めた値)	480	20	14	70	4	200	0.25	0.30	20	225	2.3	1.5

注）＊昼食および午前・午後のおやつで1日の給与栄養量の50%を給与することを前提とした．

3～5歳児の給与栄養目標量（男子）

	エネルギー(kcal)	たんぱく質(g)	脂質(g)	炭水化物(g)	食物繊維(g)	ビタミンA(μgRE)	ビタミンB_1(mg)	ビタミンB_2(mg)	ビタミンC(mg)	カルシウム(mg)	鉄(mg)	食塩相当量(g)
食事摂取基準(A)(1日当たり)	1,300	43~65	29~44	163~212	8	500	0.7	0.8	50	600	5.5	3.5
昼食＋おやつの比較(B)＊1	45%	45%	45%	45%	45%	45%	45%	45%	45%	45%	45%	45%
1日の（昼食）の給与栄養目標量(C=A×B/100)	585	20~29	13~20	74~96	3.6	225	0.32	0.36	23	270	2.5	1.5
家庭から持参する米飯110gの栄養量（D）＊2	185	4	0	40	0.3	0	0.02	0.01	0	3	0.1	0
E＝C－D	400	16~25	13~20	34~56	3.3	225	0.30	0.35	23	267	2.4	1.5
保育所における給与栄養目標量(Cを丸めた値)	400	22	17	45	4	225	0.30	0.35	23	267	2.4	1.5

注）＊1　昼食（主食は家庭より持参）および午前・午後のおやつで1日の給与栄養量の45%を給与することを前提とした．
＊2　家庭から持参する主食量は，主食調査結果（過去5年間の平均105g）から110gとした．
（資料：食事摂取基準の実践・運用を考える会「日本人の食事摂取基準（2020年版）の実践・運用」第一出版，2020）

(3) 保育所における献立作成上の留意点

3～5歳児食の献立を基本にして，同一材料の分量や調理形態を変えることによって，1～2歳児食，離乳食へと展開する（**表7-4**）．食習慣を修得する大事な時期であることから，食嗜好や食体験を広げさせ，それぞれの発育・発達状況に応じた調理形態や調味を心がける．季節や地域の産物を活用した献立や，園内菜園などの収穫物を使用した献立なども取り入れる．

また，子どもは抵抗力が弱いため，食事による食中毒（第4章4.1参照）は命に関わることもある．食中毒の危険がないよう衛生面に注意する[*3]．

＊3　食中毒防止のために保育士として重要なことは，手洗いと検便による腸内細菌検査である．健康保菌者でないか検査をし，接触感染を防ぐ．

①個人への配慮

入所時には，保護者との面接などを通じて子どもの食事の状況や身体状況，健康状態などを把握する．また日々の保育の中で食事の状況を観察し，定期的に多職種間で情報共有しながら適切な対応をとる．子どもの喫食状況に応じて食事形態や食事量，食器具などに配慮する．

②保護者に対する支援・地域における子育て支援

保育所保育指針において，「保育所における保護者への支援は，保育士等の業務であり，その専門性を生かした子育て支援の役割は，特に重要なものである．」とされている．保育所に入所する子どもの保護者に対する支援および地域の子育て家庭への支援について，職員間の連携を図りながら積極的に取り組むことが求められている．

③多職種連携

子どもの食事の状況を把握し，食事の提供に反映させるには保育士・栄養士の連携が必要である．

表 7-4　①保育所給食（例）（3 歳以上児→ 3 歳未満児→離乳食）

日付	未満児献立	初期 ペースト状	中期 舌でつぶせる・豆腐状	後期 歯ぐきでつぶす・バナナ状	完了期 歯ぐきで噛む・肉団子状
8/1	カレーうどん きゅうりの中華風 ヨーグルト	ミルク	煮込みうどん（くたくた煮） ゆでうどん （ささみ挽肉，たまねぎ，にんじん）	煮込みうどん（とろとろ煮） ゆでうどん （ささみ挽肉，たまねぎ，にんじん）	煮込みうどん ゆでうどん （ささみ挽肉，たまねぎ，にんじん） ヨーグルト
8/2	7 分つき米 スペイン風オムレツ たまねぎと青菜のスープ トマトとわかめのサラダ	つぶしがゆ 野菜ペースト （じゃがいも，たまねぎ） 野菜スープ （具なし）	7 分がゆ じゃがいものくたくた煮 （じゃがいも，たまねぎ，ミンチ） 野菜スープ （ほうれん草葉先）	全がゆ じゃがいもの柔らか煮 （じゃがいも，たまねぎ，ミンチ） 野菜スープ （たまねぎ，ほうれん草）	7 分付き米軟飯 じゃがいもの柔らか煮 （じゃがいも，たまねぎ，ミンチ） 野菜スープ （たまねぎ，ほうれん草） トマトとわかめのサラダ
8/3	7 分つき米 豆腐ハンバーグ 切り干し大根の中華風 かぼちゃの味噌汁	つぶしがゆ 豆腐ペースト かぼちゃペースト	7 分がゆ 豆腐と野菜煮 （挽肉，豆腐，たまねぎ） かぼちゃの味噌汁	全がゆ 豆腐と野菜煮 （挽肉，豆腐，たまねぎ） かぼちゃの味噌汁	7 分つき米軟飯 豆腐ハンバーグ 切り干し大根の中華風 （ごま，ごま油除去） かぼちゃの味噌汁
8/4	7 分つき米 鯖の煮つけ 小松菜と茸のごま和え かき玉汁	つぶしがゆ たまねぎスープ （具なし）	7 分がゆ 白身魚と野菜煮 （白身魚，にんじん，小松菜） たまねぎスープ （きざみたまねぎ）	全がゆ 白身魚と野菜煮 （白身魚，にんじん，小松菜） たまねぎスープ （千切りたまねぎ）	7 分つき米軟飯 白身魚の煮付け（白身魚） 小松菜と茸の和え物 たまねぎスープ （千切りたまねぎ）
8/5	7 分つき米 鶏肉の甘辛煮 野菜の和え物 豆腐の味噌汁	つぶしがゆ かぼちゃペースト （かぼちゃ，にんじん，たまねぎ） 豆腐のすり流し汁	7 分がゆ 鶏ささみと野菜煮 （ささみ，かぼちゃ，にんじん，たまねぎ） 豆腐の味噌汁（豆腐）	全がゆ 鶏ささみと野菜煮 （ささみ，かぼちゃ，にんじん，たまねぎ） 豆腐の味噌汁（豆腐）	7 分つき米軟飯 鶏肉やわらか煮 野菜の和え物（ベーコン抜き） 豆腐の味噌汁

表 7-4　②ある 1 日の未満児給食から離乳食への展開（例）

献立名	食品名	重量（g）	初期	中期	後期	完了期
7 分つき米	米・七分つき米（水稲）	35	つぶしがゆ 40 g 精白米 4 g+ 水 40 g	7 分がゆ 50 g 精白米 7 g + 水 49 g	全がゆ 90 g 精白米 18 g + 水 90 g	軟飯 80 g 精白米 26 g + 水 50 g
スペイン風オムレツ	鶏卵・全卵 - 生 豚・ベーコン じゃがいも - 生 たまねぎ・りん茎 - 生 にんじん・根，皮むき - 生 青ピーマン - 生 調合油 食塩 こしょう・混合，粉 トマト加工品・ケチャップ じゃがいもでん粉	28 4 21 8 4 4 1 0.15 0 2 0.2	野菜ペースト じゃがいも　15 たまねぎ　10 かつお昆布だし　20	じゃがいものくたくた煮 鶏ミンチ　10 じゃがいも　20 たまねぎ　10 かつお昆布だし　50 しょうゆ　0.5	じゃがいもの軟らか煮 鶏ミンチ　15 じゃがいも　25 たまねぎ　15 かつお昆布だし　100 しょうゆ　1	じゃがいもの軟らか煮 鶏ミンチ　20 じゃがいも　30 たまねぎ　20 かつお昆布だし　100 しょうゆ　1.2
トマトとわかめのサラダ	スイートコーン・缶詰 トマト - 生 きゅうり - 生 カットわかめ 砂糖 穀物酢 こいくちしょうゆ 調合油 ごま油	8 25 8 0.7 0.6 1.1 0.4 1 0.4				トマトとわかめのサラダ スイートコーン(つぶし)　5 トマト　15 きゅうり　5 ゆでわかめ　0.5 砂糖　0.5 酢　1 こいくちしょうゆ　0.3
たまねぎと青菜のスープ	たまねぎ・りん茎 - 生 調合油 にんじん・根，皮むき - 生 ほうれん草・葉 - 生(夏採り) 鶏がらだし 鶏がら 食塩 こしょう・混合，粉	21 0.4 3 7 84 42 0.2 0.01	野菜スープ 鶏がらだし　30	野菜スープ ほうれん草葉先　5 鶏がらだし　40 かたくり粉　1	野菜スープ たまねぎ　10 ほうれん草　7 鶏がらだし　50	野菜スープ たまねぎ　15 ほうれん草　10 鶏がらだし　100 食塩　0.1

4　乳児院の食事の概要

乳児院には，保護者の経済的理由や病気，虐待などの事情で，家庭での養育が困難であったり，不適当と判断されて入所する場合が多く，入所前の発育が遅れ気味であったり，健康や栄養状態に問題をかかえている子どもも多い．生涯にわたる食生活の基礎を作る重要な時期であるため，個人の状況を把握して，栄養管理を行うと共に，家庭的で安心できる食環境づくりに努める．

乳児院では，施設長をはじめとして，各専門分野の職員が食事や保育などそれぞれ職種ごとに交代で子どもの生活を支援している．そのため，他職種が連携して，子ども 1 人ひとりの健康や生活状況，発達の様子などを共有する．特に，離乳食の移行や，食物アレルギー，障害などによる個別対応の指示内容を確実に伝達し，安心・安全な食事の提供を行う．

栄養管理

①乳汁栄養

乳児の発育状況に応じて，哺乳量を調節し，成長曲線により評価する．牛乳アレルギーや乳糖不耐症，飲む量が少ない，嚥下困難などがある場合は，医師の指示に従い，適切なミルクを与える．

②離乳食

「授乳・離乳の支援ガイド」を目安に，乳児それぞれの摂食機能に合わせた調理形態に調整する．成長の目安は，乳児期から引き続いて，成長曲線を描くことで評価する．食事を与えるときは，適切な言葉かけやスキンシップなどを心がけ，楽しく，おいしい食事ができるように配慮する．

③幼児期の食事

精神的な安定をはかり，家庭的な雰囲気の中で，食事のマナーや食べ物への感謝の気持ちを理解させ，楽しく味わって食事ができる環境を整える．食に関する指導の場であることを常に意識して食育に取り組む．

5 児童養護施設

児童養護施設で生活する子どもたちの入所理由や抱えている問題は複雑で多様である．保育士や児童指導員などは，子どもと生活を共にする時間が長いことから，子どもへ与える影響は大きく子どもへの食事を通じた支援の大切さについて理解を深める必要がある．子どもの状況に合わせ，適正な食事の提供を行うことにより，食事・睡眠などの生活リズムを整える．皆で楽しく食事をする経験を繰り返し，それを習慣化することが心身の発達や人間関係の構築にもつながる．

①個人への対応

・成長や発達に合わせた食具や椅子の高さなどに配慮する．
・食卓をテーブルクロスなどで整え，皆で食を楽しむ家庭的な食環境づくりに努める．
・食堂の席を決めることにより，「自分の居場所」が確保されて安心して食事をする事ができ，それはまた心の安定をももたらす．

②栄養管理の留意点

子どもの発育が適切であるかなどについて，成長曲線や体格指数などで確認する．児童養護施設では異年齢児が一緒に生活をしていることから，職員間で子ども１人ひとりの食事の適正量を周知することが重要である．食の提供については，銘々皿に取り分けて盛りつけることにより食事摂取量を把握することができる．

③厨房以外での調理に関わる衛生管理の留意点

保育士や児童指導員などについても，衛生管理に対する意識を向上させることが大切であり，担当職員の健康管理チェック，検便の実施，調理器具の点検や冷蔵庫の庫内温度，ならびに食材の購入保管や食事提供に関するマニュアルの作成など，衛生面への十分な配慮が必要である．

④食を通じた自立支援

子どもの発達，発育に合わせた個別の目標に沿った計画を立て継続的に多職種協働で食支援を行う．健康な体を維持管理するための知識や調理技術の習得など日常生活の中での栄養教育を取り入れる．行事や行事食，地域の風土や文化などを通した食文化について伝承することも自立支援の一環として大切である（**表 7-5**）．

6 障害児施設

障害児施設においては，個々の子どもの障害種や程度など障害特性に応じて食事の提供に関する留意点が多岐にわたる．例えば，知的障害児施設と重症心身障害児施設とでは，対象児の身体特性が異なることから，食事形態や食具，食事用の椅子や机，食事に要する時間，食べ方（与え方）などや目標についても，それらの特性の違いなどに配慮する．（第 8 章 8.2 参照）

規則正しく適切な食事の提供により，子どもの生活リズムが整うことで心身の安定を図ることができます．
子どもの発育・発達，喫食状況には個人差が大きいため，
家庭や地域，各児童福祉施設の情報共有や連携を強化することにより，子どもたちの食支援が可能になります．

表 7-5　児童養護施設の食を通じた自立支援事例

「お弁当コンクール」の実施による自立支援（児童養護施設）

1. 施設の概要

【施設種別】児童養護施設　　【入所児数】52 名

2. 取組の特徴

高校生になった子どもたちが，生活時間の変化や環境の変化に少しでも早く適応し，学校生活が円滑に送れるように，春休みを利用して学校までの通学指導や通学時間に合わせた起床など生活時間のイメージつくりを行う．その一環としとて高校生になるとお弁当を持っての通学となることから「お弁当コンクール」としてお弁当作りを行い，食生活の自立に向けた支援を行う．また中学生についても，部活動等でお弁当を持っていく機会も増えることから実施した．

3. 取組の概要

【目　的】高校生が自分に必要な食事量を知り，お弁当に適した料理方法と衛生面に配慮したお弁当作りができるよう支援する．
【対象者】中学生，高校生
（平成 20 年 3 月の参加人数：（高校生）3 年 2 名 2 年 4 名 1 年 4 名（中学生）12 名 計 22 名）
【担当者】栄養士（管理栄養士）　　【連携協力者】子どもの担当保育士，児童指導員，調理員
【方　法】管理栄養士，調理員等による個別指導

4. 実施内容・実施体制

・お弁当の材料と日程は，本人，担当者，栄養士の三者で話し合って決める．
・衛生管理には十分に注意し，やけどや怪我に気を付け，ホームの台所で行う．
・調理方法なども調理員にアドバイスをしてもらう．
・お弁当箱は各自の物を使用し冷凍食品の利用は 2 品までとする．
・出来上がったお弁当はデジタルカメラで写真を撮り，職員と試食をする．

5. 評価及び課題

・お弁当を作る事により食材に対する知識や調理にかかる時間も含めた調理技術などの確認ができた．また，作ったお弁当の味付けや詰め方などについて担当職員と話す機会ができ，日常では見られない子どもの一面を見ることができた．
・管理栄養士はお弁当の写真をもとに，食事のバランスや食品衛生について個別に話をする時間を設けることができた．そのような機会を通じて，子どもからの「お弁当の詰め方が難しかった」，「量が思ったより入らない」など，調理体験で得られた具体的な質問に対して，助言をすることができた．
・入所する子どもがこれまでの生活の中で体得した食に関する知識や調理技術などの確認をすることが可能となり，個別の支援に結びつけることができた．
・入所する子どもの食生活の自立支援を計画的に実施するために
　・年間計画をもとに年齢に相応した個別支援計画を立てる
　・食事の手伝い等で調理の体験不足を補う
　・食材などの情報の提供の方法や後片付け 等，具体的な内容を取り入れることが考えられる．
・今後，「お弁当コンクール」以外にも，入所する子どもの食生活の全体を確認する機会を積極的に設け，入所する子どものみならず，職員自身も食に対して興味関心を持ち，共通認識が持てるよう，栄養士は継続的な働きかけを行う必要がある．

（資料：厚生労働省「児童福祉施設における食事の提供ガイド」p.68）

Q　家庭や児童福祉施設における食事の役割や給食の概要について理解できましたか？

7.3　災害時の栄養・食生活支援体制

近年，自然災害の増加により，平常時の準備として災害時の給食提供に関するマニュアルの整備，非常食などの備蓄品の整備，災害時献立例の整備，給食提供のシミュレーションの実施などが求められている．特に，入所施設では，被災後も継続した給食提供が必要となるため体制整備が必要不可欠である．

1 災害時の栄養・食生活支援に係るマニュアルの整備

災害時の給食提供の対応に最低限必要と考えられる内容について以下に示した．施設の入所者に合わせたマニュアルを作成する．発災により施設の栄養士なども被災する場合があるため，施設内で周知する．

＜要配慮者の把握：対象例＞
- □ 摂食・嚥下困難者（障がい者含む）
- □ 食事制限がある慢性疾患者
- □ 食物アレルギー疾患者
- □ 乳児（母乳，粉ミルク，特殊ミルク，離乳食）
- □ 身体・知的・精神障がい者
- □ 経管栄養（胃瘻・鼻腔）

＜マニュアルのチェックポイント例＞
- □ 発災時の連絡，指示体制
- □ 厨房設備が使用不可となった場合の給食提供方法
- □ 調理従事者が不足する場合の対応方法
- □ 搬入業者による食材搬入が困難な場合の対応
- □ 災害時の対応訓練を施設内で実施

（資料：日本公衆衛生協会「大規模災害時の栄養・食生活支援活動ガイドライン」平成 31 年 3 月，一部改正）

2 非常食などの備蓄状況の把握について

被災後はすぐに支援物資が届かないため，入所施設については被災後３日程度，可能であれば１週間分程度の物資などを備蓄する．通所施設については，利用者が帰宅困難な状況に陥る可能性も視野に入れ，人数分の食料と飲料水を１日分（３食分）以上備蓄する．

＜備蓄状況のチェックポイント例＞
- □ 非常食の献立：提供種類別に献立例を作成
- □ 非常食の栄養量：１人１日当たり目標量（平常時）
- □ 熱源の確保：電気，ガスの供給がないときの対応
- □ 食器などの準備：使い捨て食器，はし，スプーンなど
- □ 保管場所：場所を明確に
- □ 非常食の更新：賞味期限の確認
- □ 提供方法：エレベーター停止などの配膳方法
- □ 他職種への周知：非常食の場所や献立，提供方法

＜備蓄食品例＞
- ・加熱，調理の必要のないもの（缶入りパン・惣菜缶詰）
- ・開封するだけで食べることができる調理済み食品
- ・美味しく食べやすい食品
- ・常温保存が可能で，個別包装の食品
- ・喫食対象者のニーズに対応しているもの

＜児童福祉施設の備蓄食品例＞
- ・特殊調整粉乳（粉ミルク），アトピー用粉ミルク，ミネラルウォーター（軟水），乳幼児用菓子類
- ・使い捨て哺乳瓶など調乳セット一式，離乳児食用にすりつぶすための用具

（資料：日本公衆衛生協会「大規模災害時の栄養・食生活支援活動ガイドライン」平成 31 年 3 月，一部改正）

3 シミュレーションの実施について

施設の防災訓練時にマニュアルに沿った食事の提供方法の実践，職員による非常食の試食などを定期的に行い内容の確認を行う．発災時はライフライン遮断などにより，通常の衛生管理が実施できず食中毒や伝染病が発生する恐れがあるため，非常時の手洗い方法を施設内で検討し体制整備を行う必要がある．

4 保育現場で活用する各種（食に関する）ガイドライン / マニュアル

保育現場で活用する各種ガイドライン / マニュアルのうち食に関するものについて示した.

保育所保育指針

・保育所保育指針解説（厚生労働省：平成 30.2.）
・保育所保育指針の適用に際しての留意事項（厚生労働省：平成 30.3.30）

幼保連携型認定こども園教育・保育要領等

・幼保連携型認定こども園教育・保育要領解説（内閣府ほか：平成 30.3.）
・幼保連携型認定こども園園児指導要録の改善及び認定こども園こども要録の作成等に関する留意事項等（内閣府ほか：平成 30.3.30）

食育 / 運動

・楽しく食べる子どもに　～保育所における食育に関する指針～（厚生労働省：平成 16.3.29）
・（参考）幼児期の運動に関する指導参考資料［ガイドブック］第 1 集（文部科学省：平成 27.3.）

給食

・保育所における食事の提供ガイドライン（厚生労働省：平成 24.3.）
・大量調理施設衛生管理マニュアル（厚生労働省：平成 29.6. 改正）
・社会福祉施設等における衛生管理の徹底について（厚生労働省：平成 15.12.12）
・児童福祉施設における食事の提供に関する援助及び指導について（厚生労働省：平成 27.3.31）
・児童福祉施設における「食事摂取基準」を活用した食事計画について（厚生労働省：平成 27.3.31）
・食事による栄養摂取量の基準（厚生労働省告示：平成 27.3. ）
・（参考）日本人の食事摂取基準（厚生労働省）

アレルギー

・保育所におけるアレルギー対応ガイドライン（厚生労働省：平成 31.4.）
・自己注射が可能な「エピペン」を処方されている入所児童への対応について（厚生労働省：平成 23.10.14）

事故防止 / 対応

・教育・保育施設等における事故防止及び事故発生時の対応のためのガイドライン（内閣府：平成 28.3.）
・教育・保育施設等における重大事故の再発防止のための事後的な検証について（内閣府ほか：平成 28.3.31）
・プール活動・水遊びを行う場合の事故の防止について（厚生労働省通知：平成 29.6.）

防災

・児童福祉施設等における利用者の安全確保及び非常災害時の体制整備の強化・徹底について（厚生労働省：平成 28.9.9）
・大規模災害時の栄養・食生活支援活動ガイドライン（日本公衆衛生協会：平成 31.3. ）
・赤ちゃん防災プロジェクト「災害時における乳幼児の栄養支援の手引き」（公益社団法人日本栄養士会：令和 2.2. ）
・災害時に乳幼児を守るための 栄養ハンドブック（公益社団法人日本栄養士会：令和 2.2. ）

教育・保育施設等における事故防止及び事故発生時の対応のためのガイドライン

2015（平成27）年４月に施行された子ども・子育て支援新制度において，「特定教育・保育施設及び特定地域型保育事業の運営に関する基準」（平成26年内閣府）が規定され，**教育・保育施設等における事故防止及び事故発生時の対応のためのガイドライン**が作成された．ここでは，「1．事故の発生防止（予防）のための取組み，(1) 安全な教育・保育環境を確保するための配慮点等」のうち「① 重大事故が発生しやすい場面ごとの注意事項について」より，「誤嚥（食事中）」について以下に示す．

○ 職員は，子どもの食事に関する情報（咀嚼・嚥下機能や食行動の発達状況，喫食状況）について共有する．また，食事の前には，保護者から聞き取った内容も含めた当日の子どもの健康状態などについて情報を共有する．
○ 子どもの年齢月齢によらず，普段食べている食材が窒息につながる可能性があることを認識して，食事の介助および観察をする．
○ 食事の介助をする際の注意としては，以下のことなどがあげられる．

Point

食事の介助をする際に注意すべきポイント

・ゆっくり落ち着いて食べることができるよう子どもの意志に合ったタイミングで与える．
・子どもの口に合った量を与える（一回でも多くの量を詰めすぎない）．
・食べ物を飲み込んだことを確認する（口の中に残っていないか注意する）．
・汁物など水分を適切に与える．
・食事の提供中に驚かせない．
・食事中に眠くなっていないか注意する．
・正しく座っているか注意する．

○ 食事中に誤嚥が発生した場合，迅速な気付きと観察，救急対応が不可欠であることに留意し，施設・事業者の状況に応じた方法で子ども（特に乳児）の食事の様子を観察する．特に食べているときには継続的に観察する．
○ 過去に，誤嚥，窒息などの事故が起きた食材（例：白玉風のだんご，丸のママのミニトマト，ぶどうなど）は，誤嚥を引き起こす可能性について保護者に説明し，使用しないことが望ましい．

給食での使用を避ける食材

食品の形態，特性	食材	備考
球形という形状が危険な食材 （吸い込みにより気道をふさぐことがあるので危険）	プチトマト，乾いたナッツ・豆類（節分の鬼打ち豆），うずらの卵，あめ類，ラムネ，球形チーズ，ぶどう，さくらんぼ	※プチトマトは４等分すれば提供可，保育園では他のものに代替え ※ぶどう･さくらんぼ，皮も口に残るので危険
粘着性が高い食材 （含まれるでんぷん質が唾液と混ざることによって粘着性が高まるので危険）	餅，白玉団子	※白玉団子は，つるつるしているため，噛む前に誤嚥してしまう危険が高い
固すぎる食材 （かみ切れずにそのまま気道に入ることがあるので危険）	いか	※いかは，小さく切って加熱すると固くなってしまう

0，1歳児クラスは提供を避ける食材（咀嚼機能が未熟のため）

食品の形態，特性	食材	備考
固く噛み切れない食材	えび，貝類	除いて別に調理する 例：クラムチャウダーの時に，0，1歳児クラスはツナシチューにする
噛みちぎりにくい食材	おにぎりの焼き海苔	刻み海苔をつける

調理や切り方を工夫する食材

食品の形態，特性	食材	備考
弾力性や繊維が固い食材	糸こんにゃく，白滝 ソーセージ えのき，しめじ，まいたけ エリンギ 水菜 わかめ	※こんにゃく類は，1cmに切る （こんにゃくはすべて糸こんにゃくにする） ※ソーセージは縦半分に切る ※きのこは1cmにきる ※エリンギは繊維に逆らい1cmに切る ※水菜は，1～1.5cmに切る ※わかめは細く切る

唾液を吸収して飲み込みづらい食材	鶏ひき肉のそぼろ煮 ゆで卵 煮魚 のりごはん （きざみのり）	※そぼろ煮は豚合挽と合わせる．または片栗粉でとろみをつける ※ゆで卵は細かくし何かと混ぜて使用する ※煮魚は味をしみ込ませやわらかくしっかり煮込む ※きざみのりは，かける前にもみほぐし細かくする

食べさせる時に特に配慮が必要な食材

食品の形態，特性	食材	備考
特に配慮が必要な食材 （粘着性が高く，唾液を吸収して飲み込みづらい食材）	ごはん，パン類，ふかし芋，焼き芋，カステラ	水分を取って喉を潤してから食べること，詰め込みすぎないこと，よく噛むことなど

果物について

食品の形態，特性	食材	備考
咀嚼により細かくなったとしても食塊のかたさ，切り方によってはつまりやすい食材	りんご なし 柿	※りんご，なしは完了期までは加熱して提供する ※柿は完了期まではりんごで代用する

家庭へのよびかけ

プチトマト，カップゼリー，ぶどうなどは誤嚥を防ぐために保育園給食で使用していないことを家庭へも伝えていく．配慮が必要であることは家庭でも同じであるので，危険性について情報提供をしていく必要がある．遠足時のお弁当持参の時に配慮してほしいことを，クラスだよりや給食だよりで伝えておくことが重要である．

（資料：教育・保育施設等における事故防止及び事故発生時の対応のためのガイドライン，参考例１誤嚥・窒息事故防止「誤嚥・窒息事故防止マニュアル～安全にためるためには～（浦安市作成）」より一部抜粋）

MEMO

赤ちゃん防災プロジェクト

2018（平成30）年11月19日，「日本栄養士会災害支援チーム（JDA-DAT：The Japan Dietetic Association-Disaster Assistance Team)」は，災害時の乳幼児支援を目的とした『赤ちゃん防災プロジェクト～ JAPAN PROTECT BABY IN DISASTER PROJECT ～』を発足した．本プロジェクトは，①手引き＆ハンドブック作成・配布，②災害時の乳幼児の栄養・食生活支援に向けた地域防災活動の支援，③母乳代替食品（粉ミルク・液体ミルク）の備蓄推進，災害時における配送体制の拡充と提供の３つを基本として活動している．東日本大震災をきっかけに乳幼児の命を守るために乳幼児用液体ミルクの提供が検討され，2019年には厚生労働省において調整液状乳の販売などが承認された．

赤ちゃんプロジェクトでは，「災害時に乳幼児を守るための栄養ハンドブック」を作成し，液体ミルクの利用も含め配布している．

液体ミルク

開封したらすぐに飲ませ，使わなかった分は捨てましょう．

液体ミルクは調乳しないでそのままのませることができます

水不要！熱源不要!!

保存と飲ませ方は？

- 常温（おおむね25℃以下）で保存
- 製品に記載されている表示を確認
- 包装（容器）の汚破損がないか確認
- よく振って！
- 開封したらすぐに飲ませましょう
- 初めての場合は少しずつ
- 飲み残しを与えるのはダメ

注意点は？

国内では許可されたばかりなので，災害時は外国製品が支援物資として届くこともあります．
外国語の表示に注意しましょう．
- 月齢に合ったものを
- 色は褐色がかっていますが，問題ありません．
- 期限を確認

- 紙パック・缶のタイプ…等
（清潔な使い捨てカップや哺乳瓶にうつします）
- 哺乳瓶に入ったタイプ
（現在，国内では販売されていません）

Q　災害や事故に対しては組織的な事前の準備が重要であることが理解できましたか？

第8章 特別な配慮を要する子どもの食と栄養

この章で学んでほしいこと！

子どもは，体調不良やその症状をうまく説明することができないため，保育者は子どもの健康状態をよく観察し適切な支援を行っていく必要があります．

また，慢性の疾病を抱えている子どももいるため，保育者においても一定の医学的知識が求められます．この章では，特別な配慮を要する子どもの食と栄養について学びます．

この章で学ぶこと

- 疾病および体調不良の子どもへの対応
- 障がいのある子どもへの対応

この章での到達目標

- 子どもに起こりうる疾患と，それぞれの予防法や食事の対応法について理解できた．
- 障がいのある子どもの特徴や，食事介助の仕方について正しく理解できた．

MEMO

食事中の事故（誤嚥）の予防，対応

口は，食べ物を取り込む入口であり，かつ，酸素を取り込む入口である．食べたものは食道から胃へと運ばれ，酸素は気管から肺に運ばれる．食べ物を誤嚥して気管に入った場合，通常は咳によってそれを出すことができるが，咳では出せない大きさである場合や，嚥下障害と咳反射の弱さを持つ重症児では，窒息にいたる可能性があるので注意が必要である．

誤嚥時の対応として，乳児の場合は，片腕の上にうつぶせに乗せ，手のひらで乳児の顔を支えながら，頭部が低くなるような姿勢にして突き出し，他方の手で，背中を強くたたく．幼児の場合は，背後から両腕を回し抱えるようにし，握りこぶしを作り，みぞおちの下に当て，その上をもう他方の手で握り，上方に向かって圧迫するように突き上げる．

乳児の場合

幼児の場合

8.1　疾病および体調不良の子どもへの対応

子どもの病気には，以下に挙げるような特徴がある．

- 感染症にかかりやすい．
- 病状の進行や変化が速い．
- 脱水を起こしやすい．
- 心理的な問題が身体症状として現れることがある．
- 小児期からの生活習慣の乱れが将来の健康に影響を与える．

1　嘔吐・下痢

どのような疾患？

多くは感染性胃腸炎によって引き起こされる．秋から冬にかけての時期は，乳幼児では**ロタウイルス**，年長児や成人では**ノロウイルス**が原因のことが多い．夏であれば**カンピロバクター**，**サルモネラ**，**病原性大腸菌**などの細菌が原因となる．白色便であればロタウイルスが，血便であれば細菌が原因のことが多い．ノロウイルスは，二枚貝，氷，サラダ，パンなどの食品を介して，細菌は生肉，加熱が不十分な肉，生卵や，爬虫類などのペットを介して感染する．吐物や便中に病原体がおり，その処理中に感染することがある．また．便器やトイレのドアノブに付着した病原体に触れた手からも二次感染が広がっていく．

表8-1　嘔吐・下痢を発症するウイルスと特徴と予防

主な細菌	発生しやすい時期	主な感染源
ロタウイルス	冬季から春先	—
ノロウイルス	秋季から春季	氷，二枚貝，サラダ，パンなど
カンピロバクター	夏季	汚染された家畜，爬虫類，ペットを含む動物，鶏肉，鶏卵，牛肉，未殺菌乳，魚など
サルモネラ	夏季	ミドリガメなどの爬虫類やペット，鳥類，両生類，汚染された生卵やその加工品，食肉（牛レバー刺し，鶏肉）など
病原性大腸菌	夏季	生肉など

感染拡大の予防法

便や吐物を介した経口（けいこう）感染，接触感染，飛沫（ひまつ）感染にて感染が拡大する．ノロウイルスは乾燥した吐物が**エアロゾル化**[*1]して空気感染することもある．下痢，嘔吐症状が消失した後，状態の良い者は登園可能であるが，感染から3週間以上排泄されることがあるため，排便後やおむつ交換後には必ず手洗いを励行する．感染していても無症状のことがあり，便からウイルスを排出していることもある．ノロウイルスやロタウイルスはアルコール消毒が効きにくいため，流行期は全員が流水下に石鹸での手洗いを励行する．

＊1　エアロゾル化
吐物に含まれるウイルスが空気中に浮遊すること．

遊具などの消毒に関しては，ぬいぐるみ，布類などは定期的に洗濯し，週１回程度は陽に干す．洗えるものは定期的に流水で洗い，陽に干す[*2]．

集団生活の中で嘔吐した子どもがいた場合は，**図 8-1** のように対処する．

＊２
乳児がなめるものは毎日，乳児クラスは週１回程度，幼児クラスは３か月に１回程度．洗えないものは同じ頻度で湯拭きまたは陽に干す．

①　速やかに周りにいる子どもたちを別室に移動させ，部屋の窓をあけて換気する．

②　使い捨てのエプロン，マスクと手袋を着用し，汚物中のウイルスが飛び散らないように，ペーパータオルなどで静かに拭き取る．

③　ノロウイルス感染の可能性が高い場合は，拭き取った後は，0.02% の次亜塩素酸ナトリウムで浸すように床を拭き取り，その後，水拭きする．

④　吐物や便を拭き取った雑巾やペーパータオルは，ビニール袋に入れて 0.1% の次亜塩素酸ナトリウムに浸して密封し，破棄する．

⑤　絨毯などが，吐物などで汚染された場合は，吐物を静かにかつ丁寧に拭き取った後，スチームアイロンなどで加熱する．

⑥　汚染した洋服は，感染の拡大を防ぐため，園で洗うことはせずに，ビニール袋に入れて保護者に持ち帰ってもらう．

⑦　家庭で衣類を破棄しない場合は，塩素系の消毒剤で消毒してから洗濯するか，あるいは熱水による消毒をして，他の家族が感染しないように処理する方法を保護者に説明する．

図 8-1　嘔吐した子どもがいた時の対処法

食事の対応法

嘔吐や下痢をしている場合は，米，パン，うどん，豆腐，脂肪の少ない肉や魚，ヨーグルト，バナナ，すりおろしリンゴ，野菜など，消化の良いものを食べさせる（**表 8-2**）．脱水予防に**経口補水液**[*1]は有効であるが，塩分の少ないスポーツドリンクや，糖分の多い炭酸飲料は下痢を長引かせるので推奨しない．ミルクを与える場合，薄める必要はない．

＊1　経口補水液
脱水を予防する，脱水の治療にもなりうる組成の水分．市販品もあるが，下記の方法で手作りも可能．

表 8-2　消化のよい食品・消化の悪い食品

分類	消化のよい食品	消化の悪い食品
穀類	白パンのペースト，粥	赤飯，すし，ラーメン
魚類	脂肪の少ない魚（たい，あじ，かれい，とびうおなど）	脂肪の多い魚（まぐろ，いわし，さんま，さば，うなぎなど）
肉類	脂肪の少ない肉（ヒレ肉，鶏肉，仔牛肉）	脂肪の多い肉（豚肉，魚肉ハム，ソーセージなど）
豆類	豆腐（味噌汁），高野豆腐，きな粉，煮て裏ごしした豆類	あずき，大豆などの固い豆
卵類	卵，うずら卵	油であげた卵，すじこ
油脂類	良質バター，食物油	ラード
野菜類	軟らかく煮た野菜	繊維の多い野菜
その他	-	海産類，漬物，塩辛，干し物
果物	バナナ，りんご（すりおろし），白桃，果物の缶詰	みかん，なし，いちご，レーズン，干し果物
飲み物	うすい紅茶，麦茶	コーヒー，サイダー
菓子類	カスタードプリン，ぼうろ，アイスクリーム，ウエハース，カステラ	ドーナツ，かりんとう，ケーキ，塩辛いせんべい

（資料：小林昭夫「下痢症と食事」小児科臨床 57，日本小児医事出版社，2004 を一部改変）

MEMO

経口補水液の作り方，飲ませ方

経口補水液は市販のものを購入してもよいが，水 1,000mL＋砂糖大さじ 4 杯と小さじ 1 杯＋塩小さじ 1/3 杯で作ることができる．

嘔吐があれば，まず 5mL 飲ませ，15 分後に嘔吐がなければ，1 時間かけて体重当たり 5mL（10kg であれば 50mL）飲ませる．1 回分の目安は 5mL（ティースプーン 1 杯もしくはペットボトルの蓋 1 杯）．以後，嘔吐の度に体重当たり 2mL（10kg であれば 20mL），下痢の度に体重当り 10mL（10kg の場合は 100mL）飲ませることで脱水の初期予防が可能となる．味を好まない場合はシャーベットにするなどの工夫をする．

脱水の判断と対応

水分摂取が困難で，排尿が減る，唇が渇いている，泣いても涙が出にくい，活気がなくなる，目が落ちくぼんでいるなど，脱水徴候があれば保護者に連絡して，医療機関への受診を勧める（表 8-3）．意識がはっきりしない，呼吸が速い，脈が速い，毛細血管再充満時間[*2]が延長している場合は重症であることが多い．

＊2　毛細血管再充満時間
爪を軽く指で圧迫して離した時に爪の下の色が白からピンクに戻るまでの時間．

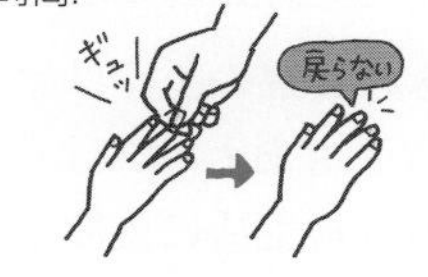

表 8-3　脱水症状の重症度と臨床症状

臨床症状	重症度		
	軽症	中等症	重症
体重減少度	～4%	～9%	9%以上
全身状態	ややぐったり	ぐったり～あまり動かない	動かない
意識状態	ほぼ正常	低張性脱水：ぼんやり 高張性脱水：易刺激性	低張性脱水：～昏睡 高張性脱水：刺激性亢進，けいれん
CRT（Capillary refilling time：毛細血管再充満時間）	～1.0 秒	1.5 秒～2.5 秒	2.5 秒以上
尿量	排尿あり	8～12 時間なし	12～24 時間なし
筋緊張度（turgor：ツルゴール）低下（乳幼児）	なし	あり	高度
口腔粘膜面の乾燥	軽度	中等度	完全に乾燥
心拍数	軽度増加	増加	著しく増加
血圧	正常	正常	低下
大泉門（乳児）	正常	軽度の陥凹	高度の陥凹

（資料：「小児科診療」78 巻 6 号（関根孝司「脱水症のみかたと輸液の基本」），診断と治療社，2015）

MEMO

正しい手洗いの方法（30 秒以上，流水で行う）

石けんを泡だて，手のひらどうしを，よくこすり合せる．

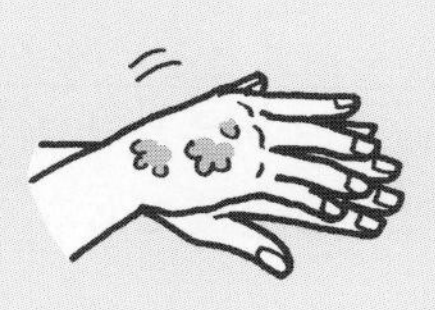
両手の甲をこすり洗いする．

指先，爪の間も念入りに洗う．

両指の股をこすり合わせ，指の間を洗う．

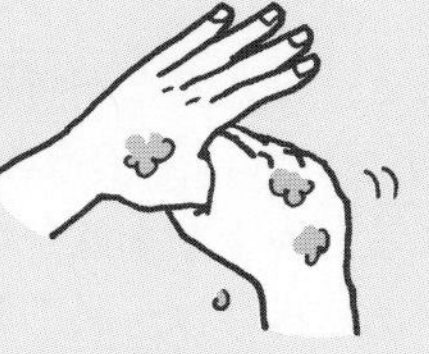
親指も，付け根から指先まで念入りに洗う．

手首も忘れずに洗う．

2 発　熱

どのような疾患？

子どもの発熱の多くは感染症であるが，夏季など室温が上昇している場合は，体温もあわせて上昇することもある（**表8-4**）．遊ぶ，食べる，寝るなどの日常生活に支障がない場合は慌てる必要はないが，支障をきたす状態や高熱の場合は，本人の症状を悪化させないためにも，また，他児への感染拡大を予防する意味でも，自宅で安静にさせるべきである．

表8-4　発熱がある主な疾患

疾患名	主な症状と治療薬	病原体
かぜ症候群	・咳，鼻汁などが生じ，通常は数日で治癒する． ・治療薬はない．	ライノウイルス，パラインフルエンザウイルスなど
インフルエンザ	・咳，鼻汁，筋肉痛が生じ，通常は1週間以内で治癒するが，ときに脳症を併発し，意識障害やけいれんを起こすこともある． ・抗ウイルス薬があるも，重症化予防にはワクチンが有効．	インフルエンザウイルス
手足口病	・口の中や手足の末端などに水疱ができ，通常は数日で治癒する． ・治療薬はない．	コクサッキーウイルス，エンテロウイルス
ヘルパンギーナ	・のどに痛みをともなう水疱，潰瘍ができ，通常は数日で治癒する． ・治療薬はない．	コクサッキーウイルス
咽頭結膜熱	・目の充血とのどの腫れが生じ，通常は数日以内に治癒する． ・治療薬はない．	アデノウイルス
溶連菌感染症	・のどの痛み，扁桃腺の腫れ，首のリンパ腺の腫れが生じる． ・数週間後に腎炎や関節炎を併発する場合があり，この場合は長期化する． ・抗菌薬を一定期間服用する．	溶連菌

食事の対応法

発熱しているときは日常より水分や栄養を摂ることに努め，安静にすることが大切である．平熱より1℃体温が上昇すると，通常より約10%の水分を要する．38℃までは補給の必要はないが，39℃からは日頃より20%多い水分を補給することが必要である．

3 便　秘

どのような疾患？

排便が週3回未満の場合，**便秘**とされる．ほとんどが特別な原因のないもののため，元気で，食欲があり，腹痛を訴えたり，嘔吐したりがなければ，治療の必要はない．逆に，そのような症状があり，その原因が便秘であれば，浣腸をする，緩下剤を飲むなどの治療を要す．下痢止めの内服で便秘になることもある．また，発達の遅れがある場合は，腸の動きが弱いため，便秘になりやすい．稀ながら，腸の疾病や甲状腺などのホルモンの疾病がもとで便秘になることもあるので，日常生活に支障をきたす症状が慢性的にある場合は，医師の診察を必要とする．

食事の対応法

食物繊維の多いものを食べ，適度な運動を励行する．夏の暑い時期で脱水が疑われる場合は，水分を多めにとる．排便を我慢することで便秘になっている場合もあるため，適切な時間をあけた排便の促しも必要である．

4 貧 血

どのような疾患？

貧血の多くが栄養性（特に**鉄欠乏**）であるが，まれに出血や溶血によることがある．また，疾病を基礎とした消耗による貧血もある．

発育の盛んな乳幼児期は，生理的に軽度の貧血であることが多い．しかし，皮膚が青白く，活気がないなどの症状をともなう場合は，原因を調べることと，栄養を是正する必要がある．

例えば，牛乳を多量に摂取している幼児では，鉄の吸収が阻害され**牛乳貧血**となることもある．また，離乳が遅れ，母乳を主たる栄養とする期間が長くなると，母乳には鉄が少ないため，**離乳期貧血**となる．慢性的な鉄欠乏は，認知能の発達に支障をきたす．

食事の対応法

原因があれば是正し，鉄欠乏であれば，肉や魚など，鉄を含むものをより多く摂取するよう努める（第7章7.1参照）．

5 糖尿病

どのような疾患？

1型＊1 と **2型**＊2 がある．成人の場合は2型が多いが，子どもの場合，多くは1型である．1型では膵臓からのインスリンが分泌できなくなっているため，食事制限や運動では解決できず，毎日複数回の**インスリン注射**＊3 を要する．

食事の対応法

1型の場合，特に成長期の子どもでは食事制限は不要で，年齢相当の適切な栄養を要す．ただし，インスリンの作用によっても肥満傾向を示すことがあるため，それに応じた栄養管理は必要となることもある．2型では適切な摂取エネルギーや運動を行うことが必要である．

＊1 1型糖尿病
感染などが契機となって，自己の膵臓に対する抗体ができて発症する糖尿病．

＊2 2型糖尿病
肥満などが原因で発症する糖尿病．食生活の是正や適度な運動を要す．

＊3 インスリン注射
血糖を下げる効果のあるインスリンの注射薬．自宅で1日数回，自己注射する．

MEMO

1型糖尿病治療中に注意が必要なこと

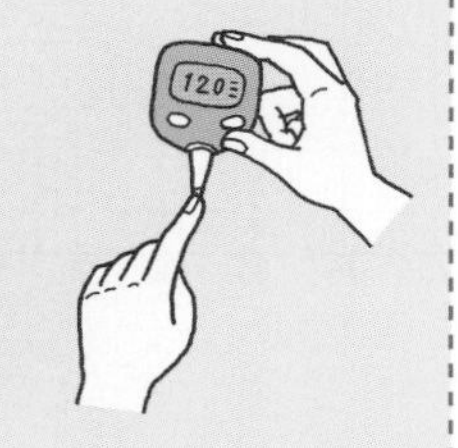

食事摂取量と運動量とインスリン注射量との兼ね合いで，低血糖や高血糖を起こすことがある．低血糖の場合は，活気がなくなる，ぼんやりする，冷や汗をかくなどの症状がはじまり，悪化すれば意識がなくなったり，けいれんしたりする．このような症状がでれば本人用の血糖測定器で血糖を測定し，補食を行う．

高血糖の場合は，喉の渇き，多飲，多尿などの症状が出現し，意識がなくなり，けいれんすることもある．糖尿病の初発時は，高血糖の症状があるにも関わらず周囲が気付かず，意識がなくなって高血糖に気付くことが多い．そのため，糖尿病の診断を受けていない子どもでも，上記の症状がないか注意を払う必要がある．喉の渇き，多飲は，夏季で脱水傾向になった場合もみられるが，脱水では多尿は見られず，むしろ尿量が減る．糖尿病では水分が減っても，尿は減ることなく，それを補うために多飲になるのである．

6 肥　満

どのような疾患？

学校保健統計調査によると，近年は肥満傾向児の割合は緩やかな減少傾向にある（図 8-2）.

肥満度は，（実測体重－標準体重）／標準体重×100（%）で計算され，幼児では肥満度 15% 以上は太りぎみ，20% 以上はやや太りすぎ，30% 以上は太りすぎとされる（図 8-3）.

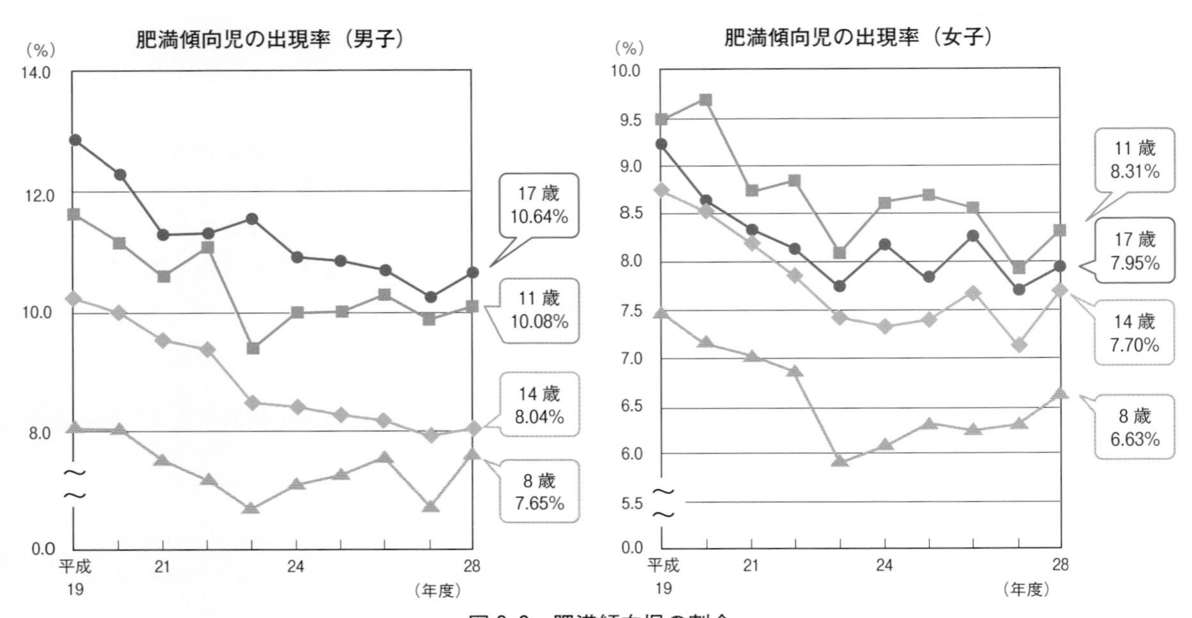

図 8-2　肥満傾向児の割合

（資料：文部科学省「平成 25 年度学校保健統計調査」）

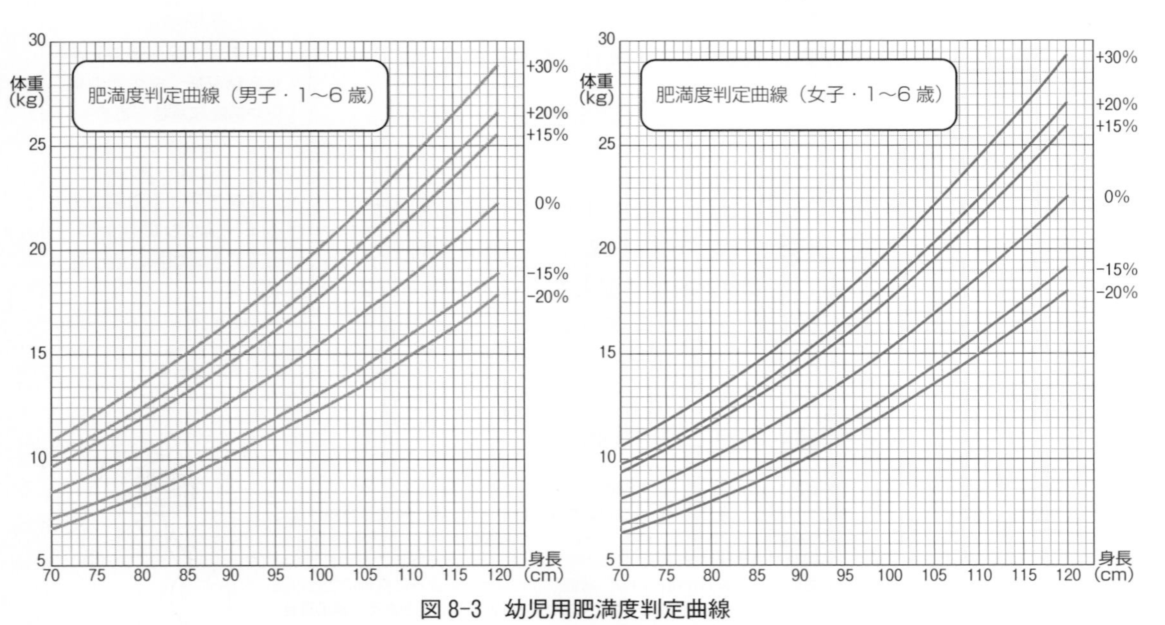

図 8-3　幼児用肥満度判定曲線

（資料：日本小児内分泌学会 HP「男児用／女児用 幼児用肥満度曲線」参照）

多くが食生活の偏りに伴う**単純性肥満**[*1]である．夜更かしして，朝起きができず，さらに朝食抜きの生活では，その後の食事によって血糖値が上昇し，糖尿病や肥満の危険が高まる．他に**症候性肥満**[*2]や，治療薬の副作用としての肥満もある．この場合，もとの疾病が治療法のあるものであれば，治療を優先する．

＊1 単純性肥満
食事でとったカロリーが消費カロリーよりも多い場合生じる肥満．
食生活の偏りのみならず，生活習慣の乱れから生じることがある．

＊2 症候性肥満
疾病が原因で生じる肥満．副腎や甲状腺のホルモンや染色体の疾病に伴うことがある．

生活習慣病の危険因子

生活習慣病の危険因子は，**図 8-4** とされている．

脂肪細胞の数は幼児期に固定され，それ以降は減らすことができないこと，また，小児期の肥満は成人期の心筋梗塞や早死に関連することから，生活習慣病予防は，成人期よりもむしろ小児期（特に幼児期）に行う必要がある．

・肥満
・喫煙（受動喫煙も能動喫煙と同等の危険因子である）
・アルコール
・運動不足
・朝食抜き（空腹が長いと，その後の食事で血糖が上昇しやすくなる）
・母の妊娠中の低栄養（低出生体重では，成人期のメタボリック症候群や心筋梗塞が増加する）

図 8-4 生活習慣病の危険因子

食事の対応法

乳児の場合は症候性肥満でない限り，エネルギー制限の必要はない．幼児の肥満でも過度の栄養制限をする前に，必要量を超えた摂取をしていないか（例として炭水化物，動物性脂肪，糖分），食物繊維をとっているか，「早寝，早起き，朝ごはん」ができているか，おやつの種類や量は適切か，適度な運動をしているかなどを評価し，不適切であれば是正する．

7 やせ

どのような疾患？

やせには体質性のものと，症候性のものがある．症候性の原因としては，エネルギーを消費する何らかの慢性炎症を持った疾病や，食物アレルギーにともなう過剰な食事制限がある．また，母親の母乳偏重や虐待，ネグレクト[*3]などもやせの原因となる．

＊3 ネグレクト
保護者による育児放棄や育児怠慢など．

食事の対応法

症候性のものであれば，疾患自体を適切に治療し，バランスのとれた食事をさせることが必要である．

8 循環器（心）疾患

どのような疾患？

先天性心疾患は出生児の 1% にみられ，心臓の中の部屋を隔てる壁に穴が開いている心室中隔欠損症，心房中隔欠損症などが多い．

ダウン症候群をはじめとする染色体の疾病を抱える子どもでは，先天性心疾患を合併することが多い．乳幼児健診などでの聴診で気付かれることもあるが，診断が遅れる場合も少なくはない．穴は自然に閉鎖するものと，閉鎖せずに手術を要するものがある．そのような疾患のうち，一部には心不全を起こす場合がある．心不全の症状は，皮膚が青白くなる（チアノーゼ），手足が冷たくなる，哺乳量が減る，呼吸が速くなる，苦しくなるなどである（**図 8-5**）．

ミルクを飲むのに時間がかかったり，飲むと「ゼーゼー」と息をしたりする．

顔色が悪く，特に唇の色が紫色になる．

泣くと身体や顔の色がさらに悪くなる．

図 8-5　子どもの心不全の主な症状

食事の対応法

先天性心疾患を持っているほとんどの子どもは，年齢相当の適切な食事でよいが，心不全の症状がある場合は，医療機関から水分制限の指示がなされることがあり，また強心薬[*1]や利尿薬[*2]を処方されることがある．

＊1　強心薬
心臓の拍動を助ける薬.

＊2　利尿薬
体に水分がたまって心臓に負担とならないよう，尿を多く出させる薬.

9 腎疾患

どのような疾患？

将来，透析や腎移植が必要となる可能性のある慢性腎炎は，小児期には無症状のことが多い．そのため，乳幼児健診で**検尿**を行うのである．子どもにみられる腎疾患としては，溶連菌感染後糸球体腎炎や紫斑病性腎炎，ネフローゼ症候群が多い（**表 8-5**）．

表 8-5　主な腎疾患

溶連菌感染後糸球体腎炎	溶連菌感染から数週間して，血尿や全身のむくみ（浮腫），高血圧で発症する．このため，溶連菌感染後，数週間は尿量が減少しないか観察が必要である．
紫斑病性腎炎	腎炎よりも先に，下肢の伸側に紫色の発疹（紫斑）が多発し，腹痛や局所の浮腫が生じ，その後に腎炎を発症することがある．
ネフローゼ症候群	感染などが引き金となって，尿にたんぱくが漏れ，体内のたんぱくが減少して全身の浮腫が生じる．多くが長期に治療する必要がある．

食事の対応法

腎疾患を持っていても，多くは食事制限の必要はない．ただし，ネフローゼ症候群の急性期（浮腫のある時期）や，慢性腎炎から腎不全にいたった場合は，水分制限や塩分制限を要する．

10 先天性代謝異常

どのような疾患？

人は生体を維持するためにさまざまな酵素によって老廃物を処理する．しかし，生まれながらにそれらの酵素が欠乏している場合，体内に異常物質が蓄積され，生体に不利益な症状が生じる．症状は，酵素の働きによるが，発達の遅れ，けいれん，意識障害，低血糖発作の反復や，肝機能障害などである．

先天性代謝異常にはアミノ酸代謝異常，有機酸代謝異常，糖質代謝異常，脂質代謝異常，ムコ多糖症などがあり，それぞれに複数の疾患（例としてフェニルケトン尿症，メープルシロップ尿症，メチルマロン酸血症，糖原病，ガラクトース血症など）がある．

食事の対応法

それぞれの疾患によって食事の対応は異なり，医療機関からの指示を仰ぐ必要がある（**表 8-6**）．

表 8-6 主な先天性代謝異常の食事

アミノ酸代謝異常・有機酸代謝異常

たんぱく制限を行い，特殊ミルクでエネルギーと他の栄養素を適切に補給する．必須アミノ酸欠乏にならないよう注意を要する．エネルギー摂取が不十分な場合，意識障害など重篤な状態に陥る．

フェニルケトン尿症では，酵素の欠乏にてアミノ酸の1つであるフェニルアラニンが蓄積されるため，低フェニルアラニン食を必要とする．

糖質代謝異常

糖質代謝異常のうち肝型糖原病では低血糖に陥りやすいため，高糖質食を頻回に摂取する必要がある．ガラクトース血症では，乳糖除去ミルク，ガラクトース除去食を摂取する．

脂質代謝異常

長時間の絶食を避ける．経口摂取ができない場合は点滴を要することもある．

8.2　障がいのある子どもへの対応

2016（平成28）年の厚生労働省「生活のしづらさなどに関する調査」によると，18歳未満の身体障がい児は約68,000人，知的障がい児は214,000人であった．障害の種類，程度もさまざまであることから，保育者にもそれぞれの特徴を理解して食生活の支援をすることが求められる．

1 重症児

どのような疾患？

重度の**知的障害**と**肢体不自由**が重複するものであり，その原因は何らかの低酸素状態により生じた場合や，急性脳炎・脳症によって生じた場合，事故などで生じた場合，染色体を含む先天性の疾病によって生じた場合などさまざまである．それぞれの障害により生活全般の介助を要し，重症度によっては，在宅管理の中で，気管切開[*1]や人工呼吸器を使用する場合もある．経口摂取ができない場合は，鼻から管を挿入して，もしくは胃瘻（いろう）[*2]を設置して，そこから栄養を入れる必要がある．

＊1　気管切開
口からの呼吸が困難な障害がある場合に，首に穴を開けて，そこから呼吸ができるようにすること．

＊2　胃瘻
食べたり飲んだりができない障害がある場合に，胃の前の皮膚に穴を開け，そこからチューブで流動食などを入れる瘻孔．

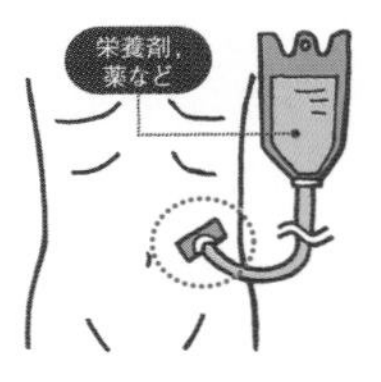

食事の対応法

さまざまな経管栄養剤[*3]が開発されているが，経管栄養だけでは，たんぱく，脂質，微量元素などが不足する．また，「食事を楽しむ」ことは重症児にとっても大切なことであるため，可能な限り食事をとることが大切である．

ただし，摂食や嚥下が上手にできないうえに，誤嚥しても咳で異物を出す機能が弱いため，誤嚥性肺炎を起こす危険がある．また，筋肉の緊張が強いことや，側彎（そくわん）で口から食道，胃までの経路に彎曲（わんきょく）が生じていること，さらには**胃食道逆流症**を合併することも多いため，食事の介助には十分な注意と手技の取得が必要である．

＊3　経管栄養剤
食べることが困難な障害がある場合に用いる液体の栄養剤．飲んでも良いし，胃瘻から入れることもできる．

障がい児の食事介助

①姿勢の調節

まずはリラックスできる姿勢をとる必要がある．筋肉の緊張が強い場合はバランスを崩しやすく，逆に筋肉の緊張が弱い場合は体幹を自身で支えることができない．このため，背部と臀部（でんぶ）を固定する．

嚥下に問題のない子どもであれば，健常児と同じく，背もたれの床面からの角度は45〜90度で良いと考えるが，嚥下に問題を抱えている場合は15〜45度程度起こし，肘置きを使う，頭部，頸部（けいぶ），体幹，骨盤にクッションを敷くなどの工夫が必要である．顎があがった状態で摂食すると誤嚥しやすいため，顎を引いて食べられる姿勢にする（図8-6）．

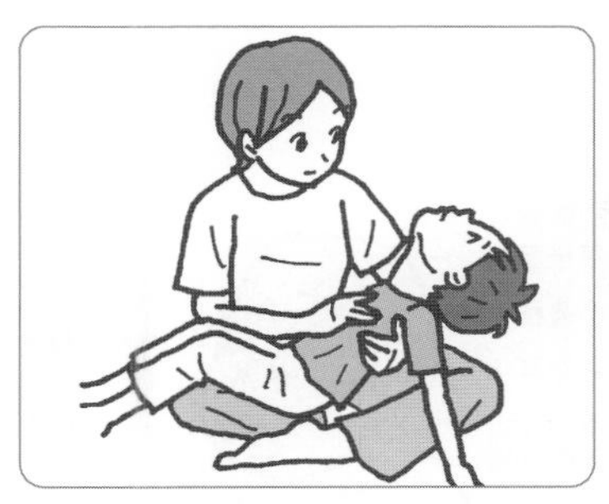
バランスの崩れた姿勢

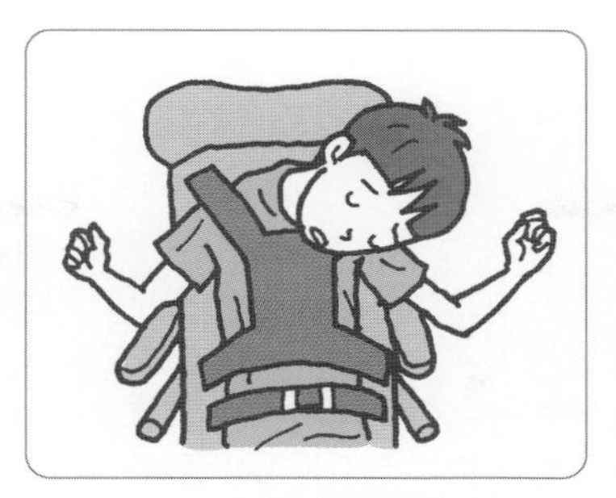
アテトーゼ（不随意運動）型に起きやすい姿勢の崩れ

低緊張で体幹が支えられていない状態

体幹，頭頸部を支えている姿勢

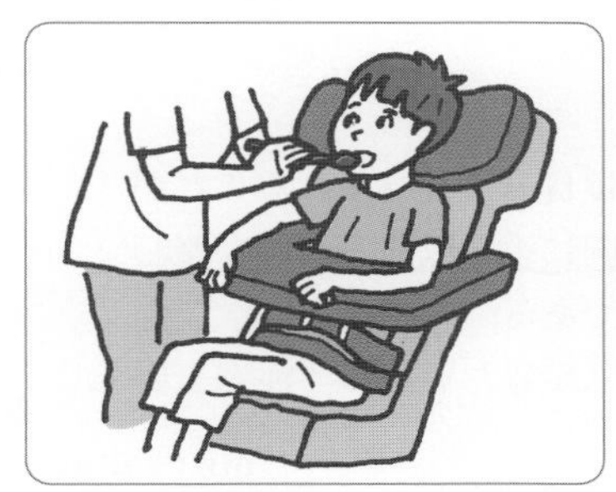
ティルト角度調整（支持面全体の角度を変えること），肘置き補助具使用で安定した姿勢

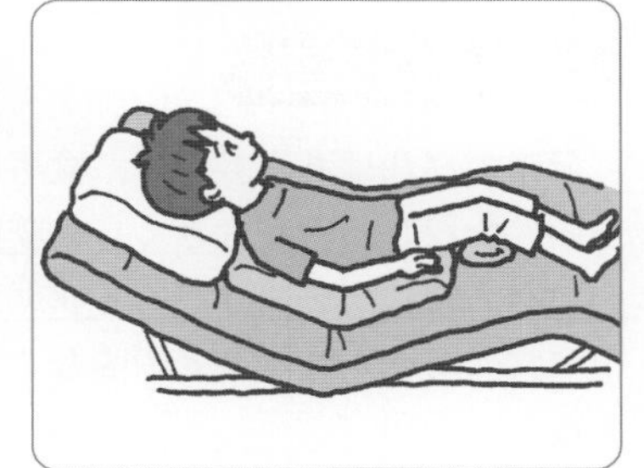
リクライニング位にし，頭頸部，体幹，骨盤をサポートした安定した姿勢

図 8-6　食事の姿勢の調節

（資料：北住映二他編「重症心身障害児・者 診療・看護ケア実践マニュアル」，診断と治療社，2015 を参照して作図）

②食物形態と摂食器具の工夫

摂食や嚥下の状態に応じて，普通食，**やわらか食**，**マッシュ食**（やわらか食をミキサーにかける），**ペースト食**（マッシュ食を裏ごしする）を選ぶ．**とろみ**を加えて嚥下を防ぐ方法もある．

スプーンやフォークなどは，摂食や嚥下を妨げず，1 回で嚥下できる量が乗せられるものを選択する．噛んでしまう可能性がある場合は金属製ではなく，ソフトプラスチック製などを使う．

③食事の介助

食べ物や水分は高い位置から与えない．顎が上がり，誤嚥の危険が高まるからである．下方から目や匂いに気付くように運び，口が開くのを待つ．口が開いたら，口の中央部からスプーンを口腔内に入れ，唇を閉じるのを待つ．閉じない場合は，スプーンで舌を軽く押えるようにして，舌の上に食べ物を乗せ，スプーンを抜き取る（**図 8-7**）．

図 8-7 食事の介助

舌が出ている場合は，筋肉の緊張が強いままであることが多いため，姿勢を整え，スプーンで舌を口の中に押し入れながら食べさせる．口を必要以上に大きく開けてしまう場合は，介助者の手指を使ってコントロールする．誤飲はこの後に生じるため，飲み込みを確認するまで，目は離さないようにする．

2 ダウン症候群

どのような疾患？

染色体異常のなかで最も頻度が高く，出生700〜1,000人に1人の頻度で発症する．染色体は通常2本ずつあるが，ダウン症候群は21番目染色体が3本あることに起因する．特徴的な顔貌と発達の遅れがみられ，約半数に先天性心疾患が合併するほか，てんかん，白血病，甲状腺機能低下症などを合併することがある（図8-8）．

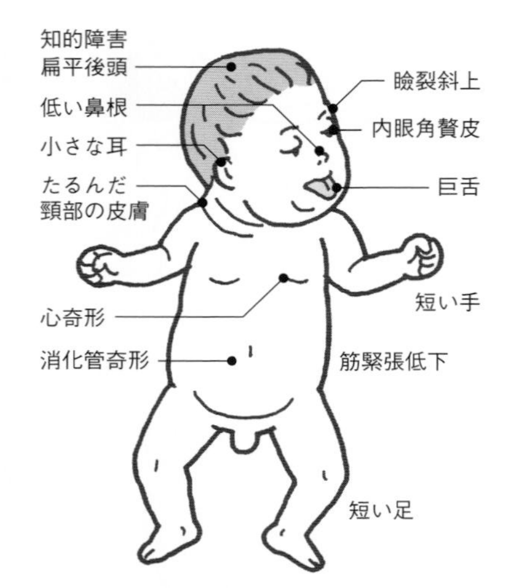

図8-8　ダウン症候群の子どもの特徴

（資料：玉井浩他編「小児臨床栄養学」診断と治療社，2011を参照して作図）

食事の対応法

発達の遅れはあるものの，食事は自分で食べられることが多い．ただし，舌が大きく，口腔内に舌を収めることが難しいため，常に口を開けている状態である．このように，口の中に食べ物を入れることや噛むことが難しいため，注意を要する．

3 発達障害

どのような疾患？

発達障害には，自閉症スペクトラム障害，注意欠陥多動性障害，学習障害などがある（表8-7）．

表8-7　発達障害の子どもの主な特徴

自閉症スペクトラム障害	他人とのコミュニケーションが苦手であったり，行動や興味に偏りがみられるため，視線を合わせず，特定のおもちゃなどに執着する，予定外のことに対応できずパニックになるなどの症状がある．多くは言葉の遅れもみられる． 自閉症の特徴は有しているものの，言葉や知能に遅れがないものをアスペルガー症候群と呼んでいたが，近年，用語としては自閉症スペクトラム障害として統一されつつある．
注意欠陥多動性障害	気が散りやすい，急に走り出す，順番を待てない，忘れ物が多いなどの症状がある
学習障害	特定の能力のみが低下している．例えば他の能力は優れているのに，計算が苦手とか，字の読み書きが苦手などの症状がある．

図8-9　自閉症スペクトラム障害の子どもの特徴

食事の対応法

味覚過敏を伴うことがあり，特に自閉症スペクトラム障害の子どもはこだわりが強いことがあるため，特定の食べ物しか食べないことがある．こだわりは食行動にもみられ（白いものや黄色いものしか食べないなど），さらに食べ物ではないものを食べる**異食**症状のある子どももいる．このような場合は以下のように対応する．

自閉症スペクトラム障害の異食症状がある子どもには

- 好みの食感や見た目に近づくように，食べ物の食形態を工夫して調理したり，盛り付けたりする．
- すくう面の広いスプーンを使ったり，飲みこみやすい硬さ，大きさにしたりするなどの工夫を行う．
- 運動と規則的な生活リズムで食べる意欲を引き出す．
- こだわる食品については，量を決め，他の食品と交互に与えて執着を弱めていく．

　※異食は，それによってどのような危険があるのかを，口や絵を使って説明をしたり，他に興味のある対象を見つけたりすることによって克服できることもある．

注意欠陥多動性障害の子どもには

- 手先が不器用なうえ，早食い傾向があるため，食べ物をこぼしてしまうことや食事中に歩き回ることがあるので注意する．
- 気が散りにくい環境にする．
- 耳から入る情報よりも目から入る情報の方が理解しやすい性質があるため，タイマーを置き，この時間までは座っていることを目標とさせる．わずかでも達成できたことがあれば，その成果を正当にほめて自信をつけさせる．

発達障害のある子どものこれらの症状は「叱る」ことで正すべきではありません．子ども達は自身の症状に苦しんでいるので，受け止めること，味方となって，困難をともに克服する姿勢が必要です．

4 口唇裂，口蓋裂

どのような疾患？

唇が割れた状態を**口唇裂**，口蓋が裂けて口腔と鼻腔がつながっている状態を**口蓋裂**といい，これらの異常はしばしば合併する．日本人では約500人の出産に1人の割合でみられる．妊娠初期に発生する障害である．

口唇裂を閉鎖する形成手術は生後3〜4か月を目安に行う．口蓋裂の形成手術は1歳半から2歳頃に行なう．

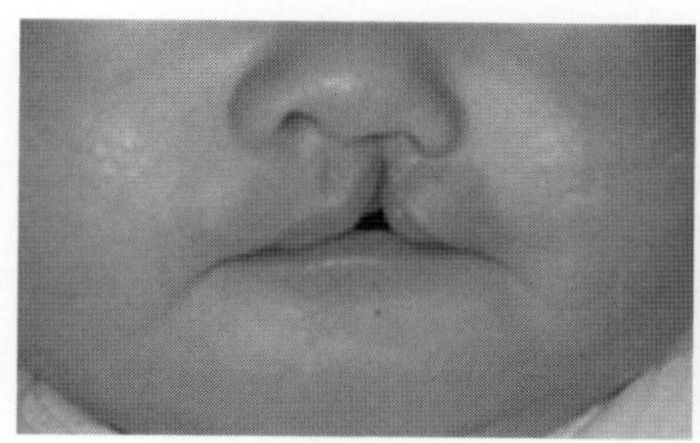

口唇裂　　口蓋裂

（出典：公益社団法人 日本口腔外科学会 HP「口腔外科相談室」より）

食事の対応法

口蓋裂がある場合は，ミルクを飲んだり，顎の正常な発育を促すためのホッツ床（しょう）という装具を生後早期に作成し口腔に装着する．誤嚥しないよう注意する．

＊１　ホッツ床
やわらかい樹脂で作った大人の入れ歯のような，上顎にはめるプレート．口の中の型を取って，乳児１人ひとりに合ったものを作る．

COLUMN

薬を飲んでいる子どもに対する食事の対応

ステロイド

ステロイドは炎症を抑える効果があるため，腎疾患，自己免疫疾患，悪性腫瘍など，種々の慢性疾患の治療として用いられる．しかし，副作用として，肥満，糖尿病，高血圧，多毛，感染症にかかりやすい，骨折しやすいなどがあり注意が必要である．

ステロイドには食欲増進作用があるため，肥満にならないよう，過食への注意が必要である．

ワルファリン

ワルファリンは血液が固まりやすい先天性の疾患や，先天性心疾患，川崎病などで用いられる，血液を固まりにくくさせる薬剤である．出血した場合，血液が固まりにくいため，大量出血を起こす可能性があり注意を要する．

納豆，青汁，クロレラは，ワルファリンの効果を減弱させるため，摂取しないように注意を要する．

Q　特別な配慮を要する子どもの食事への対応法について理解できましたか？

本章では，疾病および体調不良の子どもへの対応，障がいのある子どもへの対応について学びました．乳幼児期の子どもに関わる保育者は，言葉にならない子どもの心を汲み取る優しさや思いやりと，本当に幅広い知識が必要だと改めて痛感しました．本章で学んだ疾病の内容や対応法を参考にし，毎日の保育の中で子どもの健康観察を行い，それぞれの状況に応じた援助を行っていきましょう．

第9章 食物アレルギーの基本的知識

この章で学んでほしいこと！

食物アレルギーの有病率は，乳児が約10%，保育所児が約5%であり，学童期以降は徐々に減少することが報告されています．保育者は，子どもの疾患状況や家庭での対応，日常の健常状態や生活上の配慮など保護者や関係職員と情報共有を図りながら支援を行う必要があります．さらに食事の場面では，調理担当者と連携した誤食防止に努め，子どもの疾病状況に配慮した安全な保育環境の構成も必要となります．この章では，食物アレルギーの基礎知識を学ぶと共に，施設での具体的な対応について学びます．

この章で学ぶこと

- 食物アレルギーのある子どもへの対応
- 保育所における食物アレルギーの対応

この章での到達目標

- 食物アレルギーの種類や主な症状，原因物質を含む食品や食事における注意点について理解できた．
- 食物アレルギーに対する保育所での取り組みや，アナフィラキシー発症時の対応について理解できた．

MEMO

食物アレルギーとは

アレルギーは，体内に異物が侵入した際に生じる生体の防御反応である．咳，鼻汁などによってその異物を排出しようとするが，時にそれが，生体そのものを危険にさらしてしまうことがある．例えば，喉頭（こうとう）浮腫（のどの腫れ）や気管支の収縮は呼吸困難を惹起（じゃっき）させる．食物に対して過剰な反応を示すことを**食物アレルギー**とよぶ．

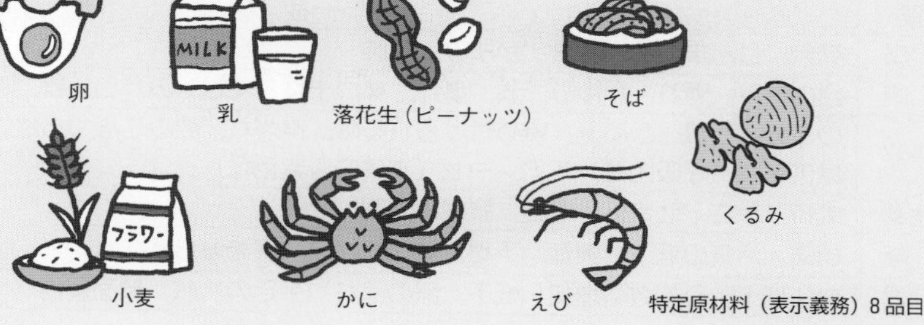

9.1　食物アレルギーのある子どもへの対応

1 食物アレルギーの種類と症状

＊1　アナフィラキシー
複数の臓器のアレルギー症状を生じるもの.特に循環器の症状は心停止の原因となる.

食物アレルギーは，表9-1に示す病型に分類される.

食物アレルギーによって引き起こされる症状としては，皮膚，粘膜，呼吸器，消化器，神経，循環器など表9-2に示す症状が現れ，もっとも危険なのはアナフィラキシー*1というショック状態である.

食物アレルギーとして軽症の場合や，原因食物の摂取量が少量の場合は，皮膚の発赤やかゆみ，のどの違和感程度ですむが，食物アレルギーの重症度が高い場合や，原因食物の摂取量が多い場合，また体調が悪い場合は，じんましん，唇や顔などの腫れ，咳，喘鳴（ぜんめい）（ゼーゼー，ヒューヒュー），声がれ，腹痛，嘔吐などが生じる可能性がある．さらには呼吸困難，ぐったり，意識障害，血圧低下などのアナフィラキシーへと進展することもある.

表9-1　食物アレルギーの種類

臨床型	発症年齢	頻度の高い食物	耐性獲得（寛解）	アナフィラキシーショックの可能性	食物アレルギーの機序
新生児・乳児消化管アレルギー	新生児期 乳児期	牛乳 （乳児用調製粉乳）	多くは寛解	（±）	主に 非IgE依存症
食物アレルギーの関与する乳児アトピー性皮膚炎	乳児期	鶏卵，牛乳，小麦，など	多くは寛解	（＋）	主に IgE依存性
即時型症状 （じんましん，アナフィラキシーなど）	乳児期～成人期	乳児期～幼児： 鶏卵，牛乳，小麦 ピーナッツ，木の実類，魚卵など 学童～成人： 甲殻類，魚類，小麦，果物類，木の実類など	鶏卵，牛乳，小麦は寛解しやすい その他は寛解しにくい	（＋＋）	IgE依存性
食物依存性運動誘発アナフィラキシー（FDEIA）	学童期～成人期	小麦，えび，果物など	寛解しにくい	（＋＋＋）	IgE依存性
口腔アレルギー症候群（OAS）	幼児期～成人期	果物・野菜・大豆など	寛解しにくい	（±）	IgE依存性

表9-2　食物アレルギーの主な症状

臓器	症　状
皮　膚	発赤，じんましん，腫れ，かゆみ，熱感
粘　膜	目の赤み，腫れ，かゆみ，涙，鼻汁，鼻づまり，くしゃみ，口，唇，のどの違和感，腫れ
呼吸器	のどの違和感，かゆみ，締め付けられる感，声がれ，飲みこみづらさ，咳，ゼーゼー，息苦しさ，呼吸困難，チアノーゼ（皮膚の青紫色化）
消化器	気持ち悪さ，吐き気，嘔吐，腹痛，下痢，血便
神　経	頭痛，活気の低下，興奮，不穏，意識がない，尿を漏らす
循環器	血圧低下，心拍数の増加・低下，脈の乱れ，手足の冷感，顔面蒼白

（資料：AMED研究班による「食物アレルギーの診療の手引き2020」参照）

アナフィラキシーの診断

図 9-1 に示す3項目のうち，いずれかに該当すればアナフィラキシーと診断する．

アレルギー症状は，治療せずともおよそ60分以内に自然に軽快するが，症状が出始めて数分以内にアナフィラキシーに達することもあり，その間に心停止してしまうと死にいたる．このような重篤な反応は，血液検査の特異 **IgE 抗体**＊2 が高値（例としてクラス4〜6など，**表 9-3**）の場合では，少量の誤食によっても生じるので注意を要する．ただし，低値の場合も起きることがある．

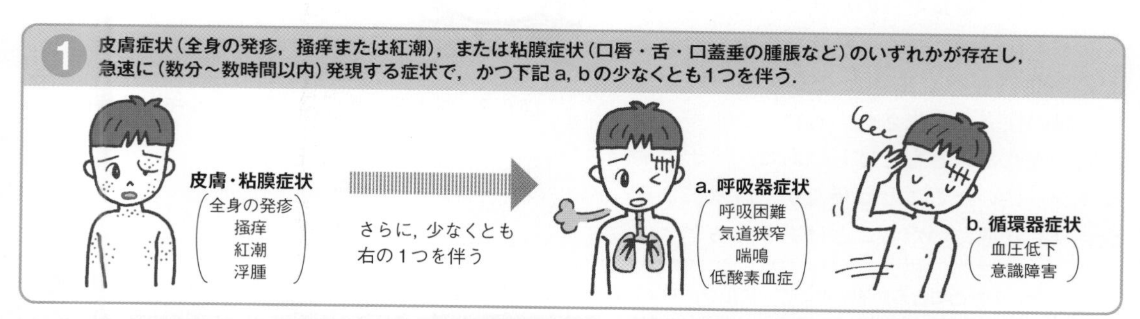

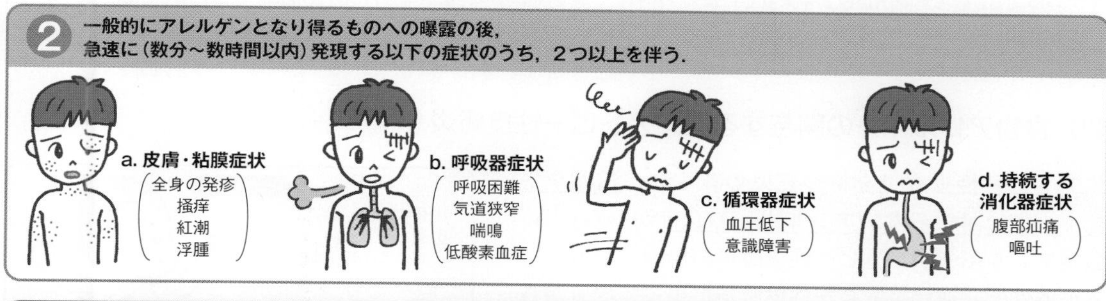

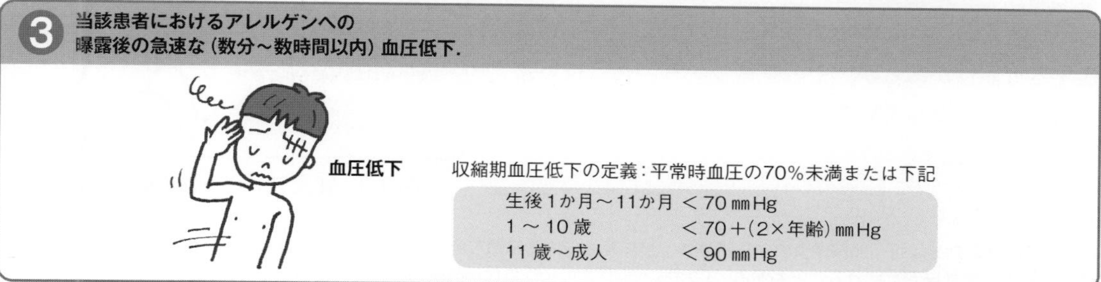

図 9-1　アナフィラキシーの症状

（資料：一般財団法人日本アレルギー学会「アナフィラキシーガイドラン」を参照して作図）

表 9-3　IgE 抗体のクラス

クラス	特異的 IgE 抗体価（U_A/mL）	判定
6	100 以上	陽性
5	50.0〜99.9	
4	17.5〜49.9	
3	3.50〜17.4	
2	0.70〜3.49	
1	0.35〜0.69	疑陽性
0	0.34 以下	陰性

※表は CAP 法による判定法であるが，測定方法によって判定法は異なる．

＊2　IgE 抗体
マスト細胞上に待機し，異物を捕獲し，アレルギー症状を惹起する物質を放出させるための架け橋となる抗体．

(1) 新生児・乳児消化管アレルギー

新生児・乳児消化管アレルギーとは，主に新生児に発症するミルクアレルギーである（図 9-2）．通常の食物アレルギーとは症状も，その後の経過も大きく異なり，一般に知られている食物アレルギーの症状であるじんましんなどの症状ではなく，嘔吐，下痢，血便などの消化器症状が主体となるため，胃や食道，腸の検査が優先され，食物アレルギーの診断が遅れることもしばしばある．アナフィラキシーにいたることは稀だが，脱水によるショック状態にいたることはありうる[*1]．

図 9-2　新生児・乳児消化管アレルギーの特徴

＊1　診断のために行う血液検査にて，ミルクに対する IgE 抗体が陽性となることは少なく，保険適用外検査のリンパ球刺激試験を診断の根拠とする場合もある．ただし，通常の食物アレルギーよりも，乳児期に寛解しやすい傾向がある．

(2) 食物アレルギーの関与する乳児アトピー性皮膚炎

アトピー性皮膚炎を持つ乳児の多くに，鶏卵や牛乳，小麦に対する食物アレルギーの合併がみられる．食物アレルギーがアトピー性皮膚炎の原因になっている可能性と，逆にアトピー性皮膚炎によって皮膚から食物抗原が吸収されやすくなり，食物アレルギーを発症する可能性があるが，その正確なメカニズムはいまだ明らかにはなっていない[*2]．

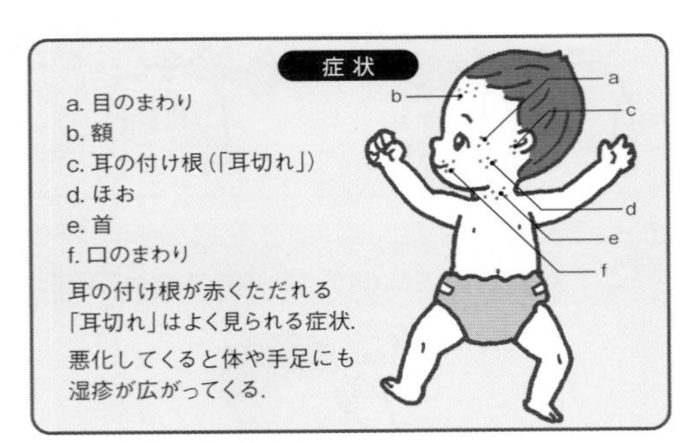

図 9-3　乳児アトピー性皮膚炎の特徴

＊2　診断のために行う血液検査の IgE 抗体は，抗体産生能力の未熟な乳児期には陽性となりにくいため，食物除去負荷試験で診断がなされることもある．しかし，乳児でも IgE 抗体が高値の場合は，食物除去負荷試験を行うことで，即時型症状が誘発される可能性があるため，IgE 抗体を参考として検査することは多い．ただし，いくつかの食物に対する IgE 抗体が陽性でも，ステロイド軟膏や保湿剤などの適切なスキンケアによって，食べてもアトピー性皮膚炎が悪化しなくなることがしばしばみられるため，血液検査だけで判断すべきではない．

食物アレルギーの多くは幼児期に寛解するため，学童期以降のアトピー性皮膚炎では，IgE 抗体だけで判断して除去食を継続している場合，その必要性を再評価すべきである．

(3) 即時型症状

原因食物を摂取した後，数分から２時間以内に発症することが多い．じんましん，咳，喘鳴などが生じ（図 9-4），発症から 1～2 時間を過ぎると，無治療でも自然に症状は軽快するが，IgE 抗体が高値の場合は，数分以内にアナフィラキシーに陥り，命の危険が生じる．乳児～幼児期に発症した食物アレルギーは，幼児期に寛解しやすいが，学童期まで継続した場合や，学童期以降に発症した場合は寛解しにくい．

図 9-4　即時型症状の特徴

(4) 食物依存性運動誘発アナフィラキシー

原因食物を摂取した後，運動した場合に生じるアナフィラキシーで，摂取だけでは生じず，また運動だけでも生じない．運動量の増える中学生以降に発症することが多く，幼児期は稀である．原因として小麦，甲殻類の頻度が高い．成長にともなう軽快は得られにくい．原因食物を除去する必要はないが，摂取後２時間（可能ならば４時間）の運動は控える．ただし，食物は摂取せずとも運動そのもので生じる**運動誘発アナフィラキシー**や，体調，気温，日光，花粉，その日の大気中の飛散物による複合要因にて生じるアレルギー（物理アレルギー）もあるため，食物の関与については慎重に判断すべきである（図 9-5）．

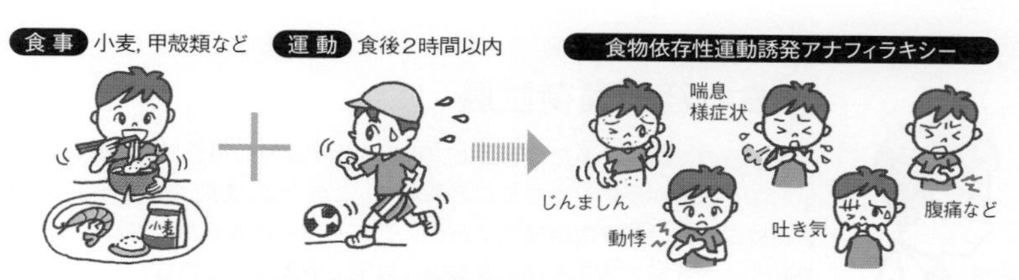

図 9-5　食物依存性運動誘発アナフィラキシーの特徴

(5) 口腔アレルギー症候群

原因食物を摂取して５分以内に口腔内の違和感，かゆみなどが生じる．多くは果物，野菜が原因で，これらの食物は花粉と共通のたんぱくを持つために交叉反応し，花粉症を発症した後にそれまで食べられていた果物，野菜に対してもアレルギー症状を示すようになることがある．例えば「カバノキ科とリンゴ，モモ」，「ヒノキ科とトマト」，「イネ科とメロン，スイカ」，「キク科とセロリ，ニンジン，メロン」などの交叉反応性が示されている（表 9-4）．

表 9-4　口腔アレルギーの交叉反応

花粉	果物・野菜
カバノキ科	リンゴ　モモ サクランボ　など
ヒノキ科(スギ)	トマト
イネ科	スイカ　メロン トマト　オレンジ　など
キク科	メロン　スイカ　セロリ　など

(6) その他のアレルギー

ゴムの**ラテックス**に対するアレルギーがある場合，アボカド，クリ，バナナ，キウイでも反応がみられることがあり，即時型反応や，時にアナフィラキシーに進展することがある．これらは成長にともなう軽快が得られにくい．

2 食物アレルギーの診断

食物アレルギーは，主に血液検査でのIgE抗体の測定などで診断されるが，アレルギー症状が出現することとは必ずしも一致しないことがある．つまり，IgE抗体が陽性でもアレルギー症状が誘発されないことはあり，逆に陰性でも食べるとアレルギー症状が誘発されることがある．乳児は抗体産生能力が未熟なため，偽陰性となる傾向が，学童期以降は偽陽性となる傾向がみられる．また，体調や運動，精神的ストレスなどにより，日常的に食べていたものに対してアレルギー症状が惹起されることもある．そのため，次のような手順で診断されることが多い（図9-6）．

❶病歴の把握

これまで原因食物を摂取した際にどのような症状が出たか，それは同じ食物や，同じ食物由来の食品で再現性があるのかなどを詳細に問診することで多くの情報が得られる．

❷免疫学的検査

血液検査（IgE抗体検査）などが行われる．

❸食物経口負荷試験

確定診断のために必要ではあるが，IgE抗体が高値の場合，負荷試験によってアナフィラキシーなど危険な反応が生じることもある．このため，負荷試験をせずに診断する場合もある．食物経口負荷試験を医療機関で行い，アレルギー症状が誘発されなかったからといっても，それだけで診断することはできない．自宅でも反復して摂取して，日常摂取量まで確実に食べられることを確認したうえで，食べられることの診断がなされる．食物経口負荷試験を行うためには施設認定が必要であるため，検査できる医療機関は限定される．

食物アレルギーの再評価の時期に関しては，重症度にもよるが，乳幼児期には半年～1年ごととすることが多い．学童期以降はさらに評価の間隔を空ける場合もある．

図9-6　食物アレルギーの診断手順

3 食物アレルギーの治療

食物アレルギーの多くは成長とともに徐々に軽快していく（耐性獲得）傾向がある．それを待ち，その間に誤食によるアナフィラキシーが生じないように注意すること，長期間の過剰な除去食にて栄養障害になることを回避することが大切である．そのため，定期的に栄養指導ができる医師の診察が必要である．また，一部の研究機関では**経口免疫療法**が研究として実施されている[*1]．

＊1　成長に伴い自然に寛解する可能性が期待できない症例に対して，近年，経口免疫療法という治療法が一部の医療機関で行われるようになった．

事前の食物経口負荷試験で症状が誘発される閾値量を確認した後に，原因食物を医師の指導のもと，自宅で摂取し，徐々に食べられるようになることを目指す治療法である．

ただし，その方法，安全性，効果，副反応については研究段階であり，「食物アレルギー診療ガイドライン2016」では，「経口免疫療法を食物アレルギーの一般診療として推奨しない」と記載されている．

4 食事における注意点

食物アレルギーの個人差は大きい．例えば，同じ鶏卵アレルギーであっても，生卵だけ除去するだけで良く，他の卵は食べられる軽症例や，逆にハムをひとかけら食べただけでアナフィラキシーにいたる重症例もある．保育現場で，多種の臨床像にあわせて給食を提供するのは困難であるため，安全策をとり，提供するか完全除去とするかの二者択一とすることは仕方ないことではある．ただし，主要抗原がどのような食品に含まれているのか，アレルギーがあっても食べられる低い抗原性の食品（基本的に除去する必要のないもの）は何かの知識は持っておくべきである*2（表 9-5）．

＊2　アレルギー症状は主に原因食物の摂取によって生じる．「吸い込む」，「触れる」ことでも誘発されることはあるが，アナフィラキシーにいたることは多くはない．このため，重症でない限り，給食を別の場所で食べさせるなどの過剰な対応は望ましくない．同じく，調理具や製造ラインでの微量の混入の摂取にて，アナフィラキシーにいたる重症児も多くはない．

表 9-5　原因食物別の栄養食事指導（一部抜粋）

アレルギー名	基本的に除去する必要のないもの	主要抗原を含む加工食品の例
鶏卵	鶏肉，魚卵，卵殻カルシウムなど	マヨネーズ，練り製品（かまぼこ，はんぺんなど），肉類加工品（ハム，ウインナーなど），調理パン，菓子パン，鶏卵を使用している天ぷらやフライ，鶏卵をつなぎに利用しているハンバーグや肉団子 洋菓子類（クッキー，ケーキ，アイスクリームなど）など
牛乳	牛肉，乳酸菌，カカオバター，ココナッツミルクなど	ヨーグルト，チーズ，バター，生クリーム，全粉乳，脱脂粉乳，一般の調製粉乳，練乳，乳酸菌飲料，はっ酵乳，アイスクリーム，パン，カレーやシチューのルゥ，肉類加工品（ハム，ウインナーなど） 洋菓子類（チョコレートなど），調味料の一部など （※アレルギー用ミルクに関しては表 9-6 参照）
小麦	醤油，穀物酢，麦芽糖，麦芽（一部の除く）など	小麦粉：薄力粉，中力粉，強力粉，デュラムセモリナ小麦 パン，うどん，マカロニ，スパゲティ，中華麺，麩，餃子や春巻の皮，お好み焼き，たこ焼き，天ぷら，とんかつなどの揚げもの，フライ　シチューやカレーのルゥ 洋菓子類（ケーキなど） 和菓子（饅頭など）＊大麦の摂取可否は主治医の指示に従う
	食品の特徴と除去の考え方	
大豆	・他の豆類の除去が必要なことは非常に少ないため，豆類をひとくくりに除去する必要はない． ・大豆油は症状はなく摂取できることが多い． ・豆腐が摂取可能であっても，納豆や豆乳のみ症状が誘発されることがまれにある．	
魚	・魚は魚種間で交差抗原性があるが，すべての魚の除去が必要とは限らない．問診や経口負荷試験で摂取可能な魚を見つけることが望ましい． ・かつお，いりこなどのだしの除去は不必要なことが多い．	
ピーナッツ	・ピーナッツは豆類であり，種実（ナッツ）類とまとめて除去する必要はない． ・ローストすることでアレルゲン性が高まる．ピーナッツオイルを含めた除去が必要．	
甲殻類	・甲殻類（特にエビ）は食物依存性運動誘発アナフィラキシーの原因食物としての頻度が高い． ・エビ・カニなどの甲殻類間，イカ・タコなどの軟体類間，貝類間に交差抗原性がある． ・甲殻類，軟体類，貝類をひとくくりにして除去する必要はない．血液検査，食物経口負荷試験などで個々に症状の有無を確認する必要がある．	
そば	・そば殻を吸い込むことで，喘息症状を誘発する場合がある． ・そばアレルゲンは，水に溶けやすく熱に強い性質があるため，そばと同じ釜でゆでたうどんなどは，そばのコンタミネーション（混入）が生じうる．	

（資料：厚生労働科学研究班による「食物アレルギーの栄養食事指導の手引き 2022」より一部抜粋）

表 9-6　ミルクアレルゲン除去食品（アレルギー用ミルク）

分類		加水分解乳		アミノ酸乳	調整粉末大豆乳
商品名		ミルフィー HP®	ニュー MA-1®	エレメンタルフォーミュラ®	和光堂ボンラクト®i
メーカー		明治	森永乳業	明治	アサヒグループ食品
標準調乳濃度		14.5%	15%	17%	14%
最大分子量（Da）		3,500	1.000	アミノ酸	—
浸透圧（mOsm/kg/H_2O）		290	320	445	290
原材料		乳清分解物	カゼイン分解物	精製アミノ酸	分離大豆たんぱく
栄養素（標準調乳 100mL の含有量）	エネルギー（kcal）	67.0	69.9	66.5	67.2
	たんぱく質（g）	1.7	2.0	2.0	1.8
	脂質（g）	2.5	2.7	0.4	2.9
	炭水化物（g）	9.6	9.5	13.4	8.7
	ビオチン（μg）	1.6	2.3	1.6	1.4
	亜鉛（mg）	0.4	0.5	0.5	0.5
	カルシウム（mg）	53.7	60.0	64.6	53.2
	セレン（μg）	1.9	0.9*	1.85	1.0*
	鉄（mg）	0.9	0.9	1.1	1.0
	カルニチン（mg）	1.3	1.8	1.3	0.84

*：社内分析値

アレルギー用ミルク（特別用途食品・ミルクアレルゲン除去食品）は，牛乳たんぱく質を酵素分解して，分子量を小さくした加水分解乳と，アミノ酸を混合してミルクの組成に近づけたアミノ酸乳，大豆たんぱくを用いた調整粉末大豆乳がある．加水分解乳は，最大分子量の小さいものほどアレルゲンの酵素分解が進んでおり、症状が出にくい．アミノ酸乳は，脂質が少なく，通常の調製条件では高浸透圧のため下痢を来やすい．アレルギー用ミルクの選択は，医師の指示に従って使用する．

栄養食事指導のポイント
- 牛乳・乳製品の除去でカルシウム不足に陥りやすい．他の食品での補充を指導する．
- アレルギー用ミルクは，母乳代替に加えて，カルシウム補給として利用できる．特有のアミノ酸臭があり，月齢が進むと飲みづらいことがある．果物ピューレやココアなどで風味をつけたり，だしや豆乳の味を活かした料理に利用するなどの工夫をする．飲用乳の代替に豆乳を用いる場合には，牛乳と比較して，カルシウム含有量が少ないことに留意する．
- 乳製品の代替に，豆乳で作られたヨーグルトやアイスクリーム，生クリームなどが市販されている．

（資料：厚生労働科学研究班による「食物アレルギーの栄養食事指導の手引き 2022」より抜粋）

5 食事以外の注意点

牛乳パックや小麦粘土を用いた図工授業などでは配慮が必要であるため，過去に触れた経験があれば，どのような症状が生じたのかを聞き，それに応じた対応をとるとともに，触れたことがない場合は，どの程度の危険性があるのか，医師に相談する方法もある．

6 食物アレルギーの予後

乳幼児期の即時型食物アレルギーの主な原因である鶏卵，乳製品，小麦は，成長とともに耐性を獲得することが多く，3 歳までに 50%，学童期までに 80～90% と報告されている．一方，学童期から成人の間で新規発症する即時型の原因食物は甲殻類，小麦，果物，魚類，そば，ピーナッツが多く，耐性獲得の可能性は乳児期発症の食品に比べて低いとされている．

乳幼児期にアレルギーがあったからといって，耐性を獲得したかの判断をせぬまま長期の除去を行っている場合は，医療機関と連携して，現在でも同じ危険性があるのか再評価する必要がある．

表 9-7　原因食物別の調理の工夫と主な代替栄養（例）

	該当食材が利用できない場合の調理の工夫	主な栄養素と代替栄養
鶏卵アレルギー	●肉料理のつなぎ　片栗粉などのでんぷん，すりおろしたいもや，れんこんをつなぎとして使う． ●揚げものの衣　水と小麦粉や片栗粉などのでんぷんをといて衣として使う． ●洋菓子の材料　プリンなどはゼラチンや寒天で固める．ケーキなどは重曹やベーキングパウダーで膨らませる． ●料理の彩り　カボチャやトウモロコシ，パプリカ，ターメリックなどの黄色の食材を使う．	[主な栄養素] 鶏卵M玉 1 個（約 50g）当たり たんぱく質 6.0 g ↓ [代替栄養]※ 肉（豚・牛肉の赤身）25-35g 鶏（ささみ）25g 魚 25-35g 豆腐（木綿）85g
牛乳アレルギー	●ホワイトソースなどのクリーム系の料理 じゃがいもをすりおろしたり，コーンクリーム缶を利用する．植物油や乳不使用マーガリン，小麦粉や米粉，豆乳でルゥを作る．市販のアレルギー用ルゥを利用する． ●洋菓子の材料　豆乳やココナッツミルク，アレルギー用ミルクを利用する．豆乳から作られたホイップクリームを利用する．	[主な栄養素] 普通牛乳 100mL 当たり カルシウム 110mg ↓ [代替栄養]※ 調整豆乳 360mL 干しひじき 10g（1 杯） アレルギー用ミルク 200mL
小麦アレルギー	●ルゥ　米粉や片栗粉などのでんぷん，すりおろしたいもなどで代用する． ●揚げものの衣　コーンフレーク，米粉パンのパン粉や砕いた春雨で代用する． ●パンやケーキの生　米粉や雑穀粉，大豆粉，いも，おからなどを生地として代用する．市販の米パンを利用することもできる．グルテンフリーのものを選ぶ． ●麺　市販の米麺や雑穀麺を利用する	[主な栄養素] 食パン 6 枚切 1 枚当たり （薄力粉・強力粉 45g 相当） エネルギー 150kcal ↓ [代替栄養]※ ごはん 100g 米麺（乾麺）40〜50g 米粉パン 60g 米粉 40g 程度

※ 主食（ごはん，パン，麺など），主菜（肉，魚，大豆製品など），副菜（野菜，芋類，果物など）のバランスに配慮する．

（資料：厚生労働科学研究班による「食物アレルギーの栄養食事指導の手引き 2022」より抜粋）

9.2　保育所における食物アレルギーの対応

1 保育所での食物アレルギーに関する現状

食物アレルギーの有症率は，2010 年に報告された 953 保育所，105,853 人を対象とした全国調査で 4.9% であった（**図 9-7**）．また，2015 年の東京都健康安全研究センターによる 3 歳児の調査によると，3 歳までに食物アレルギーの症状を認めたのは 20.0%，3 歳児の時点で何らかの食物を除去しているのは 9.7% であった．

年齢によって原因食物は異なり，乳児～幼児期は鶏卵，牛乳，小麦の頻度が高く（**図 9-8**），学童期以降は甲殻類，魚類，小麦，果物，そば，ピーナッツの頻度が高い．

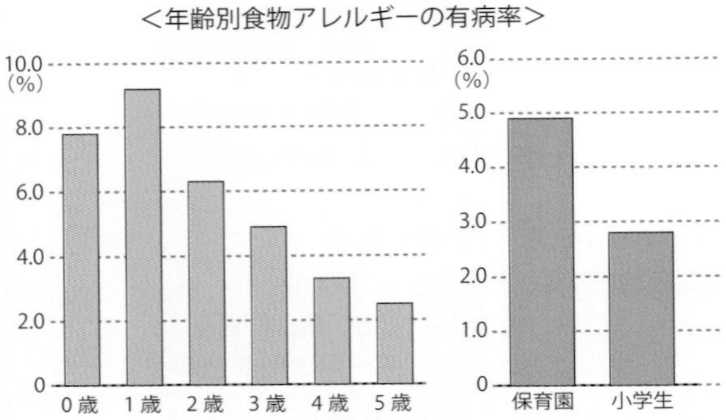

＜年齢別食物アレルギーの有病率＞

図 9-7　年齢別食物アレルギーの有病率

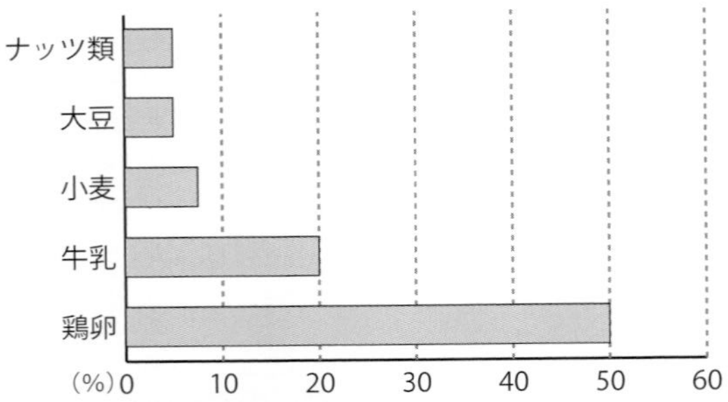

図 9-8　保育所における主な食物アレルギーの原因

（資料：厚生労働省「保育所におけるアレルギー対応ガイドライン」参照）

2 アレルギー発症前の家庭での注意点

家族に何らかのアレルギーを持つ人がいる場合，子どもがアレルギーを発症する可能性はある．しかし，食物アレルギーの発症を恐れて，特定の食物を食べないという方法は，むしろアレルギーの発症を高めることが報告されている．

そのため，離乳期になった後は，通常の離乳食を開始し，じんましんが出る，慢性のかゆみをともなう湿疹が出るなどの症状が発生した場合は，医療機関に相談することが望ましい．症状が出てないのに食物アレルギーが心配だからという理由だけで血液検査（IgE 抗体）を行い，陽性だったものを除去するのは過剰な対応である [*1]．

＊1　ただし，乳幼児期の食物アレルギーの原因として最も多いのは鶏卵であるため，家族歴などでアレルギーを発症する可能性がある場合は，卵黄の摂取から開始するとか，初回の卵白摂取時に，十分な加熱を行い（卵白は加熱によって抗原性は減る），少量から開始するという方法もある．

3 食物アレルギーの保護者・地域との連携

(1) 保護者との面談・家庭内での様子

食物アレルギーのある子どもが何をどれだけ食べられるのかについて，血液検査の結果を優先する

傾向があるが，前述のように血液検査だけでは不十分である．「家庭内で何を食べているのか」，「その際に何か症状が出るのか」を聞くことにより，血液検査よりも多くの情報が得られる．血液検査で陽性の食物であっても，食べてアレルギー症状が出ないこともあり，逆に血液検査で陰性の食物であっても，食べて再現性を持ったアレルギー症状が出ることがある．

一方，数年前にアナフィラキシーが生じたために以後除去しており，現在，食べられるのかどうかわからないような場合や，時々生じるアレルギー症状の原因が特定できない場合は，医療機関での検査が有用となる．

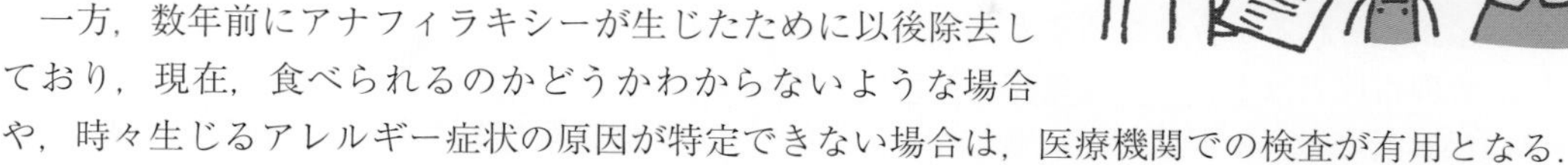

(2) 医師への相談

食物アレルギーのある乳幼児がいる場合，医療機関と連携して，給食の対応，アナフィラキシー発生時の対応を事前に決めておく必要がある．都道府県や市町村単位で**食物アレルギー対応マニュアル**などが整備されている場合もあるため，そのような地域ではそれに従って対応する．マニュアルなどが整備されていない場合，**アレルギー疾患生活管理指導表**（**図 9-9**）の記載を医療機関に依頼する．この生活管理指導表の記載には専門性が求められるため，それぞれの地域でどの医療機関に依頼できるのかは，あらかじめ取り決めをしておくことが望ましい[*2]．

＊2　どの食物をどこまで食べられるか（例えば，鶏卵アレルギーの場合，「ちくわは食べられるのか」や，「何gまで食べられるか」を判断すること）は，血液検査や専門医の診察を受けても分かるものではないが，食べる検査（食物経口負荷試験）をしてもよい程度なのか，検査をすること自体が危険なのか，どのように食べていくか，指導が可能な医療機関に依頼する．

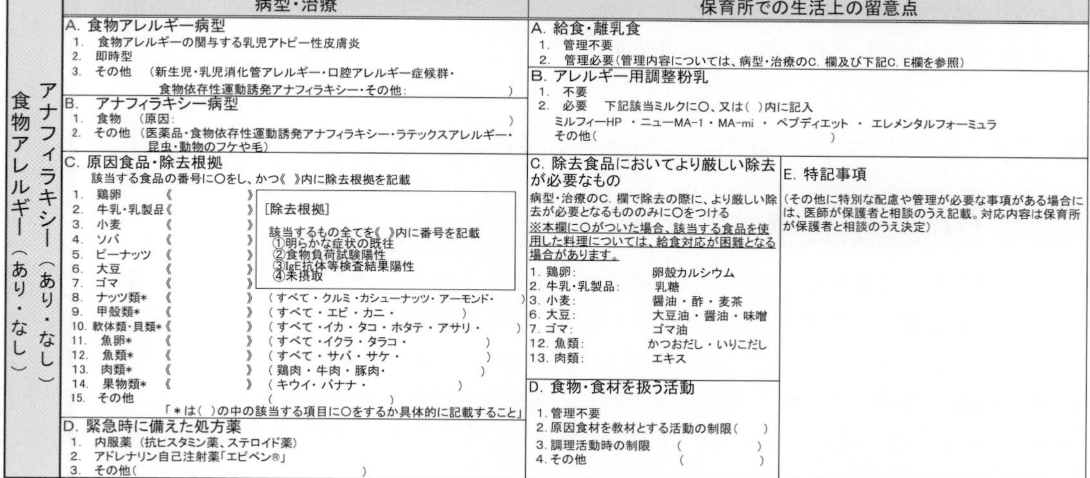

（参考様式）※「保育所におけるアレルギー対応ガイドライン」(2019年改訂版)

保育所におけるアレルギー疾患生活管理指導表　（食物アレルギー・アナフィラキシー・気管支ぜん息）

提出日　　　年　　月　　日

名前＿＿＿＿＿＿　男・女　＿＿年＿＿月＿＿日生（＿＿歳＿＿ヶ月）　＿＿＿＿＿組

※この生活管理指導表は、保育所の生活において特別な配慮や管理が必要となった子どもに限って、医師が作成するものです。

食物アレルギー（あり・なし）／アナフィラキシー（あり・なし）

病型・治療

A. 食物アレルギー病型
1. 食物アレルギーの関与する乳児アトピー性皮膚炎
2. 即時型
3. その他　（新生児・乳児消化管アレルギー・口腔アレルギー症候群・食物依存性運動誘発アナフィラキシー・その他：　　）

B. アナフィラキシー病型
1. 食物　（原因：　　）
2. その他　（医薬品・食物依存性運動誘発アナフィラキシー・ラテックスアレルギー・昆虫・動物のフケや毛）

C. 原因食品・除去根拠
該当する食品の番号に○をし、かつ《　》内に除去根拠を記載
1. 鶏卵　《　》
2. 牛乳・乳製品《　》
3. 小麦　《　》
4. ソバ　《　》
5. ピーナッツ　《　》
6. 大豆　《　》
7. ゴマ　《　》
8. ナッツ類*　《　》（すべて・クルミ・カシューナッツ・アーモンド・　）
9. 甲殻類*　《　》（すべて・エビ・カニ・　）
10. 軟体類・貝類*《　》（すべて・イカ・タコ・ホタテ・アサリ・　）
11. 魚卵*　《　》（すべて・イクラ・タラコ・　）
12. 魚類*　《　》（すべて・サバ・サケ・　）
13. 肉類*　《　》（鶏肉・牛肉・豚肉・　）
14. 果物類*　《　》（キウイ・バナナ・　）
15. その他　（　）

［除去根拠］
該当するもの全てを《　》内に番号を記載
①明らかな症状の既往
②食物負荷試験陽性
③IgE抗体等検査結果陽性
④未摂取

「＊は（　）の中の該当する項目に○をするか具体的に記載すること」

D. 緊急時に備えた処方薬
1. 内服薬（抗ヒスタミン薬、ステロイド薬）
2. アドレナリン自己注射薬「エピペン®」
3. その他（　）

保育所での生活上の留意点

A. 給食・離乳食
1. 管理不要
2. 管理必要（管理内容については、病型・治療のC. 欄及び下記C. E欄を参照）

B. アレルギー用調整粉乳
1. 不要
2. 必要　下記該当ミルクに○、又は（　）内に記入
ミルフィーHP・ニューMA-1・MA-mi・ペプディエット・エレメンタルフォーミュラ
その他（　）

C. 除去食品においてより厳しい除去が必要なもの
病型・治療のC. 欄で除去の際に、より厳しい除去が必要となるもののみに○をつける
※本欄に○がついた場合、該当する食品を使用した料理については、給食対応が困難となる場合があります。
1. 鶏卵：　卵殻カルシウム
2. 牛乳・乳製品：　乳糖
3. 小麦：　醤油・酢・麦茶
6. 大豆：　大豆油・醤油・味噌
7. ゴマ：　ゴマ油
12. 魚類：　かつおだし・いりこだし
13. 肉類：　エキス

D. 食物・食材を扱う活動
1. 管理不要
2. 原因食材を教材とする活動の制限（　）
3. 調理活動時の制限（　）
4. その他（　）

E. 特記事項
（その他に特別な配慮や管理が必要な事項がある場合には、医師が保護者と相談のうえ記載。対応内容は保育所が保護者と相談のうえ決定）

図 9-9　保育所におけるアレルギー疾患生活管理指導表（食物アレルギー，アナフィラキシー抜粋）

（資料：厚生労働省「保育所におけるアレルギー疾患生活管理指導表」2019 年改訂版）

(3) 生活管理指導表の活用

保育所では，図 9-10 のように生活管理指導表を医師に記載してもらい，保護者に家庭内での食事を聞き，実際の給食や食物を扱う際の対応を決める．乳幼児期はアレルギーがあったものも，徐々に食べられるようになることが多いため，生活管理指導表は1年に1度確認しなおす．一部の保育所では，3か月ごと，半年ごとなどの短い期間で，医療機関による再評価を指示している場合もあるが，それは医学的に過剰と判断されることもあるため，再評価の間隔は医師の判断に委ねるべきである．また，保育所から定期的な血液検査を指示されることがあるが，これも医師の判断に委ねるべきである．

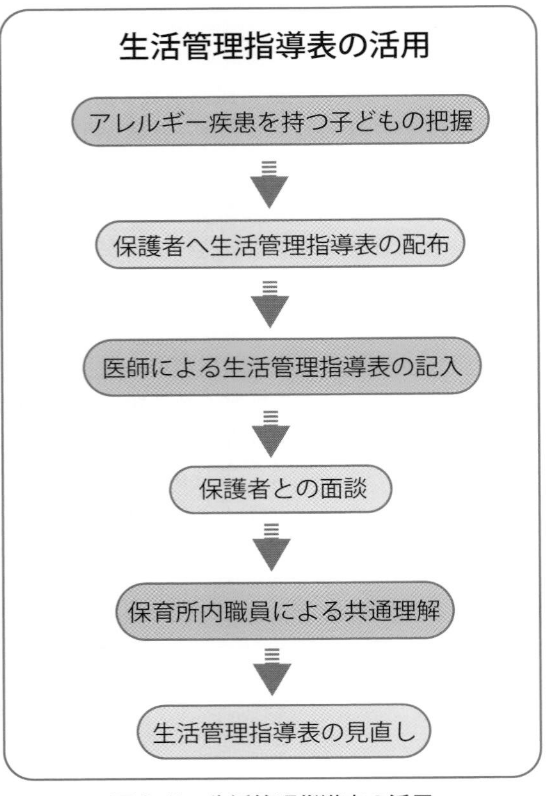

図 9-10　生活管理指導表の活用

(4) 小学校へのアレルギー食の情報提供

保育所と幼稚園や小学校との連携は地域格差が大きい．しかし，「何を食べられるのか」，「何を食べたときにどのような症状が出たのか」などの情報提供は重要である．また，「重症の卵アレルギーの場合でも卵殻カルシウムは食べられるのか」，「重症の牛乳アレルギーの場合でも乳糖は食べられるのか」などは，小学校での給食提供を検討する上で重要となることもある．これらも血液検査で判定できるものではないため，食べてみることが必要となる．医師とも連携を行い，就学準備を進める必要がある．

4 アナフィラキシー発症の準備と対応

緊急時対応票の作成

緊急時対応票を作成する．対応票は個別に作成することが多いが，大分県のように（図 9-11），個別でなく，県で統一して全ての園児（児童・生徒）に同じ対応をとっている場合もある．緊急時の薬剤（アドレナリン自己注射薬：エピペン®，抗ヒスタミン薬，ステロイド薬，気管支拡張薬など）も，医療機関と連携して決めておく必要がある．重症な食物アレルギーがある場合は，「症状が生じてから」，もしくは「誤食してから」，保護者に連絡し対応するのでは間に合わないこともある．

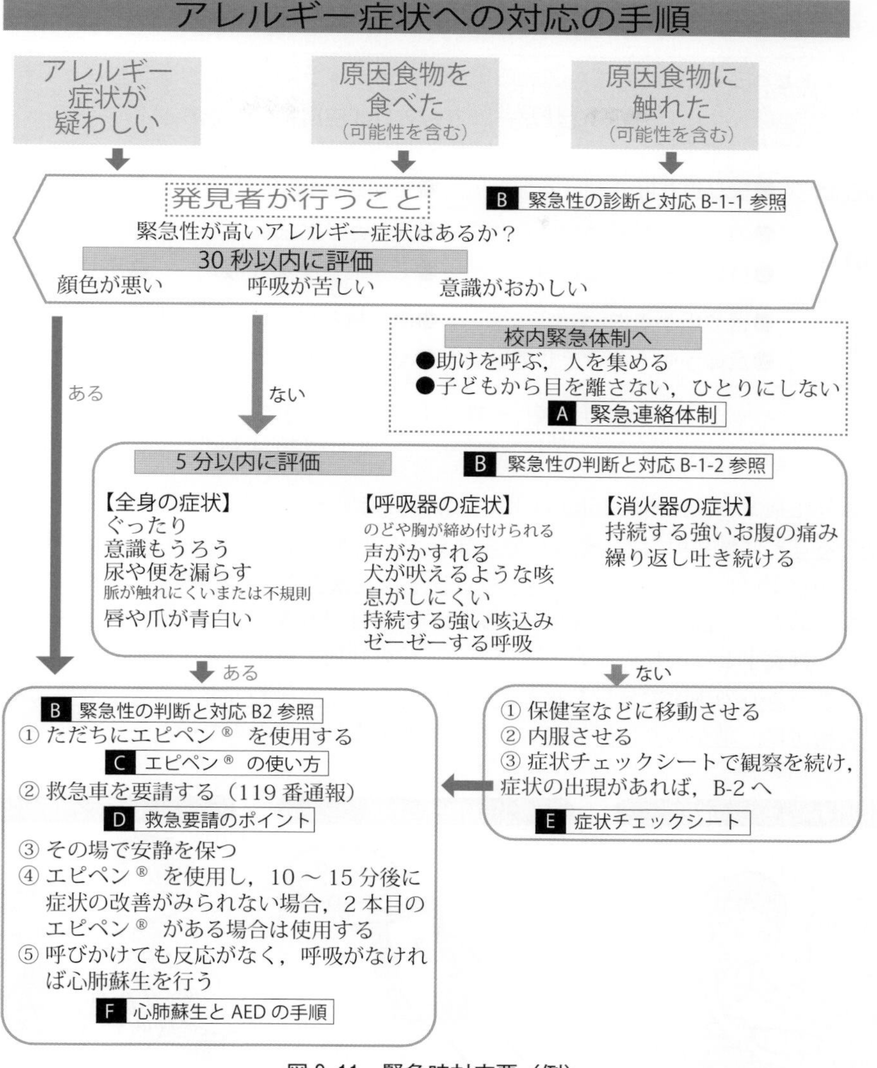

図 9-11　緊急時対応票（例）

（資料：「大分県版 学校・幼稚園におけるアレルギー対応」をもとに作成）

アナフィラキシー発症時の対応

アナフィラキシーに対して，迅速に対応できるよう，日本小児アレルギー学会は，13 項目の症状（**図 9-12**）を 5 分以内に評価して，1 項目でも満たした場合にエピペン® を投与するようにした[*1*2].

MEMO

エピペンとは・・・

アナフィラキシーがあらわれた時に使用し，医師の治療を受けるまでの間，症状の進行を一時的に緩和し，ショックを防ぐための補助治療剤（アドレナリン自己注射薬）. あくまでも補助治療剤なので，アナフィラキシーを根本的に治療するものではない. エピペン注射後は直ちに医師による診療を受ける必要がある.

一般向けエピペン®の適応（日本小児アレルギー学会）

エピペン®が処方されている患者でアナフィラキシーショックを疑う場合，下記の症状が一つでもあれば使用すべきである

消化器の症状	●繰り返し吐き続ける	●持続する強い（がまんできない）おなかの痛み	
呼吸器の症状	●のどや胸が締め付けられる ●持続する強い咳込み	●声がかすれる ●ゼーゼーする呼吸	●犬が吠えるような咳 ●息がしにくい
全身の症状	●唇や爪が青白い ●意識がもうろうとしている	●脈を触れにくい・不規則 ●ぐったりしている	 ●尿や便を漏らす

図 9-12　一般向けエピペンの適応

（資料：日本小児アレルギー学会「一般向けエピペン®の適応」）

エピペンは昇圧剤であり，体重 15kg 以上で処方は可能である．自己注射薬であるが，幼児の場合，本人が投与することは難しいため，そばにいる保育士などが速やかに投与する必要がある（図 9-13）．

その効果は 10～15 分しかないため，エピペン投与後は速やかに救急隊を要請する．エピペンを処方されていない幼児で，図 9-12 の 13 項目の症状の 1 項目でも満たす場合も，救急隊を要請する．アナフィラキシーは食事とは関係のない，遊びや登下校の時間，遠足，運動会の際にもみられる可能性があるため，教室以外の場所で発生したときも想定した対応を決めておくことが必要である．特にエピペンの保管場所は，誰が取りに行っても分かる場所でなければならない．

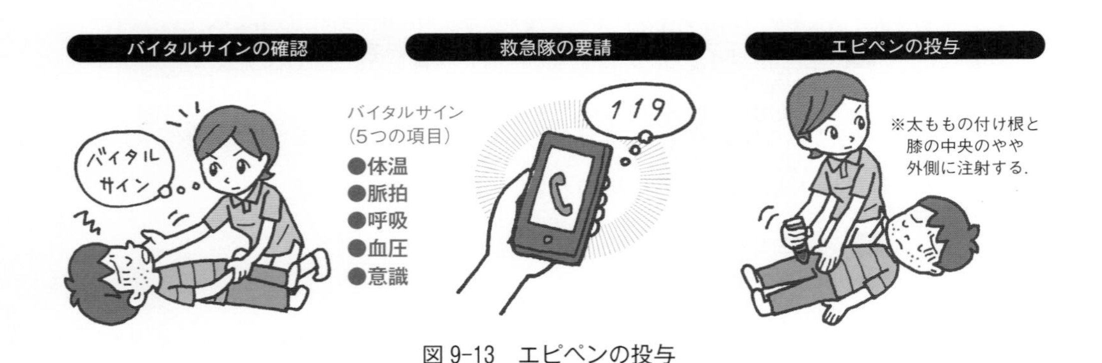

図 9-13　エピペンの投与

＊１　エピペンの投与は法的には「医行為」であるが，「児童自身が注射できない場合，その場に居合わせた教職員が，本人に代わって注射することは，その行為が反復継続する意図がないと認められるため医師法違反にならない．」との法律上の解釈がある（平成 21 年７月６日　厚生労働省医政局医事課長宛に文部科学省スポーツ・青少年学校健康教育課長より「医師法第 17 条の解釈について」の照会）．そのために，誤操作のないよう，AED と同じく定期的な研修を受けておく必要がある．

＊２　エピペンを投与すべきか否かを，保護者や救急隊，医師に連絡して聞くことは，その間に心停止する危険が高まるため推奨しない．エピペンを処方されている幼児が，13 項目の症状の 1 項目でも満たす場合（図 9-12），もしくは判断に迷う場合はエピペンを投与すべきである．

アナフィラキシー時は，体位変換によって心停止の危険が高まる．そのため，車椅子や担架を用いても移動させてはいけない．その場で仰向けにして，心臓に血液を多く返すために，適当な敷物を置き，30cm 程度足を高くする．呼吸が苦しい場合は上半身を少し起こす（**図 9-14**）．嘔吐している場合は顔を左向きにする．同時に，記録係は**経過記録表**（**図 9-15**）を記載する．

図 9-14　アナフィラキシー時の対応

アナフィラキシー緊急時対応記録表（例）

氏名　　　　　　体重（　　kg）　　　生年月日　平成　　年　　月　　日（　　歳）

1. 誤食時間	平成　　年　　月　　日　　時　　分
2. 食べたもの	
3. 食べた量	
4. 処置	【処置】・口の中のものを取り除く　・うがいをする　・手を洗う　・触れた部位を洗い流す 【内服など】薬の使用（内容　　　　　）　時　分 【注射】エピペンの使用　あり　・　なし　　時　分

5. 症状

部位	重症度レベル		部位	重症度レベル	
【皮膚】	1	① 部分的なじんましん，あかみ，かゆみ			
	2	② 広範囲のじんましん，あかみ，強いかゆみ			
【粘膜】	1	③ 軽い唇や瞼（まぶた）の腫れ	【全身】	1	⑩ 普段よりやや元気がない
	2	④ 明らかな唇や瞼（まぶた），顔全体の腫れ		2	⑪ 明らかに元気がない，立っていられない
	3	⑤ 飲み込み辛さ		3	⑫ 横になりたがる，ぐったり
	4	⑥ 声枯れ，声が出ない，のどが締め付けられる		4	⑬ 血圧低下，意識レベル低下〜消失，失禁
【呼吸器】	1	⑦ 鼻汁，鼻閉，単発の咳	【消火器】	1	⑭ 軽い腹痛，単発の嘔吐
	2	⑧ 時々繰り返す咳		2	⑮ 明かな腹痛，複数回の嘔吐・下痢
	3	⑨ 強い咳込み，声がれ，ぜん鳴（ゼーゼー，ヒューヒュー），呼吸困難		3	⑯ 強い腹痛，繰り返す嘔吐や下痢

6. 症状経過

時間	症状	血圧（mmHg）	脈拍（回 / 分）	呼吸数（回 / 分）	体温（℃）	備考欄
：						
：						
：						
：						
：						
：						
：						

7. 記録者名				
8. 医療機関	医療機関名	主治医名	電話番号	備考欄（ID 番号など）

図 9-15　アナフィラキシー緊急時対応経過記録表（例）

MEMO

保育所・幼稚園・学校における対応

〈食物アレルギー対応の原則〉

1. 食物アレルギーがあっても原則的には給食を提供する.
2. 安全性を最優先に対応する.
3. 食物アレルギー対応委員会などで組織的に対応する.
4. ガイドライン*に基づき，医師の診断による書類を提出する.
   保育所では生活管理指導表などの提出を原則とし，
   学校などでは学校生活管理指導表の提出を必須とする.
5. 完全除去対応を原則とし，過度に複雑な対応は行わない.

〈生活管理指導表の「診断根拠，除去根拠」の捉え方〉

① 明らかな症状の既往
診断根拠として信頼性が高い. しかし１年以上前の既往の場合は，既に耐性が進んでいる可能性がある.

② 食物負荷試験陽性
医師が直接症状を確認しているので，最も信頼性が高い. しかし１年以上前の負荷試験結果の場合は，既に耐性が進んでいる可能性がある.

③ IgE 抗体等検査結果陽性
食物アレルギーの可能性を示唆するが，確定診断の根拠にはならない. このため，多くの食物に③だけが根拠として書かれている場合は，除去する食物を整理できる可能性がある.

④ 未摂取（保育所におけるアレルギー疾患生活管理指導表のみ）
食べた経験がないので，実際にアレルギー症状が誘発されるかはわからないことを示す.

＜誤食事故を予防するためにできること＞

完全除去を基本とする

○家庭で必要最小限の除去をおこなうことは患者のために重要であるが，集団給食で“食べられる範囲”に合わせて個別対応することは推奨されない.

○個別対応を行うことで，調理，配膳が非常に煩雑となり，結果的に誤食事故の危険性を高める. このため集団食では，完全除去を基本とした除去食・代替食対応をおこなうことが望ましい.

○ただし，調理場の施設・設備や，スタッフの技術・知識などのスキルが十分にあれば，個別対応できると良い.

＊ガイドライン

学校・幼稚園

学校のアレルギー疾患に対する取組ガイドライン 令和元年度改訂（財）
日本学校保健会 学校給食における食物アレルギー対応指針 2015 年 文部科学省

保育所

保育所におけるアレルギー対応ガイドライン 2019 年改訂版 厚生労働省

Q　食物アレルギーがある子供への対応については，保護者や職員間の情報共有が重要であることが理解できましたか？

　アレルギー疾患に関する基本的な知識と，対応の基本原則について理解できましたか.
　各施設の誤食の主な発生要因は，① 人的エラー（いわゆる配膳ミス（誤配）原材料の見落とし，伝達漏れなど），② ①を誘発する原因として，煩雑で細分化された食物除去の対応，③ 子どもが幼少のために自己管理できないことなどがあげられます. 各施設において，組織的にアレルギー対応を行うにあたり，ガイドラインに基づく対応の体制構築が重要です. 各施設のアレルギー対応ガイドラインは，最新のものを参照し対応しましょう.

巻末資料

巻末資料1　妊娠前からはじめる妊産婦のための食生活指針

妊娠前から，バランスのよい食事をしっかりとりましょう	若い女性では「やせ」の割合が高く，エネルギーや栄養素の摂取不足が心配されます．主食・主菜・副菜を組み合わせた食事がバランスのよい食事の目安となります．1日２回以上，主食・主菜・副菜の３つをそろえてしっかり食べられるよう，妊娠前から自分の食生活を見直し，健康なからだづくりを意識してみましょう．
「主食」を中心に，エネルギーをしっかりと	炭水化物の供給源であるごはんやパン，めん類などを主材料とする料理を主食といいます．妊娠中，授乳中には必要なエネルギーも増加するため，炭水化物の豊富な主食をしっかり摂りましょう．
不足しがちなビタミン・ミネラルを，「副菜」でたっぷりと	各種ビタミン，ミネラルおよび食物繊維の供給源となる野菜，いも，豆類（大豆を除く），きのこ，海藻などを主材料とする料理を副菜といいます．妊娠前から，野菜をたっぷり使った副菜でビタミン・ミネラルを摂る習慣を身につけましょう．
「主菜」を組み合わせてたんぱく質を十分に	たんぱく質は，からだの構成に必要な栄養素です．主要なたんぱく質の供給源の肉，魚，卵，大豆および大豆製品などを主材料とする料理を主菜といいます．多様な主菜を組み合わせて，たんぱく質を十分に摂取するようにしましょう．
乳製品，緑黄色野菜，豆類，小魚などでカルシウムを十分に	日本人女性のカルシウム摂取量は不足しがちであるため，妊娠前から乳製品，緑黄色野菜，豆類，小魚などでカルシウムを摂るよう心がけましょう．
妊娠中の体重増加は，お母さんと赤ちゃんにとって望ましい量に	妊娠中の適切な体重増加は，健康な赤ちゃんの出産のために必要です．不足すると，早産やSGA（妊娠週数に対して赤ちゃんの体重が少ない状態）のリスクが高まります．不安な場合は医師に相談してください．日本産科婦人科学会が提示する「妊娠中の体重増加指導の目安」を参考に適切な体重増加量をチェックしてみましょう．
母乳育児も，バランスのよい食生活のなかで	授乳中に，特にたくさん食べなければならない食品はありません．逆に，お酒以外は，食べてはいけない食品もありません．必要な栄養素を摂取できるように，バランスよく，しっかり食事をとりましょう．
無理なくからだを動かしましょう	妊娠中に，ウォーキング，妊娠水泳，マタニティビクスなどの軽い運動をおこなっても赤ちゃんの発育に問題はありません．新しく運動を始める場合や体調に不安がある場合は，必ず医師に相談してください．
たばことお酒の害から赤ちゃんを守りましょう	妊娠・授乳中の喫煙，受動喫煙，飲酒は，胎児や乳児の発育，母乳分泌に影響を与えます．お母さん自身が禁煙，禁酒に努めるだけでなく，周囲の人にも協力を求めましょう．
お母さんと赤ちゃんのからだと心のゆとりは，周囲のあたたかいサポートから	お母さんと赤ちゃんのからだと心のゆとりは，家族や地域の方など周りの人々の支えから生まれます．不安や負担感を感じたときは一人で悩まず，家族や友人，地域の保健師など専門職に相談しましょう．

（資料：厚生労働省「妊娠前からはじめる妊産婦のための食生活指針」）

妊産婦のための食事バランスガイド

～あなたの食事は大丈夫?～

「食事バランスガイド」ってなぁに?

「食事バランスガイド」とは，1日に「何を」「どれだけ」食べたらよいかが一目でわかる食事の目安です．

「主食」「副菜」「主菜」「牛乳・乳製品」「果物」の5グループの料理や食品を組み合わせてとれるよう，コマにたとえてそれぞれの適量をイラストでわかりやすくしめしています．

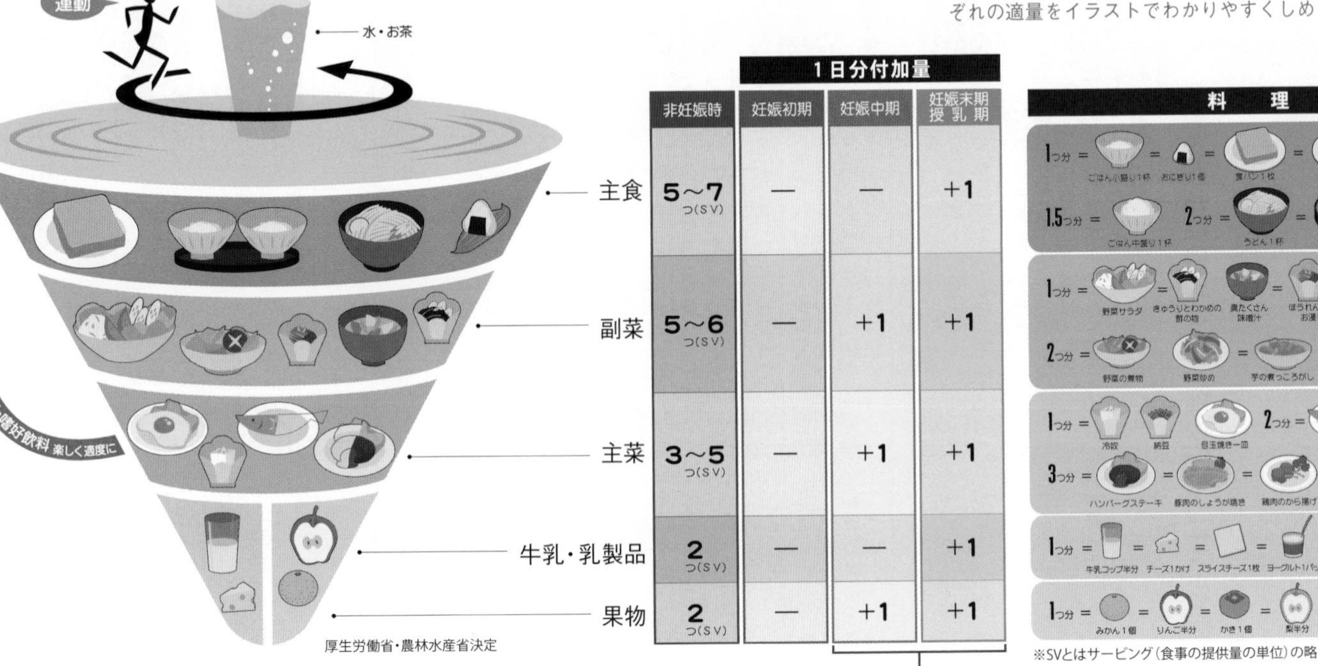

	非妊娠時	1日分付加量		
		妊娠初期	妊娠中期	妊娠末期 授乳期
主食	5～7つ(SV)	―	―	+1
副菜	5～6つ(SV)	―	+1	+1
主菜	3～5つ(SV)	―	+1	+1
牛乳・乳製品	2つ(SV)	―	―	+1
果物	2つ(SV)	―	+1	+1

非妊娠時、妊娠初期の1日分を基本とし、妊娠中期、妊娠末期・授乳期の方はそれぞれの枠内の付加量を補うことが必要です。

料理例

主食：1つ分 = ごはん小盛り1杯 = おにぎり1個 = 食パン1枚 = ロールパン2個
1.5つ分 = ごはん中盛り1杯　2つ分 = うどん1杯 = もりそば1杯 = スパゲッティー

副菜：1つ分 = 野菜サラダ = きゅうりとわかめの酢の物 = 具たくさん味噌汁 = ほうれん草のお浸し = ひじきの煮物 = 煮豆 = きのこソテー
2つ分 = 野菜の煮物 = 野菜炒め = 芋の煮っころがし

主菜：1つ分 = 冷奴 = 納豆 = 目玉焼き一皿　2つ分 = 焼き魚 = 魚の天ぷら = まぐろとイカの刺身
3つ分 = ハンバーグステーキ = 豚肉のしょうが焼き = 鶏肉のから揚げ

牛乳・乳製品：1つ分 = 牛乳コップ半分 = チーズ1かけ = スライスチーズ1枚 = ヨーグルト1パック　2つ分 = 牛乳瓶1本分

果物：1つ分 = みかん1個 = りんご半分 = かき1個 = 梨半分 = ぶどう半房 = 桃1個

※SVとはサービング(食事の提供量の単位)の略

このイラストの料理例を組み合わせるとおおよそ2,200kcal。非妊娠時・妊娠初期（20～49歳女性）の身体活動レベル「ふつう（Ⅱ）」以上の1日分の適量を示しています。

食塩・油脂については料理の中に使用されているものであり、「コマ」のイラストとして表現されていませんが、実際の食事選択の場面で表示される際には食塩相当量や脂質も合わせて情報提供されることが望まれます。

(資料:厚生労働省「妊産婦のための食生活指針」より抜粋)

巻末資料 3　離乳の進め方の目安（授乳・離乳の支援ガイドより）

離乳の開始 → 離乳の完了

〈以下に示す事項は，あくまでも目安であり，子どもの食欲や成長・発達の状況に応じて調整する〉

	離乳初期 生後5～6か月頃	離乳中期 生後7～8か月頃	離乳後期 生後9か月～11か月頃	離乳完了期 生後12か月～18か月頃
食べ方の目安	・子どもの様子を見ながら，1日1回1さじずつ始める． ・母乳や育児用ミルクは飲みたいだけ与える．	・1日2回食で食事のリズムをつけていく． ・いろいろな味や舌ざわりを楽しめるように食品の種類を増やしていく．	・食事のリズムを大切に，1日3回食に進めていく． ・共食を通じて，食の楽しい体験を積み重ねる．	・1日3回の食事のリズムを大切に，生活リズムを整える． ・手づかみ食べにより，自分で食べる楽しみを増やす．
調理形態	なめらかにすりつぶした状態	舌でつぶせる固さ	歯ぐきでつぶせる固さ	歯ぐきで噛める固さ
一回当たりの目安量				
Ⅰ　穀類（g）	つぶしがゆから始める． すりつぶした野菜なども試してみる． 慣れてきたら，つぶした豆腐・白身魚・卵黄などを試してみる．	全がゆ 50～80	全がゆ 90～ 軟飯 80	軟飯 90～ ご飯 80
Ⅱ　野菜・果物（g）		20～30	30～40	40～50
Ⅲ　魚（g）		10～15	15	15～20
又は肉（g）		10～15	15	15～20
又は豆腐（g）		30～40	45	50～55
又は卵（個）		卵黄 1～ 全卵1/3	全卵1/2	全卵1/2～ 2/3
又は乳製品（g）		50～70	80	100
歯の萌出の目安		乳歯が生え始める	1歳前後で前歯が8本生えそろう 〈離乳完了期の後半頃に奥歯（第一乳臼歯）が生え始める〉	
摂食機能の目安	口を閉じて取り込みや飲み込みができるようになる．	舌と上あごで潰していくことができるようになる．	歯ぐきで潰すことができるようになる．	歯を使うようになる．

※衛生面に十分に配慮して食べやすく調理したものを与える．

（資料：厚生労働省「授乳・離乳の支援ガイド（改訂に関する研究会）」）

巻末資料 4　食生活指針（2016 年改訂）

食生活指針	食生活指針の実践
食事を楽しみましょう.	・毎日の食事で，健康寿命をのばしましょう. ・おいしい食事を，味わいながらゆっくりよく噛んで食べましょう. ・家族の団らんや人との交流を大切に，また，食事づくりに参加しましょう.
1 日の食事のリズムから，健やかな生活リズムを	・朝食で，いきいきした 1 日を始めましょう. ・夜食や間食はとりすぎないようにしましょう. ・飲酒はほどほどにしましょう.
適度な運動とバランスのよい食事で，適正体重の維持を.	・普段から体重を量り，食事量に気をつけましょう. ・普段から意識して身体を動かすようにしましょう. ・無理な減量はやめましょう. ・特に若年女性のやせ，高齢者の低栄養にも気をつけましょう.
主食，主菜，副菜を基本に，食事のバランスを.	・多様な食品を組み合わせましょう. ・調理方法が偏らないようにしましょう. ・手作りと外食や加工食品・調理食品を上手に組み合わせましょう.
ごはんなどの穀類をしっかりと.	・穀類を毎食とって，糖質からのエネルギー摂取を適正に保ちましょう. ・日本の気候・風土に適している米などの穀類を利用しましょう.
野菜・果物，牛乳・乳製品，豆類，魚なども組み合わせて.	・たっぷり野菜と毎日の果物で，ビタミン，ミネラル，食物繊維をとりましょう. ・牛乳・乳製品，緑黄色野菜，豆類，小魚などで，カルシウムを十分にとりましょう.
食塩は控えめに，脂肪は質と量を考えて.	・食塩の多い食品や料理を控えめにしましょう. 食塩摂取量の目標値は，男性で 1 日 8g 未満，女性で 7g 未満とされています. ・動物，植物，魚由来の脂肪をバランスよくとりましょう. ・栄養成分表示を見て，食品や外食を選ぶ習慣を身につけましょう.
日本の食文化や地域の産物を活かし，郷土の味の継承を.	・「和食」をはじめとした日本の食文化を大切にして，日々の食生活に活かしましょう. ・地域の産物や旬の素材を使うとともに，行事食を取り入れながら，自然の恵みや四季の変化を楽しみましょう. ・食材に関する知識や調理技術を身につけましょう. ・地域や家庭で受け継がれてきた料理や作法を伝えていきましょう.
食料資源を大切に，無駄や廃棄の少ない食生活を.	・まだ食べられるのに廃棄されている食品ロスを減らしましょう. ・調理や保存を上手にして，食べ残しのない適量を心がけましょう. ・賞味期限や消費期限を考えて利用しましょう.
「食」に関する理解を深め，食生活を見直してみましょう.	・子供のころから，食生活を大切にしましょう. ・家庭や学校，地域で，食品の安全性を含めた「食」に関する知識や理解を深め，望ましい習慣を身につけましょう. ・家族や仲間と，食生活を考えたり，話し合ったりしてみましょう. ・自分たちの健康目標をつくり，よりよい食生活を目指しましょう.

（資料：文部省，厚生省，農林水産省共同（平成 28 年 6 月一部改訂））

巻末資料 5　食事摂取基準による各栄養素などの摂取目安量

性別等	年齢階級	（参考）推定エネルギー必要量 kcal/ 日			たんぱく質 g/ 日			たんぱく質 % エネルギー	脂質 % エネルギー		飽和脂肪酸 % エネルギー[9,10]	n-6 系脂肪酸 g/ 日	n-3 系脂肪酸 g/ 日	炭水化物 % エネルギー	食物繊維 g/ 日
		Ⅰ[1]	Ⅱ[1]	Ⅲ[1]	EAR	RDA	AI	DG[4]	AI	DG[8]	DG	AI	AI	DG[11,12]	DG
男性	0~5(月)	-	550	-	-	-	10	-	50	-	-	4	0.9	-	-
	6~8(月)	-	650	-	-	-	15	-	40	-	-	4	0.8	-	-
	9~11(月)	-	700	-	-	-	25	-							
	1~2(歳)	-	950	-	15	20	-	13~20	-	20~30	-	4	0.7	50~65	-
	3~5(歳)	-	1,300	-	20	25	-	13~20	-	20~30	10 以下	6	1.1	50~65	8 以上
	6~7(歳)	1,350	1,550	1,750	25	30	-	13~20	-	20~30	10 以下	8	1.5	50~65	10 以上
	8~9(歳)	1,600	1,850	2,100	30	40	-	13~20	-	20~30	10 以下	8	1.5	50~65	11 以上
	10~11(歳)	1,950	2,250	2,500	40	45	-	13~20	-	20~30	10 以下	10	1.6	50~65	13 以上
	12~14(歳)	2,300	2,600	2,900	50	60	-	13~20	-	20~30	10 以下	11	1.9	50~65	17 以上
	15~17(歳)	2,500	2,800	3,150	50	65	-	13~20	-	20~30	8 以下	13	2.1	50~65	19 以上
	18~29(歳)	2,300	2,650	3,050	50	65	-	13~20	-	20~30	7 以下	11	2.0	50~65	21 以上
	30~49(歳)	2,300	2,700	3,050	50	65	-	13~20	-	20~30	7 以下	10	2.0	50~65	21 以上
	50~64(歳)	2,200	2,600	2,950	50	65	-	14~20	-	20~30	7 以下	10	2.2	50~65	21 以上
	65~74（歳）	2,050	2,400	2,750	50[5]	60[5]	-	15~20[5]		20~30	7 以下	9	2.2	50~65	20 以上
	75 以上(歳)[2]	1,800	2,100	-	50[5]	60[5]	-	15~20[5]	-	20~30	7 以下	8	2.1	50~65	20 以上
女性	0~5(月)	-	500	-	-	-	10	-	50	-	-	4	0.9	-	-
	6~8(月)	-	600	-	-	-	15	-	40	-	-	4	0.8	-	-
	9~11(月)	-	650	-	-	-	25	-							
	1~2(歳)	-	900	-	15	20	-	13~20	-	20~30	-	4	0.8	50~65	-
	3~5(歳)	-	1,250	-	20	25	-	13~20	-	20~30	10 以下	6	1.0	50~65	8 以上
	6~7(歳)	1,250	1,450	1,650	25	30	-	13~20	-	20~30	10 以下	7	1.3	50~65	10 以上
	8~9(歳)	1,500	1,700	1,900	30	40	-	13~20	-	20~30	10 以下	7	1.3	50~65	11 以上
	10~11(歳)	1,850	2,100	2,350	40	50	-	13~20	-	20~30	10 以下	8	1.6	50~65	13 以上
	12~14(歳)	2,150	2,400	2,700	45	55	-	13~20	-	20~30	10 以下	9	1.6	50~65	17 以上
	15~17(歳)	2,050	2,300	2,550	45	55	-	13~20	-	20~30	8 以下	9	1.6	50~65	18 以上
	18~29(歳)	1,700	2,000	2,300	40	50	-	13~20	-	20~30	7 以下	8	1.6	50~65	18 以上
	30~49(歳)	1,750	2,050	2,350	40	50	-	13~20	-	20~30	7 以下	8	1.6	50~65	18 以上
	50~64(歳)	1,650	1,950	2,250	40	50	-	14~20	-	20~30	7 以下	8	1.9	50~65	18 以上
	65~74（歳）	1,550	1,850	2,100	40[5]	50[5]	-	15~20[5]		20~30	7 以下	8	2.0	50~65	17 以上
	75 以上(歳)[2]	1,400	1,650	-	40[5]	50[5]	-	15~20[5]	-	20~30	7 以下	7	1.8	50~65	17 以上
妊婦[3]（+ は付加量）	初期	+50	+50	+50	+0	+0	-	-[6]	-	20~30	7 以下	9	1.6	50~65	18 以上
	中期	+250	+250	+250	+5	+5	-	-[6]							
	後期	+450	+450	+450	+20	+25	-	-[7]							
授乳婦（+ は付加量）		+350	+350	+350	+15	+20	-	-[7]	-	20~30	7 以下	10	1.8	50~65	18 以上

EAR：推定平均必要量
RDA：推奨量
AI　：目安量
DG　：目標量
UL　：耐容上限量

※推定エネルギー必要量は身体活動レベルをⅠ，Ⅱ，Ⅲで表示．

推定エネルギー必要量

[1] 身体活動レベルは，低い，ふつう，高いの 3 つのレベルとして，それぞれⅠ，Ⅱ，Ⅲで示した．
[2] レベルⅡは自立している者，レベルⅠは自宅にいてほとんど外出しない者に相当する．レベルⅠは高齢者施設で自立に近い状態で過ごしている者にも適用できる値である．
[3] 妊婦個々の体格や妊娠中の体重増加量及び胎児の発育状況の評価を行うことが必要である．
注 1：活用にあたっては，食事摂取状況のアセスメント，体重及び BMI の把握を行い，エネルギーの過不足は，体重の変化または BMI を用いて評価すること．
注 2：身体活動レベルⅠの場合，少ないエネルギー消費量に見合った少ないエネルギー摂取量を維持することになるため，健康の保持・増進の観点からは，身体活動量を増加させる必要がある．

たんぱく質

[4] 範囲に関しては，おおむねの値を示したものであり，弾力的に運用すること．
[5] 65 歳以上の高齢者について，フレイル予防を目的とした量を定めることは難しいが，身長・体重が参照体位に比べて小さい者や，特に 75 歳以上であって加齢に伴い身体活動量が大きく低下した者など，必要エネルギー摂取量が低い者では，下限が推奨量を下回る場合があり得る．この場合でも，下限は推奨量以上とすることが望ましい．
[6] 妊娠（初期・中期）の目標量は，13~20% エネルギーとした．
[7] 妊娠（後期）及び授乳婦の目標量は，15~20% エネルギーとした．

脂質

脂質の総エネルギーに占める割合（脂肪エネルギー比率）
[8] 範囲に関してはおおむねの値を示したものである．

飽和脂肪酸

[9] 飽和脂肪酸と同じく，脂質異常症及び循環器疾患に関与する栄養素としてコレステロールがある．コレステロールに目標量は設定しないが，これは許容される摂取量に上限が存在しないことを保証するものではない．また，脂質異常症の重症化予防の目的からは，200mg/ 日未満に留めることが望ましい．
[10] 飽和脂肪酸と同じく，冠動脈疾患に関与する栄養素としてトランス脂肪酸がある．日本人の大多数は，トランス脂肪酸に関する世界保健機関（WHO）の目標（1% エネルギー未満）を下回っており，トランス脂肪酸の摂取による健康への影響は，飽和脂肪酸の摂取によるものと比べて小さいと考えられる．ただし，脂質に偏った食事をしている者では，留意する必要がある．トランス脂肪酸は人体にとって不可欠な栄養素ではなく，健康の保持・増進を図る上で積極的な摂取は勧められないことから，その摂取量は 1% エネルギー未満に留めることが望ましく，1% エネルギー未満でもできるだけ低く留めることが望ましい．

炭水化物

[11] 範囲に関してはおおむねの値を示したものである．
[12] アルコールを含む．ただし，アルコールの摂取を勧めるものではない．

性別等	年齢階級	ビタミンA				ビタミンD		ビタミンE		ビタミンK	ビタミンB1		
		μg RAE/ 日 [1]				μg/ 日 [4]		mg/ 日 [5]		μg/ 日	mg/ 日 [6,7]		
		EAR[2]	RDA[2]	AI[3]	UL[3]	AI	UL	AI	UL	AI	EAR	RDA	AI
男性	0~5(月)	-	-	300	600	5.0	25	3.0	-	4	-	-	0.1
	6~11(月)	-	-	400	600	5.0	25	4.0	-	7	-	-	0.2
	1~2(歳)	300	400	-	600	3.0	20	3.0	150	50	0.4	0.5	-
	3~5(歳)	350	450	-	700	3.5	30	4.0	200	60	0.6	0.7	-
	6~7(歳)	300	400	-	950	4.5	30	5.0	300	80	0.7	0.8	-
	8~9(歳)	350	500	-	1,200	5.0	40	5.0	350	90	0.8	1.0	-
	10~11(歳)	450	600	-	1,500	6.5	60	5.5	450	110	1.0	1.2	-
	12~14(歳)	550	800	-	2,100	8.0	80	6.5	650	140	1.2	1.4	-
	15~17(歳)	650	900	-	2,500	9.0	90	7.0	750	160	1.3	1.5	-
	18~29(歳)	600	850	-	2,700	8.5	100	6.0	850	150	1.2	1.4	-
	30~49(歳)	650	900	-	2,700	8.5	100	6.0	900	150	1.2	1.4	-
	50~64(歳)	650	900	-	2,700	8.5	100	7.0	850	150	1.1	1.3	-
	65~74（歳）	600	850	-	2,700	8.5	100	7.0	850	150	1.1	1.3	
	75 以上 (歳)	550	800	-	2,700	8.5	100	6.5	750	150	1.0	1.2	-
女性	0~5(月)	-	-	300	600	5.0	25	3.0	-	4	-	-	0.1
	6~11(月)	-	-	400	600	5.0	25	4.0	-	7	-	-	0.2
	1~2(歳)	250	350	-	600	3.5	20	3.0	150	60	0.4	0.5	-
	3~5(歳)	350	500	-	850	4.0	30	4.0	200	70	0.6	0.7	-
	6~7(歳)	300	400	-	1,200	5.0	30	5.0	300	90	0.7	0.8	-
	8~9(歳)	350	500	-	1,500	6.0	40	5.0	350	110	0.8	0.9	-
	10~11(歳)	400	600	-	1,900	8.0	60	5.5	450	140	0.9	1.1	-
	12~14(歳)	500	700	-	2,500	9.5	80	6.0	600	170	1.1	1.3	-
	15~17(歳)	500	650	-	2,800	8.5	90	5.5	650	150	1.0	1.2	-
	18~29(歳)	450	650	-	2,700	8.5	100	5.0	650	150	0.9	1.1	-
	30~49(歳)	500	700	-	2,700	8.5	100	5.5	700	150	0.9	1.1	-
	50~64(歳)	500	700	-	2,700	8.5	100	6.0	700	150	0.9	1.1	-
	65~74（歳）	500	700	-	2,700	8.5	100	6.5	650	150	0.9	1.1	
	75 以上 (歳)	450	650	-	2,700	8.5	100	6.5	650	150	0.8	0.9	-
妊婦（+ は付加量）	初期	+0	+0	-	-								
	中期	+0	+0	-	-	8.5	-	6.5	-	150	+0.2	+0.2	-
	後期	+60	+80	-	-								
授乳婦（+ は付加量）		+300	+450	-	-	8.5	-	7.0	-	150	+0.2	+0.2	-

EAR：推定平均必要量
RDA：推奨量
AI　：目安量
DG　：目標量
UL　：耐容上限量

ビタミンA
[1] レチノール活性当量 (μgRAE) = レチノール (μg) + β-カロテン (μg) × 1/12 + α-カロテン (μg) × 1/24 + β-クリプトキサンチン (μg) × 1/24 + その他のプロビタミンAカロテノイド (μg) × 1/24
[2] プロビタミンAカロテノイドを含む.
[3] プロビタミンAカロテノイドを含まない.

ビタミンD
[4] 日照により皮膚でビタミンDが産生されることを踏まえ，フレイル予防を図る者はもとより，全年齢区分を通じて，日常生活において可能な範囲内での適度な日光浴を心掛けるとともに，ビタミンDの摂取については，日照時間を考慮に入れることが重要である.

ビタミンE
[5] α-トコフェロールについて算定した．α-トコフェロール以外のビタミンEは含んでいない.

ビタミンB_1
[6] チアミン塩化物塩酸塩（分子量 = 337.3）の重量として示した.
[7] 身体活動レベルⅡの推定エネルギー必要量を用いて算定した.
特記事項：推定平均必要量は，ビタミンB_1の欠乏症である脚気を予防するに足る最小必要量からではなく，尿中にビタミンB_1の排泄量が増大し始める摂取量（体内飽和量）から算定.

性別等	年齢階級	ビタミンB2			ナイアシン				ビタミンB6				ビタミンB12		
		mg/ 日 [1]			mg NE/ 日 [2,3]				mg/ 日 [6]				μg/ 日 [8]		
		EAR	RDA	AI	EAR	RDA	AI	UL[4]	EAR	RDA	AI	UL[7]	EAR	RDA	AI
男性	0~5(月)[5]	-	-	0.3	-	-	2	-	-	-	0.2	-	-	-	0.4
	6~11(月)	-	-	0.4	-	-	3	-	-	-	0.3	-	-	-	0.5
	1~2(歳)	0.5	0.6	-	5	6	-	60(15)	0.4	0.5	-	10	0.8	0.9	-
	3~5(歳)	0.7	0.8	-	6	8	-	80(20)	0.5	0.6	-	15	0.9	1.1	-
	6~7(歳)	0.8	0.9	-	7	9	-	100(30)	0.7	0.8	-	20	1.1	1.3	-
	8~9(歳)	0.9	1.1	-	9	11	-	150(35)	0.8	0.9	-	25	1.3	1.6	-
	10~11(歳)	1.1	1.4	-	11	13	-	200(45)	1.0	1.1	-	30	1.6	1.9	-
	12~14(歳)	1.3	1.6	-	12	15	-	250(60)	1.2	1.4	-	40	2.0	2.4	-
	15~17(歳)	1.4	1.7	-	14	17	-	300(70)	1.2	1.5	-	50	2.0	2.4	-
	18~29(歳)	1.3	1.6	-	13	15	-	300(80)	1.1	1.4	-	55	2.0	2.4	-
	30~49(歳)	1.3	1.6	-	13	15	-	350(85)	1.1	1.4	-	60	2.0	2.4	-
	50~64(歳)	1.2	1.5	-	12	14	-	350(85)	1.1	1.4	-	55	2.0	2.4	-
	65~74（歳）	1.2	1.5	-	12	14	-	300(80)	1.1	1.4	-	50	2.0	2.4	-
	75 以上 (歳)	1.1	1.3	-	11	13	-	300(75)	1.1	1.4	-	50	2.0	2.4	-
女性	0~5(月)[5]	-	-	0.3	-	-	2	-	-	-	0.2	-	-	-	0.4
	6~11(月)	-	-	0.4	-	-	3	-	-	-	0.3	-	-	-	0.5
	1~2(歳)	0.5	0.5	-	4	5	-	60(15)	0.4	0.5	-	10	0.8	0.9	-
	3~5(歳)	0.6	0.8	-	6	7	-	80(20)	0.5	0.6	-	15	0.9	1.1	-
	6~7(歳)	0.7	0.9	-	7	8	-	100(30)	0.6	0.7	-	20	1.1	1.3	-
	8~9(歳)	0.9	1.0	-	8	10	-	150(35)	0.8	0.9	-	25	1.3	1.6	-
	10~11(歳)	1.0	1.3	-	10	10	-	150(45)	1.0	1.1	-	30	1.6	1.9	-
	12~14(歳)	1.2	1.4	-	12	14	-	250(60)	1.0	1.3	-	40	2.0	2.4	-
	15~17(歳)	1.2	1.4	-	11	13	-	250(65)	1.0	1.3	-	45	2.0	2.4	-
	18~29(歳)	1.0	1.2	-	9	11	-	250(65)	1.0	1.1	-	45	2.0	2.4	-
	30~49(歳)	1.0	1.2	-	10	12	-	250(65)	1.0	1.1	-	45	2.0	2.4	-
	50~64(歳)	1.0	1.2	-	9	11	-	250(65)	1.0	1.1	-	45	2.0	2.4	-
	65~74（歳）	1.0	1.2	-	9	11	-	250(65)	1.0	1.1	-	40	2.0	2.4	-
	75 以上 (歳)	0.9	1.0	-	9	10	-	250(60)	1.0	1.1	-	40	2.0	2.4	-
妊婦（+ は付加量）		+0.2	+0.3	-	+0	+0	-	-	+0.2	+0.2	-	-	+0.3	+0.4	-
授乳婦（+ は付加量）		+0.5	+0.6		+3	+3	-	-	+0.3	+0.3	-	-	+0.7	+0.8	-

ビタミンB_2
[1] 身体活動レベルⅡの推定エネルギー必要量を用いて算定した.
特記事項：推定平均必要量は，ビタミンB_2の欠乏症である口唇炎，口角炎，舌炎などの皮膚炎を予防するに足る最小量からではなく，尿中にビタミンB_2の排泄量が増大し始める摂取量（体内飽和量）から算定.

ナイアシン
[2] ナイアシン当量（NE）= ナイアシン +1/60 トリプトファンで示した.
[3] 身体活動レベルⅡの推定エネルギー必要量を用いて算定した.
[4] ニコチンアミドの重量（mg/ 日）.
（　）内はニコチン酸の重量（mg/ 日）.
[5] 単位は mg/ 日

ビタミンB_6
[6] たんぱく質の推奨量を用いて算定した（妊婦・授乳婦の付加量は除く）.
[7] ピリドキシン（分子量 = 169.2）の重量として示した.

ビタミンB_{12}
[8] シアノコバラミン（分子量 = 1,355.37）の重量として示した.

性別等	年齢階級	葉酸				パントテン酸	ビオチン	ビタミンC			ナトリウム[6]		
		μg/日[1]				mg/日	μg/日	mg/日[5]			mg/日，( )は食塩相当量[g/日][6]		
		EAR	RDA	AI	UL[2]	AI	AI	EAR	RDA	AI	EAR	AI	DG
男性	0~5(月)	-	-	40	-	4	4	-	-	40	-	100(0.3)	-
	6~11(月)	-	-	60	-	5	5	-	-	40	-	600(1.5)	-
	1~2(歳)	80	90	-	200	3	20	35	40	-	-	-	(3.0未満)
	3~5(歳)	90	110	-	300	4	20	40	50	-	-	-	(3.5未満)
	6~7(歳)	110	140	-	400	5	30	50	60	-	-	-	(4.5未満)
	8~9(歳)	130	160	-	500	6	30	60	70	-	-	-	(5.0未満)
	10~11(歳)	160	190	-	700	6	40	70	85	-	-	-	(6.0未満)
	12~14(歳)	200	240	-	900	7	50	85	100	-	-	-	(7.0未満)
	15~17(歳)	220	240	-	900	7	50	85	100	-	-	-	(7.5未満)
	18~29(歳)	200	240	-	900	5	50	85	100	-	600(1.5)	-	(7.5未満)
	30~49(歳)	200	240	-	1,000	5	50	85	100	-	600(1.5)	-	(7.5未満)
	50~64(歳)	200	240	-	1,000	6	50	85	100	-	600(1.5)	-	(7.5未満)
	65~74（歳）	200	240	-	900	6	50	80	100	-	600(1.5)		(7.5未満)
	75以上(歳)	200	240	-	900	6	50	80	100	-	600(1.5)	-	(7.5未満)
女性	0~5(月)	-	-	40	-	4	4	-	-	40	-	100(0.3)	-
	6~11(月)	-	-	60	-	5	5	-	-	40	-	600(1.5)	-
	1~2(歳)	90	90	-	200	4	20	35	40	-	-	-	(3.0未満)
	3~5(歳)	90	110	-	300	4	20	40	50	-	-	-	(3.5未満)
	6~7(歳)	110	140	-	400	5	30	50	60	-	-	-	(4.5未満)
	8~9(歳)	130	160	-	500	5	30	60	70	-	-	-	(5.0未満)
	10~11(歳)	160	190	-	700	6	40	70	85	-	-	-	(6.0未満)
	12~14(歳)	200	240	-	900	6	50	85	100	-	-	-	(6.5未満)
	15~17(歳)	200	240	-	900	6	50	85	100	-	-	-	(6.5未満)
	18~29(歳)	200	240	-	900	5	50	85	100	-	600(1.5)	-	(6.5未満)
	30~49(歳)	200	240	-	1,000	5	50	85	100	-	600(1.5)	-	(6.5未満)
	50~64(歳)	200	240	-	1,000	5	50	85	100	-	600(1.5)	-	(6.5未満)
	65~74（歳）	200	240	-	900	5	50	80	100	-	600(1.5)	-	(6.5未満)
	75以上(歳)	200	240	-	900	5	50	80	100	-	600(1.5)	-	(6.5未満)
妊婦（+は付加量）[3,4]		+200	+240	-	-	5	50	+10	+10	-	600(1.5)	-	(6.5未満)
授乳婦（+は付加量）		+80	+100	-	-	6	50	+40	+45	-	600(1.5)	-	(6.5未満)

EAR：推定平均必要量
RDA：推奨量
AI　：目安量
DG　：目標量
UL　：耐容上限量

葉酸

[1] プテロイルモノグルタミン酸（分子量＝441.40）の重量として示した.
[2] 通常の食品以外の食品に含まれる葉酸（狭義の葉酸）に適用する.
[3] 妊娠を計画している女性，妊娠の可能性がある女性及び妊娠初期の妊婦は，胎児の神経管閉鎖障害のリスク低減のために，通常の食品以外の食品に含まれる葉酸（狭義の葉酸）を400μg/日摂取することが望まれる.
[4] 付加量は，中期及び後期にのみ設定した.

ビタミンC

[5] L-アスコルビン酸（分子量＝176.12）の重量で示した.
特記事項：推定平均必要量は，ビタミンCの欠乏症である壊血病を予防するに足る最小量からではなく，心臓血管系の疾病予防効果及び抗酸化作用の観点から算定.

ナトリウム

[6] 高血圧及び慢性腎臓病（CKD）の重症化予防のための食塩相当量の量は，男女とも6.0g/日未満とした.

性別等	年齢階級	カリウム		カルシウム				マグネシウム				リン	
		mg/日		mg/日				mg/日				mg/日	
		AI	DG	EAR	RDA	AI	UL	EAR	RDA	AI	UL[1]	AI	UL
男性	0~5(月)	400	-	-	-	200	-	-	-	20	-	120	-
	6~11(月)	700	-	-	-	250	-	-	-	60	-	260	-
	1~2(歳)	900	-	350	450	-	-	60	70	-	-	500	-
	3~5(歳)	1,000	1,400以上	500	600	-	-	80	100	-	-	700	-
	6~7(歳)	1,300	1,800以上	500	600	-	-	110	130	-	-	900	-
	8~9(歳)	1,500	2,000以上	550	650	-	-	140	170	-	-	1,000	-
	10~11(歳)	1,800	2,200以上	600	700	-	-	180	210	-	-	1,100	-
	12~14(歳)	2,300	2,400以上	850	1,000	-	-	250	290	-	-	1,200	-
	15~17(歳)	2,700	3,000以上	650	800	-	-	300	360	-	-	1,200	-
	18~29(歳)	2,500	3,000以上	650	800	-	2,500	280	340	-	-	1,000	3,000
	30~49(歳)	2,500	3,000以上	600	750	-	2,500	310	370	-	-	1,000	3,000
	50~64(歳)	2,500	3,000以上	600	750	-	2,500	310	370	-	-	1,000	3,000
	65~74（歳）	2,500	3,000以上	600	750	-	2,500	290	350	-	-	1,000	3,000
	75以上(歳)	2,500	3,000以上	600	700	-	2,500	270	320	-	-	1,000	3,000
女性	0~5(月)	400	-	-	-	200	-	-	-	20	-	120	-
	6~11(月)	700	-	-	-	250	-	-	-	60	-	260	-
	1~2(歳)	900	-	350	400	-	-	60	70	-	-	500	-
	3~5(歳)	1,000	1,400以上	450	550	-	-	80	100	-	-	700	-
	6~7(歳)	1,200	1,800以上	450	550	-	-	110	130	-	-	800	-
	8~9(歳)	1,500	2,000以上	600	750	-	-	140	160	-	-	1,000	-
	10~11(歳)	1,800	2,000以上	600	750	-	-	180	220	-	-	1,000	-
	12~14(歳)	1,900	2,400以上	700	800	-	-	240	290	-	-	1,000	-
	15~17(歳)	2,000	2,600以上	550	650	-	-	260	310	-	-	900	-
	18~29(歳)	2,000	2,600以上	550	650	-	2,500	230	270	-	-	800	3,000
	30~49(歳)	2,000	2,600以上	550	650	-	2,500	240	290	-	-	800	3,000
	50~64(歳)	2,000	2,600以上	550	650	-	2,500	240	290	-	-	800	3,000
	65~74（歳）	2,000	2,600以上	550	650	-	2,500	230	280	-	-	800	3,000
	75以上(歳)	2,000	2,600以上	500	600	-	2,500	220	260	-	-	800	3,000
妊婦（+は付加量）		2,000	2,600以上	+0	+0	-	-	+30	+40	-	-	800	-
授乳婦（+は付加量）		2,200	2,600以上	+0	+0	-	-	+0	+0	-	-	800	-

マグネシウム

[1] 通常の食品以外からの摂取量の耐容上限量は，成人の場合350mg/日，小児では5mg/kg体重/日とした.
それ以外の通常の食品からの摂取の場合，耐容上限量は設定しない.

性別等	年齢階級	鉄						亜鉛				銅				マンガン		ヨウ素			
		mg/ 日						mg/ 日				mg/ 日				mg/ 日		μg/ 日			
		EAR	RDA	EAR	RDA	AI	UL	EAR	RDA	AI	UL	EAR	RDA	AI	UL	AI	UL	EAR	RDA	AI	UL
男性	0~5(月)	-	-			0.5	-	-	-	2	-	-	-	0.3	-	0.01	-	-	-	100	250
	6~11(月)	3.5	5.0			-	-	-	-	3	-	-	-	0.3	-	0.5	-	-	-	130	250
	1~2(歳)	3.0	4.5			-	25	3	3	-	-	0.3	0.3	-	-	1.5	-	35	50	-	300
	3~5(歳)	4.0	5.5			-	25	3	4	-	-	0.3	0.4	-	-	1.5	-	45	60	-	400
	6~7(歳)	5.0	5.5			-	30	4	5	-	-	0.4	0.4	-	-	2.0	-	55	75	-	550
	8~9(歳)	6.0	7.0			-	35	5	6	-	-	0.4	0.5	-	-	2.5	-	65	90	-	700
	10~11(歳)	7.0	8.5			-	35	6	7	-	-	0.5	0.6	-	-	3.0	-	80	110	-	900
	12~14(歳)	8.0	10.0			-	40	9	10	-	-	0.7	0.8	-	-	4.0	-	95	140	-	2,000
	15~17(歳)	8.0	10.0			-	50	10	12	-	-	0.8	0.9	-	-	4.5	-	100	140	-	3,000
	18~29(歳)	6.5	7.5			-	50	9	11	-	40	0.7	0.9	-	7	4.0	11	95	130	-	3,000
	30~49(歳)	6.5	7.5			-	50	9	11	-	45	0.7	0.9	-	7	4.0	11	95	130	-	3,000
	50~64(歳)	6.5	7.5			-	50	9	11	-	45	0.7	0.9	-	7	4.0	11	95	130	-	3,000
	65~74(歳)	6.0	7.5			-	50	9	11	-	40	0.7	0.9	-	7	4.0	11	95	130	-	3,000
	75以上(歳)	6.0	7.0			-	50	9	10	-	40	0.7	0.8	-	7	4.0	11	95	130	-	3,000
女性		(月経なし)		(月経あり)																	
	0~5(月)	-	-	-	-	0.5	-	-	-	2	-	-	-	0.3	-	0.01	-	-	-	100	250
	6~11(月)	3.5	4.5	-	-	-	-	-	-	3	-	-	-	0.3	-	0.5	-	-	-	130	250
	1~2(歳)	3.0	4.5	-	-	-	20	2	3	-	-	0.2	0.3	-	-	1.5	-	35	50	-	300
	3~5(歳)	4.0	5.5	-	-	-	25	3	3	-	-	0.3	0.3	-	-	1.5	-	45	60	-	400
	6~7(歳)	4.5	5.5	-	-	-	30	3	4	-	-	0.4	0.4	-	-	2.0	-	55	75	-	550
	8~9(歳)	6.0	7.5	-	-	-	35	4	5	-	-	0.4	0.5	-	-	2.5	-	65	90	-	700
	10~11(歳)	7.0	8.5	10.0	12.0	-	35	5	6	-	-	0.5	0.6	-	-	3.0	-	80	110	-	900
	12~14(歳)	7.0	8.5	10.0	12.0	-	40	7	8	-	-	0.6	0.8	-	-	4.0	-	95	140	-	2,000
	15~17(歳)	5.5	7.0	8.5	10.5	-	40	7	8	-	-	0.6	0.7	-	-	3.5	-	100	140	-	3,000
	18~29(歳)	5.5	6.5	8.5	10.5	-	40	7	8	-	35	0.6	0.7	-	7	3.5	11	95	130	-	3,000
	30~49(歳)	5.5	6.5	9.0	10.5	-	40	7	8	-	35	0.6	0.7	-	7	3.5	11	95	130	-	3,000
	50~64(歳)	5.5	6.5	9.0	11.0	-	40	7	8	-	35	0.6	0.7	-	7	3.5	11	95	130	-	3,000
	65~74(歳)	5.0	6.0	-	-	-	40	7	8	-	35	0.6	0.7	-	7	3.5	11	95	130	-	3,000
	75以上(歳)	5.0	6.0	-	-	-	40	6	8	-	30	0.6	0.7	-	7	3.5	11	95	130	-	3,000
妊婦(+は付加量)	初期	+2.0	+2.5	-	-	-	-	+1	+2	-	-	+0.1	+0.1	-	-	3.5	-	+75	+110	-	-[1]
	中期	+8.0	+9.5																		
	後期			-	-	-	-														
授乳婦(+は付加量)		+2.0	+2.5	-	-	-	-	+3	+4	-	-	+0.5	+0.6	-	-	3.5	-	+100	+140	-	-[1]

性別等	年齢階級	セレン				クロム		モリブデン			
		μg/ 日				μg/ 日		μg/ 日			
		EAR	RDA	AI	UL	AI	UL	EAR	RDA	AI	UL
男性	0~5(月)	-	-	15	-	0.8	-	-	-	2	-
	6~11(月)	-	-	15	-	1.0	-	-	-	5	-
	1~2(歳)	10	10	-	100	-	-	10	10	-	-
	3~5(歳)	10	15	-	100	-	-	10	10	-	-
	6~7(歳)	15	15	-	150	-	-	10	15	-	-
	8~9(歳)	15	20	-	200	-	-	15	20	-	-
	10~11(歳)	20	25	-	250	-	-	15	20	-	-
	12~14(歳)	25	30	-	350	-	-	20	25	-	-
	15~17(歳)	30	35	-	400	-	-	25	30	-	-
	18~29(歳)	25	30	-	450	10	500	20	30	-	600
	30~49(歳)	25	30	-	450	10	500	25	30	-	600
	50~64(歳)	25	30	-	450	10	500	25	30	-	600
	65~74(歳)	25	30	-	450	10	500	20	30		600
	75以上(歳)	25	30	-	400	10	500	20	25	-	600
女性	0~5(月)	-	-	15	-	0.8	-	-	-	2	-
	6~11(月)	-	-	15	-	1.0	-	-	-	5	-
	1~2(歳)	10	10	-	100	-	-	10	10	-	-
	3~5(歳)	10	10	-	100	-	-	10	10	-	-
	6~7(歳)	15	15	-	150	-	-	10	15	-	-
	8~9(歳)	15	20	-	200	-	-	15	15	-	-
	10~11(歳)	20	25	-	250	-	-	15	20	-	-
	12~14(歳)	25	30	-	300	-	-	20	25	-	-
	15~17(歳)	20	25	-	350	-	-	20	25	-	-
	18~29(歳)	20	25	-	350	10	500	20	25	-	500
	30~49(歳)	20	25	-	350	10	500	20	25	-	500
	50~64(歳)	20	25	-	350	10	500	20	25	-	500
	65~74(歳)	20	25	-	350	10	500	20	25	-	500
	75以上(歳)	20	25	-	350	10	500	20	25	-	500
妊婦(+は付加量)		+5	+5	-	-	10	-	+0	+0	-	-
授乳婦(+は付加量)		+15	+20	-	-	10	-	+3	+3	-	-

EAR：推定平均必要量
RDA：推奨量
AI　：目安量
DG　：目標量
UL　：耐容上限量

ヨウ素
[1] 妊婦及び授乳婦の耐容上限量は，2,000 μg/ 日とした．

資料：「日本人の食事摂取基準（2020 年版）」

巻末資料６　巻頭カラーページの献立紹介

幼児期の食事

朝食例

献立名	材料名	可食量（g）
おにぎり	精白米	50
	水	75
	焼きのり	1
具入り卵焼き	鶏ひき肉	10
	にんじん	10
	たまねぎ	20
	油	1
	砂糖	1.5
	酒	1
	濃口しょうゆ	0.5
	鶏卵	40
	牛乳	4
	食塩	0.2
	油	2
	ケチャップ	5
ほうれん草の磯部和え	ほうれん草	25
	焼きのり	0.3
	濃口しょうゆ	1.5
	だし汁	1.5
	ミニトマト	10
豆腐のみそ汁	木綿豆腐	20
	たまねぎ	25
	乾しいたけ	1
	煮干しだし	100
	麦みそ	6
	葉ねぎ	2
果物	りんご	30
牛乳	牛乳	100

※一汁二菜の献立です．おにぎりにして食べやすく工夫をしたり，卵の中に炒めて味付けをした野菜などの具を混ぜるなどにより，食欲が増すように工夫しています．

※みそ汁は，乾ししいたけと煮干しだしの旨味を活かしています．煮干しは必要なだし汁量に対して2%としています．一汁二菜の食事がとれれば，果物や牛乳も取り入れるのもよいです．

幼児食の献立は，３歳以上児の分量で示しています．３歳未満児に用いるときは，この分量の0.7～0.8倍量とし，摂食機能に合わせて具材の切り方などに配慮してください．

昼食例（和食）

献立名	材料名	可食量（g）
ごはん	精白米	50
	水	75
さんまの蒲焼き	さんま	50
	片栗粉	3
	油	3
	砂糖	1
	みりん	0.5
	濃口しょうゆ	2
	ほうれん草	15
五目煮	ごぼう	10
	ゆでたけのこ	10
	にんじん	10
	こんにゃく	10
	干しいたけ	1
	油	1
	だし汁	20
	三温糖	1.5
	濃口しょうゆ	2
	ごま油	0.5
油揚げとたまねぎのみそ汁	たまねぎ	30
	人参	15
	油揚げ	5
	だし汁	130
	麦みそ	4
	小ねぎ	3

※和食の基本のだし汁をかつお節と昆布を合わせてとります．だし汁を用いることで，減塩でも素材の風味を活かした料理作りができます．

※さんまに片栗粉をつけ，油を引いて両面を焼きます．調味料を煮溶かし，さんまのソテーにからめます．シンプルですが，魚の苦手な子どもも喜んで食べてくれます．

※幼児期には唾液の分泌量も少ないため，汁物をつけるようにしています．また，だし汁で野菜を軟らかく煮ることで野菜の摂取量が増えると共に水溶性の栄養素もとることができます．

昼食例　（食べる機能や栄養成分に配慮した献立）

献立名	材料名	可食量（g）
ロールサンド	食パン	40
	いちごジャム	10
	じゃがいも	20
	塩	0.2
	プロセスチーズ	5
	マヨネーズ	4

あさりのチャウダー	あさり（むき身）・水煮	15
	たまねぎ	20
	コーン	5
	にんじん	5
	ブロッコリー	25
	牛乳	50
	ハム	5
	ブイヨン固形	1.5
	水	50
ピーマンの肉詰め	ピーマン	15
	牛ひき肉	20
	たまねぎ	10
	卵	5
	パン粉（乾）	5
	油	2
	ケチャップ	5
	プチトマト	10
	ほうれん草	15
	バター	1
キラキラゼリー	粉寒天	0.5
	水	50
	砂糖	5
	さくらんぼ	3
	みかん	5
	キウイ	5

※ロールサンドにすることで食べやすく，リボンなどで飾り付ければ食欲が増します．
※あさりはミネラルが豊富なため，スープなどに加えることで鉄を強化することができます．ただし，摂食機能が未熟な未満児では，奥歯がないため咀嚼が難しく苦手な子どももいます．未満児に提供するときは半分に切るなどの工夫が必要です．
※ピーマンは輪切りにして用います．輪切りにすることで肉と密着し，肉の脂がよく馴染むことでピーマンも甘く食べやすくなります．
※寒天をよく溶かし，果物を入れて，ラップで球形にして固めます．ラップをゴムでしっかり留め冷水に浮かべると丸くなります．

野菜を使った簡単おやつ

献立名	材料名	可食量（g）
にんじんゼリー	にんじん	15
	水	35
	砂糖	8
	粉寒天	0.3
	白ワイン	2
	レモン汁	1.2
きな粉サブレ	薄力粉	22
	片栗粉	3
	きなこ	9
	砂糖	8
	食塩	0.2
	油	9
	普通牛乳	15
ほうれん草クッキー	ほうれん草	10
	バター	7
	砂糖	7
	ﾍﾞｰｷﾝｸﾞﾊﾟｳﾀﾞｰ	0.3
	小麦粉	22
	溶き卵	3
和風スイートポテト	さつまいも	50
	砂糖	4
	脱脂粉乳	5
	バター	3
	しょうゆ	1
	卵黄	2
	黒ごま	0.5

にんじんゼリー
・にんじんを軟らかく煮てミキサーに半分の水を入れ，ペーストにします．残りの水と寒天を加熱して煮溶かし，砂糖とにんじんペーストを入れよく混ぜます．火を止めて白ワイン，レモン汁を入れます．寒天がよく溶ける前に白ワイン，レモン汁を入れると固まりませんので注意が必要です．
・にんじん嫌いの子どももにんじんと気づかずに食べてくれます．

きな粉サブレ
・薄力粉から塩までの材料をビニール袋にすべて入れ，口を閉じてよく振り混ぜます．油と牛乳を入れ，袋を上手に使って練り込みます．
・袋の中に材料を入れたまま麺棒でのばし平らにします．天板に移し包丁で縦に切れ目を入れ，フォークで３カ所程度形をつけます．
・180℃にオーブンを予熱し 15 分焼きます．

ほうれん草クッキー
・ほうれん草は，葉先のみを使いペーストにするときれいな緑のクッキーになります．
・180℃にオーブンを予熱し 15 分焼きます．

和風スイートポテト
・さつまいもを蒸し，砂糖，脱脂粉乳，バター醤油を入れ混ぜ合わせます．一口大に丸く成形し，ハケで卵黄をぬり黒ごまをかけて 180℃のオーブンで 10 分焼きます．

食物アレルギーのある子どもの食事例

献立名	材料名	可食量（g）
おにぎり	精白米	50
	水	75
鮭の中骨団子のホワイトシチュー	鮭中骨水煮缶	12
	鶏ひき肉	25
	米粉	2
	じゃがいも	30
	人参	10
	たまねぎ	30
	ほうれん草	10
	菜種油	2
	米粉	5
	豆乳	50
	水	100
	塩	0.2
温野菜サラダ	カリフラワー	15
	にんじん	10
	ブロッコリー	15
	マカロニ	5

（マヨネーズ風ソース）	かぼちゃ	15
	さつまいも	15
	菜種油	8
	酢	10
	塩	0.3
	はちみつ	2
	米粉	3
	マスタード	1
切干大根の煮物	切干大根	6
	人参	5
	干しいたけ	1
	桜エビ	1
	小松菜	5
	だし汁	50
	しょうゆ	4
	砂糖	1
	みりん	1

この献立のポイントは，演習課題（別資料）に詳しく解説しています．

ホワイトシチュー
- 鮭の中骨水煮（缶）をすり鉢に入れ，すりこ木で骨を細かく砕き，鶏ひき肉，米粉を入れて混ぜ合わせます．
- ほうれん草は茹で，1cm の長さに切ります．
- じゃがいもなども 1cm 程度に切り，油で炒め火が通ったら水を入れ沸騰させます．沸騰したら，鮭の中骨だんごを入れさらに煮込みます．
- 野菜に火が通ったら，米粉と豆乳を入れとろみをつけ，塩で味を調えます．

温野菜サラダ
- かぼちゃ，さつまいもを茹でペーストにします．鍋にペーストと調味料をすべて入れ加熱します（米粉に火を通すイメージ）．
- 茹でた野菜と混ぜ合わせます．

切り橋大根の煮物
- 和食中心の食事であれば，ほとんどアレルギーの原因になる物質を含みません．和食を上手に利用して，他の子どもと変わりがない料理を提供すると誤配事故も防ぐことができます．

学童期の食事

夕食例（スポーツをする子どもの献立）

献立名	材料名	可食量（g）
ごはん	精白米	70
	水	105
悪魔風ローストチキン	鶏もも肉	100
	食塩	0.2
	こしょう	0.01
	強力粉	3
	調合油	2
	マスタード	8
	パセリ・生	1
	パン粉	15
（たまねぎソース）	オリーブ油	6
	たまねぎ	25
	にんにく	3
	トマトペースト	5
	洋風だし	50
	ローリエ	適
きのこソテー カレー風味	しめじ	20
	生しいたけ	10
	たまねぎ	20
	有塩バター	1
	カレー粉	0.1
	食塩	0.1
	ローズマリー	0.01
ゆでキャベツのサラダ	キャベツ	40
	きゅうり	10
	りんご	10
	干しぶどう	3
（ドレッシング）	レモン汁	4
	穀物酢	3
	たまねぎ	10
	砂糖	3
	固形コンソメ	0.5
洋風かき玉汁	トマト	20
	たまねぎ	15
	カットわかめ	0.5
	固形コンソメ	2
	水	150
	片栗粉	1
	卵	15
牛乳寒天	寒天	0.7
	水	30
	砂糖	7
	普通牛乳	40
	アーモントエッセンス	0.01
	みかん缶詰	15

放課後のトレーニングによって破壊された筋肉の修復や疲労回復を目的として，たんぱく質やビタミン，ミネラルの摂取に配慮した食事を取る必要があります．

悪魔風ローストチキン
- 鶏もも肉に塩・こしょうをし，強力粉をつけて両面を焼きます．片面にマスタードを塗り，刻みパセリ，パン粉，油を合わせた衣をつけ，200℃のオーブンで 15 ～ 20 分焼きます．
- たまねぎソースは，たまねぎ，にんにくをみじん切りにし，洋風だしとトマトペーストを入れ煮込みます（ローリエを 1 枚入れる）．

洋風かき玉汁
- 具材をコンソメだしで加熱し，片栗粉（＋水）を入れ，沸騰したら溶き卵を穴杓子で回し入れます．片栗粉を入れてから卵を入れるとふんわりしたかき玉汁になります．

牛乳寒天
寒天をよく煮溶かしてから牛乳を入れます．

【引用・参考文献】

・厚生労働省「平成29年国民健康・栄養調査結果の概要」
・厚生労働省「平成27年度乳幼児栄養調査結果の概要」
・厚生労働省「大量調理施設衛生管理マニュアル，平成9年3月24日付け衛食第85号別添，最終改正：平成28年10月6日付け生食発1006第1号」
・厚生労働省「平成22年乳幼児身体発育調査報告書」
・厚生労働省「乳児用調製粉乳の安全な調乳，保存及び取扱いに関するガイドラインについて」
・厚生労働省「授乳・離乳の支援ガイド」
・厚生労働省「保育所保育指針」
・厚生労働省「日本人の食事摂取基準」
・厚生労働省「（別紙）第2次食育推進基本計画」
・厚生労働省「（別紙）第3次食育推進基本計画」
・厚生労働省「保育所における食事の提供ガイドライン」
・厚生労働省「食を通じた子どもの健全育成（－いわゆる「食育」の視点から－）のあり方に関する検討会」報告書，2004
・厚生労働省「児童福祉施設における食事の提供ガイド」
・厚生労働省「妊産婦のための食生活指針」
・厚生労働省「妊婦への魚介類の摂食と水銀に関する注意事項」
・厚生労働省「保育所におけるアレルギー対応ガイドライン」
・厚生労働省「保育所におけるアレルギー疾患生活管理指導表」
・厚生労働省雇用均等・児童家庭局保育課長 雇児保発第0329001号「楽しく食べる子どもに～保育所における食育に関する指針～（概要）」
・厚生労働省雇用均等・児童家庭局保育課「保育所保育指針解説書」
・厚生労働科学研究班による「食物アレルギーの栄養食指導の手引き2017」
・AMED研究班による「食物アレルギーの診療の手引き2017」
・内閣府・文部科学省・厚生労働省「幼保連携型認定こども園教育・保育要領」
・農林水産省「食育基本法（平成17年法律第63号），最終改正：平成27年9月11日法律第66号」
・農林水産省「食育推進基本計画」
・農林水産省「第3次食育推進基本計画参考資料集」
・農林水産省「平成27年度食育白書」
・文部科学省「平成30年度学校保健統計調査」
・文部科学省「平成29年度全国学力・学習状況調査」
・文部科学省「子どもの発達段階ごとの特徴と重視すべき課題」
・文部科学省「食に関する指導の手引」
・文部科学省「学校給食摂取基準，平成25年文部科学省告示第10号」
・文部科学省「学校給食法（昭和二十九年六月三日法律第百六十号），最終改正：平成二七年六月二四日法律第四六号」
・文部科学省「幼稚園教育要領」
・文部科学省「小学校学習指導要領」
・文部科学省「中学校学習指導要領」平成20年3月（平成22年11月一部改正）
・文部科学省「平成28年度学校保健統計調査」
・消費者庁「健康食品の表示・広告の見方」
・消費者庁「別添特別用途食品表示許可基準並びに特別用途食品の取扱い及び指導要領」

・消費者庁 HP　http://www.caa.go.jp/
・日本医師会 HP　http://www.med.or.jp/
・日本小児内分泌学会 HP　http://jspe.umin.jp/
・一般財団法人日本アレルギー学会「アナフィラキシーガイドラン」
・日本公衆衛生協会「大規模災害時の栄養・食生活支援活動ガイドライン」
・宮下充正他編「子どものスポーツ医学」南江堂，1987.
・宮下充正「小児医学」19:879-899，1986.
・大口健司他編「イラスト基礎栄養学 第３版」東京教学社，2018.
・石井克枝監「新カラーチャート食品成分表」教育図書，2016.
・有薗幸司「食べ物と健康 食品の安全」南江堂，2013.
・堤ちはる，土井正子編著他「子育て・子育ちを支援する 子どもの食と栄養」萌文書林，2016.
・田中茂穂「静脈経腸栄養 Vol.24 No.5」日本静脈経腸栄養学会，2009.
・峯木真知子，髙橋淳子編「新時代の保育双書　子どもの食と栄養」みらい，2015.
・齋藤麗子，徳野裕子，布施晴美「イラスト女性と健康」東京教学社，2017.
・上田玲子編著「新版　子どもの食生活　－栄養・食育・保育－」ななみ書房，2016.
・飯塚美和子編著他「最新子どもの食と栄養　食生活の基礎を築くために」学建書，2016.
・向井美惠著「お母さんの疑問にこたえる　乳幼児の食べる機能の気付きと支援」医歯薬出版，2013.
・水野清子，南里清一郎他編「子どもの食と栄養　改訂第２版　健康なからだとこころを育む小児栄養学」診断と治療社，2014.
・児玉浩子編著「子どもの食と栄養」中山書店，2014.
・菅原園，辻ひろみ他著「発育期の子どもの食生活と栄養」学建書院，2015.
・高橋和人，野坂洋一郎，吉田美子，若月英三「図説歯の解剖学」医歯薬出版，1987.
・吉本和子「幼児健康調査・乳児保育」中央精版印刷，2016.
・小川雄二，須賀瑞枝「幼児期の保育と食育－保育園・幼稚園での食育のすすめ方－」芽ばえ社，2013.
・林秀雄編「豊かな保育をめざす教育課程・保育課程（第２版）」みらい，2015.
・松村和子，近藤幹生，椛島香代「教育課程・保育課程を学ぶ」ななみ書房，2016.
・秋田喜代美編「よくわかる幼保連携型認定こども園 教育・保育要領 徹底ガイド」株式会社チャイルド本社，2015.
・食事摂取基準の実践・運用を考える会「日本人の食事摂取基準「2020 年版」の実践・運用」第一出版，2020.
・小川雄二編著「子どもの食と栄養演習」建帛社，2011.
・財団法人母子衛生研究会編「授乳・離乳の支援ガイド　実践の手引き」母子保健事業団，2008.
・財団法人こども未来財団「保育所における食育の計画づくりガイド」，2007.
・特定非営利活動法人日本栄養改善学会監「管理栄養士養成課程におけるモデルコアカリキュラム準拠　第３巻　応用栄養学　ライフステージ別・環境別」医歯薬出版，2013.
・社会福祉法人日本保育協会，「保育所食育実践集Ⅴ－保育所における食育に関する調査研究報告書－」，2011.
・公益財団法人児童育成協会監「基本保育シリーズ⑫　子どもの食と栄養」，中央法規出版，2016.
・ベネッセ教育総合研究所「これからの幼児教育 2010 年度夏号，家庭と連携した食育活動のあり方とは？」，2010.
・ベネッセ教育総合研究所「これからの幼児教育 2014 年度秋号，保育の質を高める遊びの『理解』と『援助』」，2014.
・公益社団法人日本小児歯科学会「『子どもの間食』に対する考え方」，2012.
・小児科と小児歯科の保健検討委員「歯からみた幼児食の進め方」，小児保健研究，2007

索　引

—英—

—ア—

—カ—

—サ—

—タ—

—ナ—

—ハ—

—マ—

—ヤ—

—ラ—

—ワ—

イラスト 子どもの食と栄養

ISBN 978-4-8082-6060-6

2021年 4月 1日 初版発行
2023年 10月 1日 4刷発行

著者代表 © 森脇千夏

発行者 鳥飼正樹

印刷
製本 株式会社メデューム

発行所 株式会社東京教学社

郵便番号 112-0002
住所 東京都文京区小石川 3-10-5
電話 03（3868）2405
FAX 03（3868）0673
http://www.tokyokyogakusha.com